*Sotileza – huérfana

  Tío Mocejón
  la Sargueta : mujer
  Carpia ; hija
*Cleto ; hijo

*Andrés – amigo de clase media

Padre Apolinar

Muergo – chico .
     muy listo

Tío Mechelín) opposites of
Tía Sidora   ) fmly. of Tío
         Mocejón

Luisa ; hija de un mercader
    rico empleado por Tío
    Mechelín .

don Venancio Liencres –
Tolín – hermano de Luisa y
    amigo de Andrés

1. Psychological handling of S-A relationship

2. Major obj. of writer = revive imaginatively a way of life through group experience

3. In complete scope = novel is a picture of child loved blooming to maturity & arriving at an even keel (resting on tradition of old & lessons of exp. handed from generations back

4. Characters are basically stock types:

   a. <u>Anders</u> = typ. son of med. class fmly.
     = mom. rebelliousness
     = quietly follows expec. path

   Sotileza = enveloped in air of myst.
     = lofty detachment
     = obsession with cleanliness

SOTILEZA

JOSE MARIA DE PEREDA

SOTILEZA

(NOVELA)

LAS AMERICAS PUBLISHING COMPANY
NEW YORK (U. S.)
1962

PRINTED
IN SPAIN

DEDICATORIA

*A mis contemporáneos de Santander
que aún vivan.*

Así Dios me salve como no he pensado en otros lectores que vosotros al escribir este libro. Y declarado esto, declarado queda, por ende, que a vuestros juicios lo someto y que sólo con vuestro fallo me conformo.

Perdone, pues, la crítica oficiosa si, por esta vez, le pierdo el miedo. No se fatigue arrastrando el microscopio y metiendo las pinzas y el escalpelo entre las fibras de estas páginas; déjese, por Dios, de invocar nombres *extranjis* para ver a qué obras y de quién de ellos y por dónde arrima mejor la estructura de la mía; no se canse en meterme por los ojos la medida que dan ciertos doctores de allende en el arte de presentar casos y cosas de la vida humana en los libros de imaginación; considere una vez siquiera que cada cual en su propia casa, siendo hacendosito y cuidadoso, puede arreglárselas con los recursos que tiene a mano, vivir tan guapamente y campar por sus respetos[1] como el más runflante[2] de sus vecinos, sin copiarle el modo de andar ni pedirle un real prestado, y entienda, por último, que este libro, de la misma veta que algún otro que llegó al mundo con muy buena suerte, y mucho antes que en España se gastaran mares de tinta en en-

[1] *campar por sus respetos:* dícese de la persona que en todas sus acciones procede con entera independencia y sin miramiento o escrúpulo hacia nada ni a nadie.

[2] *runflante:* arrogante, orgulloso.

comiar modelos que ya apestan de tanto no venir al caso los encomios, es como es no por parecerse a otros en su hechura, sino porque no puede ser de otra manera; porque, al fin y a la postre, lo que en él acontece no es más que un pretexto para resucitar gentes, cosas y lugares que apenas existen ya, y reconstruir un pueblo sepultado de la noche a la mañana, durante su patriarcal reposo, bajo la balumba de otras ideas y otras costumbres arrastradas hasta aquí por el torrente de una nueva y extraña civilización; porque ciertos toques y perfiles, que desde lejos pudieran parecer alardes de sectario de una escuela determinada, no son otra cosa que el jugo y la pimienta del guisado[3]: lo que da el estudio del natural, no lo que se toma de los procedimientos de nadie; lo que pide la verdad dentro de los términos del arte, los cuales han de estar en la mente y en el corazón del artista, y no en las cláusulas de los métodos de escribir novelas—que a estos fines iremos a parar extremando otro poquito la pasión por los modelos—; porque lo que se busca, en una palabra, es que reaparezcan aquí aquellas generaciones con los mismos cuerpos y almas que tuvieron.

Y tratándose de esto, ¿a quién sino a vosotros, que las conocisteis vivas, he de conceder yo la necesaria competencia para declarar con acierto si es o no su lengua la que en estas páginas se habla; si son o no sus costumbres, sus leyes, sus vicios y sus virtudes, sus almas y sus cuerpos los que aquí se manifiestan? ¿Y quién sino vosotros podrá suplir con la memoria fiel lo que no puede representarse con la pluma: aquel acento en la dicción pausada, aquel gesto ceñudo sin encono, aquel ambiente salino en la persona, en la voz, en los ademanes y en el vestir desaliñado? Y si

---

[3] *jugo y pimienta del guisado:* lo más sustancioso de un asunto o conversación.

con todo esto que yo no puedo representar aquí, porque es empresa superior a las fuerzas humanas, y con lo que os doy representado, resultan completas, acabadas y vivas las figuras, ¿quién sino vosotros es capaz de conocerlo? Y si lo conocéis y lo declaráis así, ¿qué aplauso puede resonar al fin de mi tarea que mejor me cure del espanto de haberla acometido?

Ved aquí por qué doy tanta importancia a vuestro fallo en la ocasión presente, y por qué, y a pesar del grandísimo respeto que yo tengo a la crítica y a sus fueros indiscutibles, he de atreverme esta vez a mirarla sereno cara a cara, por muy ceñuda que me la ponga.

Cierto que las obras de arte ofrecen, amén del aspecto indicado, otros muy principales también, y cuya apreciación estética, por ser de sentimiento y no de seco raciocinio, cae bajo la jurisdicción de la crítica, por ignorante que sea en el asunto que haya inspirado la obra juzgada; pero si es cosa resuelta ya, a lo que parece, que en la novela que de seria presuma no han de admitirse otros horizontes que aquellos a que estén avezados los ojos de la buena sociedad; si no han de aceptarse como asuntos de importancia otros que los que giren y se desenvuelvan en los grandes centros urbanizados a la moderna; si la levita, y el *boudoir,* y el banquero agiotista, y el político venal, y el joven docto en todas las ciencias, pero desdeñado de la fortuna; el majadero elegante, y el problema del adulterio, y el problema de la prostitución, y el de la virtud con caídas y tantos otros problemas..., y hasta los indecentes galanteos del chulo del Imperial, han de ser los temas obligados de la buena novela de costumbres, ¿cómo he de aspirar yo a la conquista del aplauso general y al veredicto de la crítica militante con un cuadro de miserias y virtudes de un puñado de gentes desconocidas, con accesorios de poco más

o menos y fondos de la Naturaleza, ya en su gran-
diosa tranquilidad, ya en sus cóleras desatadas?

Y vaya observando el lector distinguido y elegante
cómo, anticipándome a su fallo y acomodándome a su
modo de ver y de sentir, confieso humildemente que
no aspiro a escribir un libro al gusto de todos, con
materiales sacados de las canteras de mi huerto; y
cómo me voy aproximando a declarar, si se me aprieta
un poco, que importa menos en una estatua la obra
del escultor que la nombradía del monte en que se
arrancó la piedra.

Así, pues, y en virtud de esto y de lo otro y de todo
lo demás que se entiende sin que yo lo puntualice, de-
cidme vosotros, cuando hayáis leído la última palabra
de esta novela: «Choca esos cinco, porque eres de
nuestra calle...», y vengan penas después...

Y hasta puede que me atreviera entonces, con los
alientos de ese aplauso, contando con que el público
me niegue el suyo, a exclamar para mis adentros,
puestos los ojos en las desdeñadas páginas del libro:

«Pues por más que ustedes digan, no es para todos
la tarea de hinchar perros[4] de esta catadura.»

J. M. DE PEREDA.

Santander, diciembre 1884.

POSDATA

Al reimprimir esta novela, año y medio después de
agotada la copiosa edición primera (marzo de 1885),
lugar era éste bien a propósito, en mi entender, para
decir yo cómo respondieron a la precedente dedicatoria
los aludidos, y hasta los no aludidos en ella; pero como
la enumeración de los honores tributados a la humilde callealtera en tantas formas, desde tantas partes y

---

[4] *hinchar perros:* exagerar, abultar los sucesos o noticias.

por tantas y tan diversas gentes, pudiera traducirse por la malicia en pueril artificio de vanagloria, quédese, bien a pesar mío, esa cuenta sin ajustar en público, y válgales la advertencia a mis acreedores nobilísimos por la más solemne declaración de lo muchísimo que les debo.

J. M DE P.

Junio de 1888.

I

CRISALIDAS

El cuarto era angosto, bajo de techo y triste de luz; negreaban a partes las paredes, que habían sido blancas, y un espeso tapiz de roña, empedernida [5] casi, cubría las carcomidas tablas del suelo. Contenía una mesa de pino, un derrengado sillón de vaqueta y tres sillas desvencijadas; un crucifijo con un ramo de laurel seco, dos estampas de la Pasión y un rosario de Jerusalén, en las paredes; un tintero de cuerno con pluma de ave, un viejo breviario muy recosido, una carpetilla de badana negra, un calendario y una palmatoria de hojalata, encima de la mesa; y, por último, un paraguas de mahón azul con corva empuñadura de asta, en uno de los rincones más oscuros. El cuarto tenía también una alcoba, en cuyo fondo, y por los resquicios que dejaba abiertos una cortinilla de indiana, que no alcanzaba a tapar la menguada puerta, se entreveía una pobre cama, y sobre ella un manteo y un sombrero de teja.

Entre las mesas, las sillas y el paraguas, que llenaban lo mejor de la estancia, y media docena de criaturas haraposas, que, arrimadas a la pared, o aplastando las narices contra la vidriera, o descoyuntadas entre dos sillas y la mesa, ocupaban casi el resto, trataba de pasearse, con grandísimas dificultades, un

[5] *empedernida:* endurecida.

cura de sotana remendada, zapatillas de cintos negros y gorro de terciopelo raído. Era alto, algo encorvado, con los ojos demasiado tiernos, de lo cual, por horror a la luz, era obra la encorvadura del cuello; y tenía un poco abultada y rubicunda la nariz, gruesos los labios, áspero y moreno el cutis y negra la dentadura.

Entre todos aquellos granujas no había señal de zapato ni una camisa completa; los seis iban descalzos, y la mitad de ellos no tenía camisa. Alguno envolvía todo su pellejo en un macizo y remendado chaquetón de su padre; pocos llevaban las perneras cabales: el que tenía calzones no tenía chaqueta, y lo único en que iban todos acordes era en la cara sucia, el pelo hecho un bardal y las pantorrillas roñosas y con cabras [6]. El mayor de ellos tendría diez años. Apestaban a perrera.

—Vamos a ver—dijo el cura, dando un coquetazo [7] al del chaquetón, que se entretenía en resobar las narices contra los vidrios del balcón, el cual muchacho era morrudo, cobrizo, bizco y de cabeza descomunal—: ¿quién hizo el Credo?

Se volvió el rapaz, después de largar un hilo sutil de saliva a la vidriera por entre dos de sus incisivos, y respondió, encogiéndose de hombros:

—¡Qué sé yo!

—¿Y por qué no lo sabes, animalejo? ¿Para qué vienes aquí? ¿Cuántas veces te he repetido que los apóstoles?... Pero *ab asino, lanam*... ¿Cuántos dioses hay?

—¿Dioses?—repitió el interpelado, cruzando los brazos atrás, con lo que vino a quedar en cueros vivos por delante; porque el chaquetón no tenía botones, ni ojales en que prenderlos, aunque los hubiera tenido. Reparó el cura en ello, y dijo, echando manos a las solapas y cruzando la una sobre la otra:

---

[6] *con cabras:* suciedad de las rodillas.
[7] *coquetazo:* puñetazo.

—¡Tapa esas inmundicias, puerco!... ¿Y los botones?

—No los tengo.

—Los habrás jugado al bote.

—Tenía una escota[8], y la perdí esta mañana.

El cura fue a la mesa y sacó del cajón un bramante, con el que a duras penas logró sujetar las dos remendadas delanteras del chaquetón, de modo que tapara las carnes del muchacho. En seguida le repitió la pregunta:

—¿Cuántos dioses hay?

—Pues habrá—respondió el interpelado, volviendo a cruzar los brazos atrás—, a todo tirar, ocho o nueve.

—*Resurge de profundis!*... ¡Ánimas benditas, qué pedazo de animal!... Y personas, ¿cuántas?

Miró el bizco, a su manera, de hito en hito al cura, que también le miraba a él como podía, y respondió con todas las señales de estar poseído de la mayor curiosidad:

—¡Personas!... ¿Qué son personas, *usté?*

—¡San Apolinar bendito!—exclamó el sencillo clérigo haciéndose cruces—. ¿Conque no sabes qué son personas..., lo que es una persona?... Pues ¿qué eres tú?

—¿Yo?... Yo soy Muergo.

—Ni tanto siquiera, porque los hay en la playa con más entendimiento que tú... ¿Qué son personas?—repitió el cura, encarándose con el muchacho que seguía a Muergo por la derecha, también descamisado, pero con calzones, aunque escasos y malos, menos feo que Muergo y no tan bronco de voz.

Este muchacho, no sabiendo qué responder, miró al más inmediato, el cual miró al que le seguía; y todos fueron mirándose unos a otros, con las mismas dudas pintadas en la cara.

---

[8] *escota:* la cuerda que sirve para orientar la vela y sujetarla en la posición deseada. *(N. del A.)*

—¿De modo—exclamó entonces el cura, volviendo a encararse con el que seguía a Muergo—que tampoco sabes qué eres tú?

—¡Eso sí, corflis!—respondió el muchacho, creyendo ver una salida franca para sus apuros.

—¿Pues qué eres?

—Survia.

—¡Eso te diera yo para que reventaras, animal! Y tú, ¿qué eres?—añadió el cura, dirigiéndose a otro, de media camisa, pero sin chaqueta y muy poco pantalón.

—Yo soy Sula—respondió el interpelado, que era rubio y delgadito, por lo cual descollaba en él, más que en el fondo tostado de sus camaradas, la roña de las carnes.

De esta manera, y tratando de responder a la misma pregunta, fueron diciendo sus motes los otros tres muchachos que había en el cuarto, o séanse Cole, Guarín y Toletes. Acaso ninguno de ellos conocía su propio nombre de pila.

El cura, que los tenía bien estudiados, no acabó de perder la paciencia por eso. Les descerrajó cuatro improperios y media docena de latines, y después les dijo en santa calma:

—Pero la culpa me tengo yo, que me empeño en varear el árbol, sabiendo que no puede soltar más que bellotas. El que menos de vosotros lleva dos meses asistiendo a esta casa... ¿A qué, santo nombre de Dios?... ¿Y por qué, Virgen María de las Misericordias? Pues porque el padre Apolinar es un bragazas que se cae de bueno. «*Pae* Polinar, que este hijo mío está, fuera del alma, hecho una bestia; *pae* Polinar, que este otro es una cabra montuna...; *pae* Polinar, que esta condenada criatura me quita la vida a disgustos; que yo no puedo cuidar de él; que en la escuela de balde no le hacen maldito el caso...; que éste, que el otro, que arriba, que abajo...; que *usté* que lo entiende

y para eso fue nacido..., que enséñele, que dómele,
que desásnele...» Y tres que ofrecen y cuatro que yo
busco, cata la casa llena de muchachos, y aguanta su
peste, y explica, y machaca..., cébalos para que vuelvan al día siguiente, porque yo sé lo que sucediera de
otro modo...; y hazlo todo de buena gana, porque ésta
es tu obligación, pues eres lo que eres, *sacerdos Do-
mini nostri Jesuchristi*, por lo cual digo con El: *Sinite
parvulos venire ad me* (Dejad que los niños se acer-
quen a Mí)...; y ríase usted de la vecina de abajo y del
padre de éste y de la madre del de más allá, que mur-
muran y corren y propalan que si salíais de mis manos
más burros de lo que vinisteis a ellas, como salieron
otros muchos que vinieron a mí antes que vosotros...
¡*Lingua corrupta,* carne mísera y concupiscente!...
Ríase usted de eso, como yo me río, porque debo reír-
me... Pero vosotros, alcornoques, más que alcornoques,
¿qué hacéis para corresponder a los esfuerzos del padre Apolinar? ¿Cómo estamos de silabario al cabo de
dos meses?... ¡Ni la O, cuerno, ni la O se conoce en
estas aulas si os la pinto en una pared! Pues de doc-
trina cristiana, a la vista está... Y como no quiero en-
fadarme, aunque motivos había para echaros uno a
uno por el balcón abajo..., vamos a otra cosa, y alabado sea Dios *per omnia sœcula sœculorum,* que lo
demás es chanfaina [9].

Tras este desahogo, pasó fray Apolinar, sin dejar
de pasearse, casi en redondo, con las manos cruzadas
atrás, a lo que él llamaba lo llano y de todos los días:
a preguntar a los granujas las oraciones más usuales
y sencillas para que no las olvidaran; lo único que
había logrado meterles en la cabeza, aunque no bien
del todo. Muergo no necesitó remolque más que tres
veces en el Avemaría; Cole dijo tal cual el Padrenues-

---

[9] *chanfaina:* dícese de la persona o cosa extremadamente
ruin.

tro, y el que mejor sabía el Credo, entre todos ellos, no pasó sin apuntador del «su único Hijo».

En vista de lo cual, fray Apolinar no le dio a Sula más que media galleta dulce, un botón del Provincial de Laredo a Toletes y un higo paso a Guarín.

—Del lobo, un pelo [10], hijos—les dijo en seguida el pobre exclaustrado—; otra vez será menos... y peor Y ahora..., ¡hospa, canalla!... Pero aguárdate un poco, Muergo.

Los muchachos, que ya se disponían a salir, se detuvieron. Y dijo el fraile a Muergo, alzándole las haldillas del chaquetón:

—Esto no puede continuar así. Sin camisa, cuando hay chaqueta, vaya con Dios; pero sin calzones... ¿Adónde han ido a parar los tuyos?

—Los puso *antier* [11] mi madre a secar en las Higueras—respondió Muergo a tropezones.

—¿Y no se han secado todavía, hombre de Dios?

—Los royó una vaca, mientras mi madre destripaba una merluza que *agolía* [12] mal.

—¡Castigo de Dios, Muergo; castigo de Dios!—dijo fray Apolinar rascándose el cogote—. Las merluzas que huelen mal porque están podridas se tiran a la mar, y no se limpian lejos de las gentes para vendérselas después, a medio precio, a los pobres como yo, que tienen buenas tragaderas. Pero ¿no quedó nada de los calzones, hombre?

—La culera—respondió Muergo—, y ésa, en banda.

—Poco es—repuso el exclaustrado, revolviéndose dentro de su ropa, movimiento que era muy habitual en él—. ¿Y no hay otros en casa?

—No, señor.

---

10 *del lobo, un pelo:* refrán que enseña que de la persona mezquina ha de tomarse lo que diere.

11 *antier:* vulgarismo por *anteayer.*

12 *agolía:* vulgarismo por *olía.*

—¿Ni barruntos de dónde puedan venir?

—No, señor.

—¡Cuerno con el hinojo!... Pues así no puedes continuar, porque aunque te sobra paño para envolverte, a lo mejor se rompe la driza[13]; tú no reparas en ello, y si reparas, lo mismo te da... De modo que lo de siempre, hijo, lo de siempre; tú que no puedes, llévame a cuestas, padre Apolinar. ¿No es eso? ¿No es la purísima verdad? ¡Cuerno si lo es!

Muergo se encogió de hombros, y fray Apolinar se metió en la alcoba. Oyósele pujar allá dentro y murmurar entre dientes algunos latinajos; y no tardó en aparecer, alzando la cortina, con un envoltorio negro entre manos, el cual puso en seguida en las de Muergo.

—No son cosa mayor—le dijo—; pero, al fin, son calzones. Dile a tu madre que te los arregle como pueda, y que no los ponga a secar en las Higueras cuando tenga que lavarlos, y si le parecen poco todavía, que se consuele con saber que a la hora presente no los tiene mejores, ni tantos como tú, el padre Apolinar... Conque, ¡vira, canalla, por avante![14]

Otra vez se revolvió el concurso, gruñendo y respingando como piaras de cerdos que huelen el *cocino*[15] al salir de la pocilga, y se pintaba en todos los roñosos semblantes el ansia de llegar a la escalera para examinar la dádiva de fray Apolinar, la cual conservaba aún el calorcillo que le había chocado a Muergo en ella al entregársela el pobre exclaustrado, cuando se

---

13 *driza de bandera:* la cuerda fina con que se iza o se baja. *(N. del A.)*

14 *virar por avante:* cambiar de rumbo o de bordada, de modo que, viniendo el viento por un costado, después de cambiar, venga por el otro. *(N. del A.)*

15 *cocino:* pila o artesa alargada, hecha con el tronco de un árbol ahuecado en su longitud, que sirve para dar de comer a los cerdos.

abrió la puerta y se presentaron en el cuarto dos nuevos personajes. El uno era un muchacho frescote, ro-
llizo, de ojos negros, pelo abundante, lustroso y revuelto; boca risueña, redonda barbilla, y dientes y
color de una salud de bronce; representaba unos doce
años de edad y vestía como los hijos de los señores.

Traía de la mano a una muchachuela pobre, mucho
más baja que él, delgadita, pálida, algo aguileña, el
pelo tirando a rubio, dura de entrecejo y valiente de
mirada. Iba descalza de pie y pierna, y no llevaba sobre
sus carnes, blancas y limpias en cuanto de ellas iba
al descubierto, más que un corto refajo de estameña,
ya viejo, ceñido a la flexible cintura sobre una camisita
demasiado trabajada por el uso, pero no desgarrada ni
pringosa, cualidades que se echaban de ver también
en el refajo. Hay criaturas que son limpias necesariamente y sin darse cuenta de ello, lo mismo que les
sucede a los gatos. Y no se tache de inadecuada la
comparación, pues había algo de este animalejo en lo
gracioso de las líneas, en el pisar blando y seguro y en
el continente receloso y arisco de la muchachita.

En cuanto la vio, Muergo se echó a reír como un
estúpido; Cole soltó un taco de los gordos, y Sula, otro
de los medianos. La recién llegada remedó a Muergo
con una risotada falsa, poniendo la cara muy fea, sin
hacer caso maldito de los otros dos granujas ni del
mismo padre Apolinar, que alumbró un coquetazo a
cada uno de los tres.

—¿A qué vienen esas risotadas, bestias, y esas palabrotas sucias, puercos?—dijo el fraile, mientras largaba los coscorrones.

—Es la callealtera..., ¡ju, ju, ju!—respondió Muergo, rascándose el cogote, machacado por los nudillos
de fray Apolinar.

—La conocemos nosotros—expuso Cole, palpándose
la greña.

—Que de poco se *ajuega* [16], si no es por Muergo—añadió Sula.

Muergo volvió a reírse estúpidamente, y la muchacha tornó a hacerle burla.

—¿Y por eso te ríes, ganso?—dijo el fraile, largándole otro coquetazo—. ¡Pues el lance es de reír!

—Es callealtera...—replicó Cole—, estaba haciendo *barquín-barcón* [17] en una *percha* [18] que *anadaba* [19] en la Maruca... Y yo y Sula estábamos allí tirándole piedras desde la orilla. *Dispués* [20], *allegó* [21] Muergo..., la acertó con un troncho y se fue al agua de cabeza.

—¿Quién?—preguntó el fraile.

—Ella—respondió Cole—. Yo pensé que se *ajuegaba* porque se iba *diendo* a pique... Y Muergo se reía.

—Y yo—saltó Sula—le dije: «¡Chapla, Muergo, tú que *anadas* bien, y sácala porque se está *ajuegando!*... Y entonces se echó al agua y la sacó. *Dimpués* la *ponimos quilla* arriba [22]; y a golpes en la espalda, largó por la boca el agua que había *embarcao* [23].

—¿Y eso es verdad, muchacha?—preguntó a ésta el exclaustrado.

—Sí, señor—respondió la interpelada, sin dejar de remedar a Muergo, que volvió a reír como un idiota.

—Corriente—dijo el exclaustrado—. Pero ¿a qué vienes aquí y a qué vienes tú, Andresillo, y por qué la traes de la mano? ¿En qué bodegón habéis comido juntos, y qué pito voy a tocar yo en estas aventuras?

[16] *ajuega:* vulgarismo por *ahoga.*

[17] *barquín-barcón:* movimiento brusco y repetido de un costado a otro de cualquier cuerpo flotante. *(N. del A.)*

[18] *percha:* lo mismo que *brazal,* o sea cada uno de los maderos fijados por sus extremos en una y otra banda desde la serviola al tajamar.

[19] *anadaba:* vulgarismo por *nadaba.*

[20] *dispués, dimpués:* vulgarismos por *después.*

[21] *allegó:* vulgarismo por *llegó.*

[22] *ponimos quilla arriba:* vulgarismo por *pusimos boca arriba.*

[23] *embarcao:* vulgarismo por *embarcado.*

—Es callealtera—respondió muy serio el llamado Andresillo.

—Ya me voy enterando, ¡cuerno! Tres veces con ésta me lo has dicho ya. ¿Y qué hay con eso?

—La conozco del Muelle-Anaos[24]—continuó Andrés—. Baja casi todos los días allá. Yo no sabía lo de la Maruca..., ¡que si lo sé!—y enderezó a Muergo un gestecillo avinagrado—; porque también conozco a éstos.

—¿Del Muelle-Anaos?—preguntó fray Apolinar, sin pizca de asombro.

—Sí, señor—respondió Andrés—. Van muy a menudo.

—Y él a la Maruca—añadió Guarín.

—¡Cuerno con el rapaz, y qué veta saca!... Pero vamos al caso. Resulta, hasta ahora, que esta niña es callealtera y que tú y esta granujería, a pesar de las respectivas vitolas, sois... tal para cual... ¿Y qué más?

—Que esta mañana avisó a mi madre el *talayero*[25] que quedaba a la vista la *Montañesa*..., y yo salí de casa para ir a San Martín y verla entrar..., y llegué al Muelle-Anaos.

—¡Al Muelle-Anaos!... ¿No vivís ya en la calle de San Francisco?

—Sí, señor.

—¡Pues buen camino llevabas para ir a San Martín!

—Iba a ver si estaba allí Cuco y me quería acompañar.

—¡Cuco! ¿También eres amigo de Cuco, de ese *raquerazo*[26] descortés y grosero, que me canta coplas

---

[24] *Muelle-Anaos:* Muelle de las Naos, primitivo muelle de Santander. *(N. del A.)*

[25] *talayero:* vulgarismo por *atalayero*, centinela, vigía en puestos avanzados.

[26] *raquerazo:* raquero, muchacho que se dedica al merodeo entre los buques de la dársena, a la bajamar, en muelles, careneros, etc. *(N. del A.)*

indecentes en cuanto me columbra de lejos?... ¡Cuerno con la cría!

—Yo nunca le oigo esas cosas... Malo, algo malo es; pero no hace daño a nadie. Anda en el bote del Castrejo y me enseña a remar y a *echar coles y tapas* [27] y a descansar de espaldas y de pie [28]...

—Sí, y a birlar los puros a tu padre para regalárselos a él, y a correr la escuela, y a andar en las guerras..., y a muchas cosas más que me callo... ¡Pues buenas tripas se le pondrían a tu padre si al entrar hoy con la corbeta te veía en las peñas de San Martín en compañía de tan ilustre camarada! ¡Cuerno, recuerno del hinojo!

Andrés se puso muy colorado, y dijo, con la cabeza algo gacha:

—No, señor... Yo no hago nada de eso, *pae* Polinar.

—¡Como que te vas a confesar conmigo ahora!... —repuso el fraile con mucha sorna—. Pero ¡a mí de esas cosas, Andresillo!... En fin, ya hablaremos de esto en mejor ocasión. Ahora sigue con el cuento. ¿Qué te dijo Cuco en el Muelle-Anaos?

—A Cuco no le vi, porque andaba de flete [29] con unos señores. Pero estaba ésta comiendo un zoquete de pan que le habían dado, de pura lástima, unos calafates [30], y me dijo que había dormido anoche en una *barquía* [31], porque la habían echado de casa.

[27] *echar coles y tapas:* arrojarse al agua de cabeza y de pie, respectivamente.

[28] *descansar de espaldas y de pie:* mantenerse a flote en el agua en actitud de descanso, con un ligero movimiento de manos o de pies.

[29] *de flete:* alquiler de una nave para el transporte de personal.

[30] *calafates:* carpinteros de ribera.

[31] *barquía:* embarcación capaz, a lo sumo, de cuatro remos por banda: la mitad, aproximadamente, de una lancha de pescar. *(N. del A.)*

—¿Y por qué?

—Porque le gusta mucho la bribia [32], y le pegaron.

—¡Guapamente, cuerno!... ¡Eso es lo que se llama una escuela de órdago para una mujer! ¿Cómo te llamas, hija?

—Silda me llamo—respondió secamente la interpelada.

—Es callealtera—añadió Andrés.

—¡Dale, y van cuatro!—exclamó el presbítero.

—No tie padre..., ¡ju, ju, ju!—graznó el salvaje Muergo.

La niña le remedó según costumbre.

—Se ajuegó en San Pedro del Mar en la última costera [33] del besugo—dijo Cole.

—Ni madre tampoco tiene—añadió Sula.

—La recogió de lástima un callealtero que se llama tío Mocejón—expuso Andrés.

—¡Ta, ta, ta, ta!—exclamó el padre Apolinar al oírlo—. Luego esta muchacha es hija del difunto Mules, viudo hacía dos años cuando pereció este invierno con aquellos otros infelices... ¡Pues pocos pasos di yo, en gracia de la Virgen, para que te recogieran en esa casa!... ¡Hija, no te conocía ya! Verdad que no recuerdo haberte visto más que dos veces, y ésas, mal, como lo veo todo con estos pícaros ojos que no quieren ser buenos... Corriente; pero ¿de qué se trata ahora, caballero Andrés?

—Pues yo—respondió éste, dando vueltas a la gorra entre sus manos—le dije, al oír lo que me contó: «Vuélvete a casa.» Y ella me dijo: «Si vuelvo, me desloman, y no quiero volver por eso.» Y dije yo: «¿Qué vas a hacer aquí sola?» Y dijo ella: «Lo que hagan otros.» Y yo dije: «Puede que no te peguen.» Y dijo

---

[32] bribia: arte de engañar con halago y buenas palabras.
[33] costera: duración de cada pesca determinada, como la del besugo, la del bonito, etc.

ella: «Me han pegado muchas veces...; todos son malos allí, y por eso me he escapado para no volver.» Y yo entonces me acordé de *usté* y le dije: «Yo te llevaré a un señor que lo arreglará todo, si quieres venir conmigo.» Y ella dijo: «Pues vamos.» Y por eso la traje aquí.

A todo esto, la niña, cuando no hacía gestos a Muergo, recorría con los ojos suelo, muebles y paredes, tan serena y tranquila como si nada tuviera que ver con lo que se trataba allí entre el padre Apolinar y el hijo del capitán de la *Montañesa*.

—Es decir—exclamó el bendito fraile, cruzándose de brazos delante del protector y de la protegida—, que éramos pocos y parió mi abuela. ¡Cuerno con las gangas que le caen al padre Apolinar! Desavénganse las familias; escápense los hijos de sus casas; aráñense los dos Cabildos; enamórese Juan sin bragas de Petra con mucha guinda...; húndase el pico de Cabarga y ciérrese la boca del puerto...; aquí está el padre Apolinar, que lo arregla todo; como si el padre Apolinar no tuviera otra cosa que hacer que enderezar lo que otros tuercen y desasnar bestias como las que me escuchan. ¿Y quién te ha dicho a ti, Andresito, que basta con querer yo que se recoja a esta muchacha en una casa honrada para darla por recogida ya? ¿Y qué sabes tú si, aunque eso fuera posible, querría yo hacerlo? ¿No lo hice ya una vez? ¿Ha servido de algo? ¿Me lo han agradecido siquiera? ¡Pues sábete que negocios ajenos matan el alma, y de negocios ajenos estoy yo hasta la corona, hijo..., y más arriba también!...

Aquí se dio dos vueltas el fraile por el cuarto, mientras las ocho criaturas se miraban unas a otras, o se desperezaban algunas de ellas, o se aburrían las más; y después de retorcerse dos veces seguidas dentro del vestido, detúvose delante de Silda y de Andresillo y les dijo:

—De modo que lo que vosotros queréis es que ahora mismo os acompañe a casa de Mocejón y le hable al alma y le diga: «Aquí está el hijo pródigo, que vuelve arrepentido al hogar paterno...»

—A mí, no—interrumpió Andrés con viveza—; a ésta es a quien ha de acompañar *usté*. Yo me voy ahora mismo a San Martín a ver entrar a mi padre, que debe de estar ya si toca o llega.

—Y yo me voy contigo—dijo Silda con la mayor frescura—. Me gusta mucho ver entrar esos barcos grandes...

—Entonces, cabra de los demonios—replicóle fray Apolinar, cuadrándose delante de ella—. ¿Para quién voy a trabajar yo? ¿Qué voy a meterme en el bolsillo con ese mal rato? Si a ti no te importa lo que resulte del paso que me obligáis a dar, ¿qué cuerno me ha de importar a mí?... ¡Pues no voy, ea!

—A que sí, *pae* Apolinar—le dijo Andrés, mirándole muy risueño.

—¡A que no!—respondió el fraile, queriendo ser inexorable.

—¡A que sí!—insistió Andrés.

—¡Cuerno!—replicó el otro, casi enfurecido—. ¡Pongo las dos orejas a que no y a que requetenó!

Entonces, como si se hubieran puesto instantáneamente de acuerdo los ocho personajes que le rodeaban, gritaron unísonos y con cuanta voz les cabía en la garganta:

—¡A que sí!

Y como vieron al fraile rascarse nervioso la cabeza y alumbrar un testarazo a Muergo, lanzáronse todos en tropel a la escalera, que, angosta y carcomida, retemblaba y crujía, y no pararon hasta el portal, donde se examinó el regalo del padre Apolinar.

Después de convenir todos en que no era cosa superior, dijo Andrés a Silda:

—Para cuando volvamos de San Martín, ya habrá
estado *pae* Apolinar en casa de tío Mocejón o en otra
casa... De un brinco subo yo a preguntarle lo que haya pasado. Tú me esperas aquí, y bajo y te lo cuento.
No te dé pena, que ya lo arreglaremos entre todos.
Ahora, vámonos.

La niña se encogió de hombros, y Muergo, apretándose el nudo de la driza del chaquetón, dijo, enseñando
los dientes y revirando mucho los ojos:

—Yo voy también, en cuanto deje estos calzones a
mi madre.

—Y yo también—añadió Sula.

Silda llamó burro a Muergo; Guarín, Cole y los demás dijeron que se iban, quién al Muelle-Anaos, quién
a las lanchas, quién a otros quehaceres, y Muergo, a
dejar los calzones en su casa, y se separaron a buen
andar.

★

Todo esto acontecía en una hermosa mañana del
mes de junio, bastantes años..., muchos años hace, en
una casa de la calle de la Mar, de Santander, de aquel
Santander sin escolleras ni ensanches; sin ferrocarril
ni tranvías urbanos; sin plaza de Velarde y sin vidrieras en los claustros de la catedral; sin hoteles en el
Sardinero y sin ferias ni barracones en la Alameda
segunda; en el Santander con dársena y con pataches [34] hasta la Pescadería; el Santander del Muelle-
Anaos y de la Maruca; el de la Fuente Santa y de la
Cueva del tío Cirilo; el de la Huerta de los Frailes en
abertal [35], y del Provincial de Burgos envejeciéndose
en el cuartel de San Francisco; el de la casa de Botín,

---

[34] *pataches:* embarcaciones que se destinaban en las escua-
dras para llevar avisos y guardar las entradas de los puertos.

[35] *abertal:* abierto; dícese del campo o finca rústica que no
están cerrados.

inaccesible, sola y deshabitada; el de los Mártires de
la Puntida y de la calle de Tumbatrés; el de las gi-
gantillas el día 3 de noviembre, aniversario de la batalla de Vargas, con luminarias y fuegos artificiales
por la noche, y de las corridas en que mataba *Chabiri,*
picaba el *Zapaterillo,* banderilleaba *Rechina* y capea-
ba el *Pitorro,* en la plaza de Botín, con música de los
Nacionales; el Santander de los Mesones de Santa
Clara, del Peso público y de Mingo, la Zulema y Tumbanavíos; del Chacolí de la Atalaya y del cuartel del
Reganche en la calle de Burgos; del parador de Hor-
maeche y de la Casa del Navío; el Santander de aquellos muchachos decentes, pero muy mal vestidos, que,
con bozo en la cara, todavía jugaban al bote en la
plaza Vieja, y hoy comienzan a humillar la cabeza al
peso de las canas, obra, tanto como de los años, de
la nostalgia de las cosas venerandas que se fueron
para nunca más volver; del Santander que yo tengo
acá dentro, muy adentro, en lo más hondo de mi corazón, y esculpido en la memoria de tal suerte, que a
ojos cerrados me atrevería a trazarlo con todo su pe-
rímetro, sus calles, y el color de sus piedras, y el número, y los nombres, y hasta las caras de sus habitantes; de aquel Santander, en fin, que a la vez que
motivo de espanto y mofa para la desperdigada y versátil juventud de hogaño, que lo conoce de oídas, es
el único refugio que le queda al arte cuando, con sus recursos, se pretende ofrecer a la consideración de otras
generaciones algo de pintoresco, sin dejar de ser castizo, en esta raza pejina [36], que va desvaneciéndose
entre la abigarrada e insulsa confusión de las modernas costumbres.

[36] *peji, pejino, pejina:* el hombre o la mujer del pueblo bajo
de la ciudad de Santander y otras poblaciones marítimas de la
provincia o la perteneciente a ellos. Supónese que esta voz es
derivada de *peje,* pez. *(N. del A.)*

II

DE LA MARUCA A SAN MARTÍN

Estaba tentadora la Maruca cuando pasaron junto
a ella los cuatro muchachos que se encaminaban a
San Martín. Salía el agua a borbotones por el boquerón
de la trasera del Muelle, y regueros de espuma iban
marcando el creciente nivel de la marea en el muro
de la calzada de Cañadío y en la playa de la parte
opuesta, cerrada por la fachada de un almacén que
aún existe, y un alto y espeso bardal que empalmaba
con ella en dirección al Este, espacio ocupado hoy por
la casa de los Jardines y la plaza del Cuadro, con cuantos edificios y calles los siguen por el Norte, hasta la
pared de la huerta del Rábago. Esto era la Maruca de
entonces, que comunicaba con la bahía por el alcan-
tarillón que desembocaba en la punta del Muelle, antro temeroso que muy pocos valientes se habían atrevido a explorar cabalgando en un madero flotante.
Cuco aseguraba haber acometido esta empresa; es decir, entrar por el boquerón de la Maruca y salir por el
del Muelle, a media marea; pero tales cosas contaban
de tinieblas espesas, de ruidos espantosos, de ratas
como cabritos y de ayes lastimeros, como de ánimas
en pena, que me han hecho dudar después acá que
fuera verdad la hazaña. Meter la cabeza en el negro
misterio, pero sin abrir los ojos por no ver horrores, eso
lo hicieron muchos, y yo entre ellos; pero lo de Cuco...,

¡bah! ¿Por qué no citaba testigos cuando lo afirmaba?
Y bien valía la pena acreditarse así tal empresa, por
ser la única que podía, no ya compararse, ponerse
cerca siquiera de otra, tan espantable de suyo, que
ni en broma se atrevió entonces ningún muchacho a
decir que la hubiera acometido: dar cuatro pasos al
abismo en cuyo fondo *flotaba* el barco de piedra en que
vinieron a Santander las cabezas de sus patronos, los
mártires de Calahorra, San Emeterio y San Celedonio;
antro cuya puerta de entrada, baja y angosta, man-
chada de todo género de inmundicias y cerrada siempre, contemplaban chicos y grandes con serios recelos en el muro del Cristo, cerca ya de San Felipe, al
pasar por la embovedada calle de los Azogues. Según
la versión popular, lo mismo era penetrar allí una
persona que caer destrozada a golpes y desaparecer
del mundo para siempre. Se habían dado casos, y nadie los ponía en duda, aunque sobre los *quiénes* y los
cuándos no hubiera toda la claridad que fuera de
apetecer.

Repito que estaba tentadora la Maruca para los
cuatro chicos que caminaban hacia San Martín.

La marea, a más de dos tercios—y eran vivas a la
sazón—, y todos los maderos flotando; y, además de
las perchas de costumbre—porque siempre había allí
alguna—, dos vigas que no estaban el día antes: dos
vigas juntas, amarradas una a otra y fondeadas con un
arpón [37], cerca de la orilla del bardal.

—¡Cosa de nada!—como dijo Andrés, respingando
de gusto cuando las vió—. Descalzarme, arremangar
las perneras hasta los muslos y, en un decir Jesús,
atracar un poco las vigas, halando del cabo del arpón;

---

[37] *arpón:* instrumento de pesca compuesto de un astil de
madera con una punta de hierro que forma a cada lado un
pico aguzado y vuelto hacia atrás para que haga presa una
vez clavado el instrumento.

saltar encima de ellas, y con el palo que tengo escondido donde yo sé, bien cerca de aquí... ¡Recontra, qué barco más hermoso!... ¡Y qué marea!

Lo mismo opinaban Sula y Muergo, y bien lo tentaron para que no pasara de allí; pero la fuerza que lo movía hacia San Martín era más poderosa que la que trataba de detenerlo en la Maruca; y por eso, y porque Silda, acaso recordando el remojón consabido al ver la percha, que ya le había señalado Muergo con sus ojos bizcos y su risa estúpida, le apoyó con vehemencia, fue sordo a las seducciones de sus astrosos compañeros y ciego a los atractivos que tenía delante.

Así es que duró poco la detención allí, y muy pronto se los vio trepar a los prados en busca del camino de la Fuente Santa. Aunque Andrés había visto, al asomarse al muelle en sitio conveniente, que aún no se había puesto el gallardete amarillo sobre la bandera azul en el palo de señales de la Capitanía, prueba de que la corbeta avistada no abocaba todavía al puerto, llevaba mucha prisa; porque, resuelto a ver la entrada de su padre desde San Martín, creía que andaba el barco más que su pensamiento y temía llegar tarde.

Mientras caminaba, siempre delante de los demás, éstos le acribillaban a preguntas o le detenía alguno de ellos para ver cómo se revolcaba Muergo sobre los prados, o se bañaba algún chico entre las peñas cercanas a la Cueva del tío Cirilo, o rendía la bordada[38] un patache buscando la salida con viento de proa, o remedaba Silda el mirar torcido y el reír estúpido de Muergo.

—¡Buenas cosas traerá tu padre!—dijo la muchacha a Andrés.

---

[38] *bordada:* extensión andada en el rumbo de bolina en cualquiera de las dos bandas. *(N. del A.)*

—A veces las trae tal cual—respondió Andrés, sin volver la cara.

—¿Para ti también?

—Y para todos. Una vez me trajo un loro.

—Mejor eran cajetillas—expuso Sula.

—*U* jalea—añadió Muergo.

—Para él las trae a cientos, de Las Tres Coronas —dijo Andrés, respondiendo a Sula.

—¡Bien sé yo qué es jalea, puño!—insistió Muergo, relamiéndose—. Una vez la caté... ¡Ju, ju, ju! Se la dio a mi madre una señora del muelle... Yo creo que lo trincó [39]. ¡Ju, ju, ju! *Tamién* [40] yo se lo trinqué a ella una noche y me zampé media caja... ¡Puño, qué taringa *endimpués* [41] que lo supo!

—Puede que *tamién* traiga mantones de seda—dijo Silda, apretando la jareta de la saya sobre la cintura—. Si trae muchos, guárdame uno, ¿eh, Andrés?

Volvióse éste hacia Silda, asombrado del encargo que acababa de hacerle, y vio a Sula cabeza abajo, agarrado con las manos a la hierba, echando al aire, ora una pierna, ora la otra; pero nunca las dos a la vez. Cabalmente, el hacer pinos pronto y bien era una de las grandes habilidades de Andrés. Sintióse picado del amor propio al ver la torpeza de Sula, y alumbrándole un puntapié en el trasero, díjole, para que se enteraran todos los presentes:

—Eso se hace así.

Y en un periquete hizo el pino perfecto, con zapateta y perneo, y la Y, y casi la T, y cuanto podía hacerse, sin ser descoyuntado volatinero, en aquella incómoda postura. Y tanto se zarandeó, animado por el aplauso de Silda y de Muergo, que se le cayó en el prado cuanto llevaba en los bolsillos, lo cual no era

---

[39] *trincar:* amarrar. *Loc.* ufar. *(N. del A.)*
[40] *Tamién:* vulgarismo por *también.*
[41] *endimpués:* vulgarismo por *después.*

mucho: tres cuartos en dos piezas, un pitillo, un cortaplumas con falta de media cacha y unos papelejos.

En cuanto Muergo vio el pitillo, le echó la zarpa y se apartó un buen trecho; y antes que Andrés hubiera deshecho el pino y recogido del suelo los cuartos, papeles y navaja, ya él había sacado un fósforo insondable de un bolsillo de su chaquetón, y rebosado el mixto contra un morrillo, y encendido el cigarro, y dádole tres chupadas tan enormes, sin soltarlo de la boca, y tan bien tapadas que cuando se le fue encima el hijo del capitán de la *Montañesa* reclamando a *piña*[42] seca lo que era suyo, Muergo, envuelta en humo la monstruosa cabeza, porque lo arrojaba por todos los agujeros de ella, y hasta parecía que por las mismas crines de su melena, sólo pudo entregar medio pitillo, y ése puerco y apestando. Así y todo, lo consumió Andrés en pocas chupadas, pues si a Sula le vencía en hacer pinos, a *taparlas*[43] no le ganaba a Muergo. ¡Como que le había enseñado a fumar Cuco, que era el fumador más tremendo del Muelle-Anaos, lo cual era tanto como decir el fumador más valiente del mundo! Pues todavía alumbró Sula un par de *bofetadas* buenas a la colilla impalpable que tiró Andrés.

En la Fuente Santa se encaramaron en el pilón y bebieron agua, sin sed los más de ellos, y Silda se lavó las manos y se atusó el pelo. Después echaron por el empinado callejón de la *fábrica de sardinas,* y salieron a los prados de Molnedo. Allí intentó Muergo hacer un poco de pino, quedándose rezagado para que no le vieran la prueba si le salía mal. En la brega para enderezar no más que el tronco sobre la cabeza, pues en cuanto a los pies, no había que pensar en despegarlos

[42] *piña:* golpe dado con los nudillos a puño cerrado. *(N. del A.)*

[43] *taparlas:* tragar todo el humo de cada chupada al cigarro. *(N. del A.)*

del prado, se le volvieron las faldas del chaquetón hasta taparle los ojos. En tan pintoresco trance le hallaron dos de sus camaradas, advertidos por Silda, que fue la primera en notar la falta del salvaje rapaz. Llegáronse todos a él muy queditos, y uno con ortigas y otro con una vara, y Silda con la suela entachuelada de un zapato viejo que halló en el prado, le pusieron aquellas nalgas cobrizas que echaban lumbres.

—¡Págame el tronchazo, animal!—le gritaba Silda, mientras le estampaba las tachuelas en el pellejo, cuando le dejaban sitio y ocasión la vara de Andrés y las ortigas de Sula.

Bramidos de ira, y hasta blasfemias, lanzaba Muergo al sentirse flagelado tan bárbaramente; pero sólo cuando imploró misericordia logró que sus verdugos le dejaran en paz y rascarse a sus anchas las ampollas, que le abrasaban.

Sula, que ya estaba allí, quiso acercarse al Muelluco. Andrés le dijo que hartas detenciones iban ya para la prisa que él llevaba; pero Sula no tomó en cuenta el reparo y se bajó al Muelluco. En seguida empezó a gritar:

—¡Congrio, qué hermosura!... ¡Cristo, qué marea! ¡Madre de Dios, qué cámbaros!... [44]. ¡Atracarvos, congrio!

Y no hubo más remedio que atracarse todos al Muelluco. Buena era, en efecto, la marea, mas no para tan ponderada; y en cuanto a los cámbaros, los pocos que se veían no pasaban de lo regular. Pero Sula estaba en lo suyo, y no podía remediarlo. El sol calentaba bastante; el agua, verdosa y transparente, cubría en aquel sitio más de dos veces, y se podían contar uno a uno los guijarros del fondo.

—Echame dos cuartos, Andrés—le dijo el raquero,

[44] *cámbaros:* crustáceos marinos comestibles, sin cola.

piafando impaciente sobre el Muelluco—. ¡Te los saco de un *cole!*

—No los tengo—contestó Andrés, que deseaba continuar su camino sin perder un minuto.

—¿Que no los tienes?—exclamó, admirado, Sula—. ¡Y te los cogí yo *mesmo* del *prao* cuando *te se caeron* [45] de la faldriquera *endenantes!* [46].

Andrés se resistía. Sula apretaba.

—¡Congrio!... ¡Echame tan siquiera el cuarto! ¡Vamos, el cuarto sólo, que *tamién* tienes!... ¡Anda hombre!... Mira: la *engüelves* [47] en uno de esos papeluchos *arrugaos* que te metí yo *mesmo* en la *faldriquera...*

Y Andrés, que nones. Pero terció Silda a favor del suplicante, y al fin la roñosa moneda, envuelta en un papel blanco, fue echada al agua. Los cuatro personajes de la escena observaron con suma atención cómo descendía en rápidos zigzags hasta el suelo, y cómo se metió debajo de un canto gordo, movedizo, pero sin quedar enteramente oculta a la vista.

—¡Contrales!—dijo Sula, rascándose la cabeza y suspendiendo la tarea, que había comenzado, de quitarse su media camisa sin despedazarla por completo—. ¡Puede que *haiga pulpe* [48] allí!

Cosa que a Muergo le tenía sin cuidado, puesto que en un abrir y cerrar de ojos desató el bramante de su cintura, largó el chaquetón que le envolvía hasta cerca de los tobillos y se lanzó al agua, de cabeza, con las manos juntas por delante. Tan limpio fue el *cole,* que apenas produjo ruido el cuerpo al caer, y sólo unas burbujitas y una ligera ondulación en la superficie indicaban que por allí se había colado aquel animalote

[45] *caeron:* vulgarismo por *cayeron.*
[46] *endenantes:* vulgarismo por *antes.*
[47] *engüelves:* vulgarismo por *envuelves.*
[48] *que haiga pulpe:* vulgarismo por *que haya pulpo.*

bronceado y reluciente, que buceaba como una tonina[49], meciéndose, yendo y viniendo alrededor del canto
gordo, con la greña flotante, cual si fuera manojo de
porreto[50]; se le vio en seguida remover la piedra, mientras sus piernas continuaban agitándose blandamente
hacia arriba, coger el blando envoltorio, llevárselo a
la boca, invertir su postura con la agilidad de un bonito, y, de dos pernadas y un braceo, aparecer en la
superficie con la moneda entre los dientes, resoplando
como un hipopótamo de cría.

—¿Echas la *mota?*[51]—dijo a Andrés, después de
quitarse el cuarto de la boca y sosteniéndose derecho
en el agua solamente con la ayuda de las piernas.

—Ni la *mota* ni un rayo que te parta—respondió
Andrés, consumido por la impaciencia—. ¡Ni os espero
tampoco más!

Y como lo dijo, lo hizo, camino de las Higueras, sin
volver atrás la cara.

Cuando la volvió, cerca ya de los Prados de San
Martín, observó que no le seguía ninguno de sus tres
camaradas. En el acto sospechó, no infundadamente,
que el cuarto adquirido por Muergo era la causa de la
deserción. Sula y la muchacha querían que se *puliera*[52]
en beneficio de todos.

No le pesó verse solo, pues no le hacía mucha gracia andar en sitios públicos con amigos de aquel pelaje.

Menos le pesó cuando al atravesar, por el podrido tablero, el foso del castillo, vio su batería llena de gente
que le había precedido a él con el mismo propósito
de asistir desde allí a la entrada de la *Montañesa;*
gente que le era bien conocida en su mayor parte,

---

[49] *tonina:* atún.
[50] *porreto:* una variedad de las algas marinas. *(N. del A.)*
[51] *mota:* moneda de cobre.
[52] *pulir:* vender o gastar.

pues había entre ella marinos amigos de su padre,
prácticos libres de servicio aquel día, a quienes había
visto mil veces no sólo en el muelle, sino en su propia casa; el mismo dueño y armador de la corbeta,
comerciante rico, que le infundía un respeto de todos
los diablos; las mujeres de algunos marineros de ella;
el mismísimo don Fernando Montalvo, profesor de
Náutica, maestro de su padre y de todos los capitanes
y pilotos jóvenes de entonces, personaje de proverbial
rigidez en cátedra, al cual temía mucho más que al
amo de la *Montañesa,* porque sabía que estaba destinado a caer bajo su férula en día no remoto; Caral,
el conserje del Instituto Cántabro, que nô perdía espectáculo gratis y al aire libre; su amigo el conde del
Nabo, con su casacón bordado de plata, resto glorioso
de no sé qué empleo del tiempo de sus mocedades, y
la sempiterna queja de que no le alcanzaba la jubila-
ción para nutrir el achacoso cuerpo, que ya se le que-
brantaba por las choquezuelas[53]; don Lorenzo, el cura
loco de la calle Alta, tío de un muchacho amigo de
Andrés, que se llamaba Colo, y estaba abocado a matricularse en latín por exigencia y con la protección
de aquel energúmeno; Ligo, mozo que iba a hacer ya
su segundo viaje de piloto, y a cuya munificencia debía él algunos puñados de picadura... y no pocos coscorrones; Aniceto, el sastre inolvidable; Santonja, el
famoso zapatero de portal del marqués de Villatorre...,
y muchos curiosos más de diversas cataduras, algunos
con sus catalejos enfundados, y no pocos con sus sa-
buesos de caza o su borreguito domesticado... Porque
en aquel entonces la entrada de un barco como la
Montañesa, de la matrícula de Santander, mandado
y tripulado por capitán, piloto y marineros de Santander, era un acontecimiento de gran resonancia en la
capital de la Montaña, donde no abundaban los de ma-

---

[53] *choquezuelas:* rótulas, huesos de las rodillas.

yor bulto. Además, la *Montañesa* venía de la Habana,
y se esperaban muchas cosas por ella: la carta del hijo ausente, los vegueros [54] de regalo, la caja de dulces
surtidos, el sombrero de jipijapa, la letra de cincuenta
pesos, la revista de aquel mercado, las noticias de tal
o cual persona de dudoso paradero o de rebelde fortuna, y, cuando menos, las memorias para media población y algunos indianos de ella, de retorno. La misma curiosidad, y por las mismas razones, excitaban
la *Perla*, la *Santander* y muy pocas fragatas más de
aquellos tiempos. Nadie ignoraba en la ciudad cuándo
salían, qué llevaban, adónde iban ni por dónde andaban, como fuera posible saberlo. Sus capitanes y pilotos eran popularísimos, y sus dichos y sus hechos se
grababan en la memoria de todos como glorias de familia. ¿Quién de los que entonces tuvieran ya uso de
razón y vivan hoy habrá olvidado aquella tarde inverniza y borrascosa en que, apenas avistada al puerto una fragata, se oyó de pronto el tañído retumbante,
acompasado, lento y fúnebre del campanón de los
Mártires?

—¡A barco!—exclamaron cientos y cientos de personas que conocían el toque.

—¡La Unión!—añadían, consternadas, echándose a
la calle, las que aún no habían salido de casa.

Porque no ignoraba nadie, desde por la mañana,
que *La Unión* era la fragata avistada y que venía corriendo un temporal furioso.

Yo me hallaba en la escuela de Rojí al sonar el campanón, y ninguno preguntó: «¿Qué fragata es ésa?»,
cuando se nos dijo: «¡*La Unión*, que va a las Quebrantas!» Todos la conocíamos y casi todos la esperába-
mos. Con decir que en seguida se nos dio suelta, pon-
dero cuanto puede ponderarse la impresión causada
en el público por el suceso. Medio pueblo andaba por

[54] *vegueros:* cigarros puros.

la calle, y el otro medio se desparramaba desde el castillo de San Martín al del Hano, viendo consternado, primero, cómo se salvaba la tripulación, casi por milagro de Dios, y después cómo daba a la costa el hermoso buque, y se despedazaba a los golpes del embravecido mar, y caía sobre sus despojos una nube de aquellos rapaces costeños, de quienes se contaba, y aún se cuenta, que ponían una vela a la Virgen de Latas siempre que había temporal, para que fueran hacia aquel lado los buques que abocaran al puerto. No cabe en libros lo que se habló en Santander de aquel triste suceso, que hoy no llevaría dos docenas de curiosos al polvorín de la Magdalena. Y aun fue, pasados los años, tema compatible de muchas y muy frecuentes conversaciones, y todavía hoy, como se ve por la muestra, sale a colación de cuando en cuando.

Y con esto vuelvo a las personas que dejamos en San Martín esperando la llegada de la *Montañesa*.

A pesar de ser muchas, se hablaba muy poco entre ellas, lo cual acontece siempre que se aguarda un suceso que interesa por igual a todos los circunstantes, o están las gentes a cielo descubierto, delante de la Naturaleza, que habla por los codos, sin dejar que nadie meta su cuchara en la conversación... ¡Y qué elocuente estaba aquel día! La mar, verdosa y fosforescente, rizada por una brisa que yo llamaría juguetona si el término no estuviera tan desacreditado por copleros chirles y por impresionistas cursis que quizá no han salido nunca de los trigos de tierra adentro; el sol, despilfarrando, alegre, sus haces de luz, que centelleaban entre los pliegues de la bahía y en los rojos traidores arenales de las Quebrantas. Allá, en el fondo del paisaje, los azulados picos de Matienzo y Arredondo, y más cerca, las curvas elevadas y los senos sombríos de la cordillera que iba perfilando la vista desde el cabo Quintres y las lomas de Galizano hasta los puertos de Alisas y la Cavada, transparentándose en una bruma sutil y luminosa como velo tejido por hadas con hilos impalpables de rocío; y allí, al alcance de la mano, los cerros del Puntal recibiendo en sus cimientos arenosos los besos amargos de la creciente marea. Por todo ruido, el incesante rumor de las aguas al tenderse perezosas en la playa contigua, o al mojar con sus rizos, agitados por el aire, las asperezas del peñasco. No se veía el pulmón bastante henchido nunca de aquel ambiente salino, ni la vista se hartaba de aquella luz reverberante, parlanchina y revoltosa, que se columpiaba en la bruma, en las aguas y en las flores.

No sé si irían precisamente por este lado los pensamientos de aquellas personas cuando discurrían de una a otra parte por la explanada del castillo, o se encaramaban en la paredilla del parapeto, o se tumbaban sobre la hierba de la braña exterior, sin hablar más de tres palabras seguidas y con la vista errabunda por todos los términos del paisaje; pero puede apostarse a que si por arte de hechicería se le hubieran puesto delante, en lugar del miserable castillejo, los mayores prodigios de la industria humana, o las maravillas de los palacios de Aladino, los hubieran contemplado sin el menor asombro; señal, aunque sin darse cuenta de ello, de que, a sus ojos, valían mucho más las maravillas de la Naturaleza. Andrés era el único de los espectadores que no paraba mientes en estas maravillas, ni las hubiera parado tampoco en las de la misma Pari-Banú, si allí se hubiera presentado para transformar de repente el castillo en un alcázar de oro con puertas de esmeraldas. Pensaba en la llegada de su padre, y en el barco de su padre, y, a lo más, en que toda aquella gente estaba allí para ver eso mismo que tanto le interesaba a él, por ser hijo de quien era; es decir, del héroe de la fiesta. ¡Si estaría hueco y gozoso y preocupado! Ligo le había tomado por su cuenta, y después de andar con él de un lado para otro, haciéndole reír o ponerse colorado con las cosas que preguntaba al conde del Nabo sobre la flojedad de sus choquezuelas, o a Caral acerca de su *canoa* (sombrero), se habían acomodado juntos en lo más alto y saliente del promontorio.

Al fin se oyeron muchas voces que exclamaron a un tiempo:

—¡Ahí está!

Y allí estaba, en efecto, la *Montañesa,* que abocaba orzando, cargada de trapo hasta los topes. el pabellón ondeando en el pico de cangreja[55] y con el práctico a bordo ya, pues que llevaba la lancha al costado. Apenas arribó sobre la Punta del puerto, ya se la vio pasar, rascando la Horadada por el sur del islote, y tomar en seguida, como dócil potro bien regido, el rumbo de la canal. La brisa la empujaba con cariño, y sobre copos de blandos algodones parecían mecerse sus amuras[56] poderosas.

Cada movimiento del barco arrancaba un comentario de aplauso a los inteligentes de San Martín y producía un tumulto en el corazón de Andrés, que era el más interesado de todos en las valentías de la corbeta y en la llegada de su capitán.

Así, se fue acercando poco a poco, siguiendo inalterable su derrotero, como quien pisa ya terreno conocido, que es, además, camino de su casa; y tanto y con tal destreza atracaba la costa de los espectadores, que cualquier ojo ducho en estas maniobras hubiera conocido que el práctico que la gobernaba se había propuesto demostrar a los contramaestres *de muralla*

[55] *pico de cangreja:* el extremo de la vara en que se enverga la vela cangreja en el palo trasero de un barco. *(N. del A.)*

[56] *amura:* cada mitad de la anchura de la proa de un barco. *(N. del A.)*

que allí no se trabajaba a lo zapatero de viejo, sino
que se hilaba mucho y por lo fino. ¡Y vaya si el tío
Cudón, que era el práctico que había tomado a la corbeta en el Sardinero, sabía como el más guapo meter
como una seda el barco de mayor compromiso!

Y en esto continuaba arribando, con un andar de
siete millas; y llegó a oírse el rumor de la estela, y el
crujir de la jarcia al rehenchirse la lona, y el resonar
de la cadena al ser sacada de sus cajas, y plegadas a
proa las brazas suficientes de ella para dar fondo en
el momento oportuno; algún espectador creía distinguir caras conocidas sobre el puente; llegó a verse
claro y distinto al piloto Sama, sobre el castillo de
proa, con sus botas de agua, su chaquetón oscuro y su
gorra de galón dorado..., y Andrés, exclamando: «¡Mírale!», apuntó, con el brazo tendido, a su padre, en pie
sobre la toldilla de popa, junto a la rueda del timón,
y la diestra en la driza de la bandera, con la cual,
momentos después, y al hallarse la corbeta casi debajo
de la visual de los espectadores de San Martín, respondió a las aclamaciones y saludos de éstos izándola tres
veces seguidas, mientras se llenaba la borda de estribor
de tripulantes y pasajeros que agitaban al aire sus
gorras y jipijapas. Entonces pudieron gozarse a la
simple vista todos los detalles de la corbeta... ¡La muy
presumida! ¡Cómo había cuidado, antes de abocar al
puerto, de sacudirse el polvo del camino y arreglarse
todos sus perifollos! Sus bronces parecían oro bruñido;
traía las vergas limpias de palletería y sin sus forros de
lona, burdas y cantos de cofa; oscilaba en la batayola [57] el cataviento de pluma, que sólo se luce en el
puerto, y flameaban en los galopes [58] de la arboladura
la grímpola azul con el nombre del barco en letras

---

[57] *batayola:* barandilla que corre sobre las bordas del buque,
especialmente a popa y a proa. *(N. del A.)*

[58] *galopes:* la parte más alta del palo de un buque. *(N. del A.)*

blancas, la contraseña de la casa y la bandera blanca y roja de la matrícula de Santander.

Otra vez saludó el pabellón de la *Montañesa*, y otra vez más volvieron a cruzarse vítores, hurras y sombreradas entre la gente de a bordo y la de tierra; y como si el barco mismo hubiera participado del sentimiento que movía tantos ánimos, haciendo crujir de pronto todo su aparejo, hundió las amuras en el agua hasta salpicar las anclas, que ya venían preparadas sobre capón y boza [59], y se tendió sobre el costado de babor, dejando al descubierto en el otro, por encima de las lumbres de agua, más de una hilada de reluciente cobre.

En esta posición gallarda, meciéndose juguetona en el lecho de hervorosa espuma que ella misma agitaba y producía, se deslizó a lo largo del peñasco, rebasó en un instante el escollo de las Tres Hermanas, cargáronse en seguida sus mayores y se arriaron gavias, foques [60] y juanetes; y muy poco más allá, a la voz resonante y varonil de «¡Fondo!», que se dejó oír perceptible y clara sobre el puente, caía un ancla en el agua y se percibía el áspero sonido de los eslabones al filar [61] por el escobén [62] más de cuarenta brazas de

[59] *sobre capón y boza*: se llama *capón* el cabo grueso que sirve para tener suspendida el ancla por su argolla al costado del buque. *Boza*, en general, es todo pedazo de cuerda o tirante en que se sujeta un calabrote, una cadena, etc., en una posición determinada. En las lanchas de pesca, el zoquete de madera en que va sujeto el tolete y se apoya el remo para bogar. *(N. del A.)*

[60] *foque*: en general, reciben este nombre todas las velas triangulares que se amuran en el bauprés. *(N. del A.)*

[61] *filar*: largar o soltar progresivamente un cable, cadena, etcétera. *(N. del A.)*

[62] *escobén*: cualquiera de los agujeros de proa por donde salen los cables o cadenas para amarrar el buque. *(N. del A.)*

cadena. Con lo que la airosa corbeta, tras un fuerte
estremecimiento, quedó inmóvil sobre las tranquilas
aguas del fondeadero de la Osa, como corcel de bríos
parado en firme por su jinete a lo mejor de su carrera.

III

DONDE HABIA CAIDO LA HUERFANA
DE MULES

Tío Mocejón, el de la calle Alta—porque había otro Mocejón, más joven, en el Cabildo de Abajo—, era un marinero chaparrudo, rayano con los sesenta, de color de hígado con grietas, ojos pequeños y verdosos, de bastante barba, casi blanca, muy mal nacida y peor afeitada siempre, y tan recia y arisca como el pelo de su cabeza, en la cual no entraba jamás el peine, y rara, muy rara vez, la tijera. Tenía los andares, como todos los de su oficio, torpes y desaplomados, lo mismo que la voz, las palabras y la conversación. El mirar, en tierra, oscuro y desdeñoso. En tierra digo, porque en la mar, como andaba en ella, o por encima o alrededor de ella venía cuanto en el mundo podía llamarle la atención, ya era otra cosa. El vil interés y el apego instintivo al mísero pellejo le despertaban en el espíritu los cuidados, y no hay como la luz de los cuidados para que echen chispas los ojos más mortecinos. En cuanto a genio, mucho peor que la piel, que la barba, las greñas, los andares y la mirada; no por lo fiero precisamente, sino por lo gruñón, y lo seco, y lo áspero, y lo desapacible. Unos calzones pardos, que al petrificarse con la mugre, el agua de la mar y la brea de la lancha habían ido tomando la forma de las entumecidas piernas; unos calzones así, atados a la cin-

tura con una correa; unos zapatos bajos, sin tacones
ni señal de lustre, en los abotagados pies; un elástico
de cobertor, o manta palentina, sobre la camisa de es-
topa, y un gorro catalán puesto de cualquier modo encima de las greñas, como trapo sucio tendido en un
bardal, componían el sempiterno envoltorio de aquel
cuerpo, pasto resignado de la roña y muy capaz hasta
de pactar alianzas con la lepra, pero no de dejarse
tocar del agua dulce.

Pues con ser así Mocejón, no era lo peor de la casa,
porque le aventajaba en todo la Sargüeta, su mujer,
cuyo genio avinagrado, y lengua venenosa, y voz di-
lacerante, eran el espanto de la calle, con haber en
ella tantas reñidoras de primera calidad. Era más alta
que su marido, pero muy delgada, pitarrosa, con hocico de merluza, dientes negros, ralos y puntiagudos;
el color de las mejillas, rojo curado; y lo demás de la
cara, pergamino viejo; el pecho hundido, los brazos
largos; podían contarse los tendones y todos los huesos de sus canillas, siempre descubiertas, y apestaba a
parrocha [63] desde media legua. Nunca se le conoció
otro atelaje que un pañuelo oscuro atado debajo de
la barbilla, muy destacado sobre la frente y caído hacia los ojos, para que no los ofendiera la luz; un man-
tón de lana también oscuro y también sucio, y hasta
remendado, cruzadas sobre el pecho las puntas y amarradas encima de los riñones; un refajo de estameña
parda, y en los pies, unas chancletas con luces a todos los vientos.

Sin embargo, hay quien asegura que era más lleva-
dera esta mujer inaguantable que su hija Carmen,
moza ya metida en los diecinueve, tan desaliñada y
puerca como su madre, pero más baja de estatura,
más morena, más chata, tan recia de voz y tan larga

---

[63] *parrocha:* sardina en salmuera conservada en barriles.
(N. del A.)

de lengua y, además, *cancaneada* [64]. Era de oficio sardinera, y cosa de taparse los oídos y los ojos, y aun las narices, cuando ella pasaba con el *carpancho* [65] lleno, encima de la cabeza, chorreando la pringue sobre hombros y espaldas, cerniendo el corto y sucio refajo al compás del vaivén chocarrero de sus caderas, y pregonando a gañote limpio [66] la mercancía. Ninguna sardinera ponía la nota final más alta ni tan bien sostenida; se llegaba a perder la esperanza de que aquel grito áspero y penetrante tuviera fin. Pero que cualquier transeúnte le diera a entender esta sospecha con el menor gesto, o mostrara su desagrado con la más leve palabra; que cualquier fregona inexperta, después de preguntarle desde el balcón de la cocina: «¿A cómo?», no replicara a su respuesta, o replicara de malos modos, o que después de haber replicado, por ejemplo: «A tres», y de haber dicho la sardinera: «*Abaja*», la fregona no bajara, o tardara en bajar..., ¡era cuando había que oír y que ver lo que decía y hacía Carpia entonces, con el *carpancho* en el suelo, en mitad de la calle, y la vista unas veces en su agresor, o en el sitio que éste había ocupado, si se retiró prudentemente a lo escondido temiendo la granizada, y otras en el primer transeúnte que cruzara a su lado, o en todos los transeúntes, o en todos los balcones de la calle! Mirándola en aquel trance, se dudaba cuál era en ella más asombroso, entre la palabra, la idea, el gesto, la voz y los ademanes, y todo ello junto parecía imposible que cupiera en una criatura humana y del mismo sexo en el cual se vinculan el aseo y la vergüenza. Y, sin embargo, Carpia no estaba enfadada de veras; aquello no era más que un ligero desahogo

---

[64] *cancaneado, da:* dícese de la persona que tiene la cara marcada de viruelas. *(N. del A.)*
[65] *carpancho:* especie de banasta, capacho. *(N. del A.)*
[66] *a gañote limpio:* con toda la fuerza de la garganta.

que se permitía entre burlona y despechada, porque cuando se enfadaba, es decir, cuando reñía con todo el ceremonial del caso entre el gremio, que ha llegado a formar escuela y va a la hora presente en próspera fortuna..., ¡Dios de bondad!... En fin, casi tan terrible como su madre, de quien tomó el estilo, ora oyéndola en la vecindad, ora aprendiendo con ella a correr la sardina, llevando por las asas el *carpancho* entre las dos.

Carpia tenía un hermano, llamado Cleto, de menos edad que ella. Salía este hermano más a la casta de su padre que a la de su madre. Era sombrío y taciturno, pero trabajador. Andaba ya a la mar, y no se llevaba bien con su hermana. Le daba patadas en la barriga, o donde le alcanzaba, cuando llegaba el caso de responder a las desvergüenzas de la sardinera.

No sabía *hablarle* de otro modo.

Esta apreciable familia habitaba el quinto piso de una casa de la calle Alta—cerca del Sur—, que tenía siete a la vista, y cuya línea de fachada se extendía muy poco más que el ancho de sus balcones de madera. Digo que tenía siete pisos a la vista, porque entre bodega, cabretes, subdivisiones de pisos y buhardillas llegaban a catorce las habitaciones de que se componía, o, si se quiere de otro modo más exacto, catorce eran las familias que se albergaban allí, cada una en su agujero correspondiente, con sus artes de pescar [67], sus ropas de agua, sus cubos llenos de agalla con arena para macizos, sus astrosos vestidos de diario y toda la pringue y todos los hedores que estas cosas y personas llevan consigo necesariamente. Cierto que los inquilinos que tenían balcón lo aprovechaban para destripar en él la sardina, colgar trapajos, redes, mediomundos y sereñas, y que tenían la curiosidad de arro-

---

[67] *artes de pescar:* conjunto de los aparejos que usa un pescador en su oficio. *(N. del A.)*

jar a la calle, o sobre el primero que pasara por ella,
las piltrafas inservibles, como si el goteo de las redes
y de los vestidos húmedos no fuera bastante lluvia de
inmundicia para hacer temible aquel tránsito a los
terrestres que por su desventura necesitaban utili-
zarlo; y en cuanto a los cubiles que no tenían estos
desahogaderos, allá se las componían tan guapamente
sus habitadores, engendrados, nacidos y criados en
aquel ambiente corrompido, cuya peste los engordaba.
De todas maneras, ¿cómo remediarlo? No vivían mejor los inquilinos de las casas contiguas y siguientes,
ni los de la otra acera, ni todo el Cabildo de Arriba...
Lo propio que el de Abajo en las calles de la Mar, del
Arrabal y del Medio.

Volviendo a tío Mocejón, añado que era dueño y patrón de una *barquía,* por lo cual cobraba de la misma
dos soldadas y media: una y media por amo y una
por patrón, o, lo que es lo mismo —para los lectores
poco avezados en esta jerga—, de todo lo que se pes-
cara, hecho tantas partes como fueran los compañeros de la *barquía,* se tiraba él dos y media. Procedía
de abolengo esta riqueza —mermada en la mitad en
manos de Mocejón, puesto que lo heredado por éste
fue una lancha—; y nadie sabe la importancia que
esta propiedad le daba entre todo el Cabildo, en el
cual era rarísimo el marinero que tenía una parte pequeña en la embarcación en que andaba; ni lo que
influyó en la Sargüeta y en su hija Carpia para que
llegaran a ser las más desvergonzadas y temibles reñidoras del Cabildo.

Como tío Mocejón era bastante torpe en números y
se mareaba en pasando la cuenta de la que él pudiera
echar con los dedos de la mano, bien agarrados, uno a
uno, con la otra, la patrona, es decir, su mujer, era
quien cobraba cada sábado el pescado vendido durante la semana al costado de la *barquía,* al volver ésta de

4

la mar; lances en los cuales había acreditado, principalmente, la Sargüeta el veneno de su boca, lo resonante de su voz, lo espantoso de su gesto, lo acerado
de sus uñas y la fuerza de sus dedos enredados en el
bardal de una cabeza de la Pescadería. Por eso, del cepillo de las Animas sacara una revendedora los cuartos, si no los tenía preparados el viernes por la noche,
antes que pedir a Sargüeta diez horas de plazo para
liquidar su deuda. Aunque patronas se llaman todas
las mujeres de los patrones de lancha, cobre o no por
su mano las ventas de la semana, en diciendo la patrona del Cabildo de Arriba ya se sabía que se trataba
de la Sargüeta. ¡Qué tal patrona sería!

Ya se irá comprendiendo que no le faltaban motivos
a la muchachuela Silda para resistirse a volver a la
casa de que huyó. En cuanto a las razones que se tuvieron presentes para que la recogieran en ella cuando se vio huérfana y abandonada en medio de la
calle, como quien dice, no fueron otras que la de ser
Mocejón marinero pudiente y, además, compadre de
Mules, por haber éste sacado de pila al único hijo varón
de la Sargüeta. Que costó Dios y ayuda reducir a Mocejón y toda su familia a que se hiciera cargo de la
huérfana, no hay necesidad de afirmarlo; ni tampoco
que el padre Apolinar y cuantas personas anduvieron
con él empeñadas en la misma empresa caritativa oyeron verdaderos horrores, particularmente de Carpia
y de su madre, antes de lograr lo que intentaban; lo
cual no aconteció hasta que el Cabildo ofreció a Mocejón una ayuda de costas de cuando en cuando, siempre que la huérfana fuera tratada y mantenida como
era de esperar. Mocejón quiso, por consejo de su mujer, que la promesa del Cabildo «se firmara en papeles
por quien debiera y supiera hacerlo»; pero el Cabildo
se opuso a la exigencia, y como ya había más de una
familia dispuesta a recoger a Silda por la ayuda de cos-

tas ofrecida, sin que se declarara en papeles la oferta, tentóle la codicia a la Sargüeta, convenció a los
demás de su casa, contando con que a un mal dar,
del cuero le saldrían las correas a la muchacha, y
diole albergue en su tugurio, y poco más que albergue,
y mucho trabajo.

Por de pronto, no hubo cama para ella; verdad que
tampoco la tenía Carpia ni su hermano. Allí no había
otra cama, propiamente hablando, y por lo que hace a
la forma, no a la comodidad ni a la limpieza, que el
catre matrimonial, en un espacio reducidísimo, con luz
a la bahía, el cual se llamaba sala, porque contenía
también una mesita de pino, una silla de bañizas, un
escabel de cabretón y una estampita de San Pedro,
patrono del Cabildo, pegada con pan mascado a la
pared. Carpia dormía sobre un jergón medio podrido,
en una alcoba oscura con entrada por el *carrejo* [68], y
su hermano encima del arcón en que se guardaba todo
lo guardado de la casa, desde el pan hasta los zapatos de los domingos. A Silda se la acomodó en un rincón que formaba el tabique de la cocina con una de
las del *carrejo,* es decir, al extremo de éste y enfrente
de la puerta de la escalera, sobre un montón de redes inservibles y debajo de un retal de manta vieja.
¡Si la pobre chica hubiera podido llevarse consigo la
tarimita, el jergón, las dos medias sábanas y el cobertor raído a que estaba acostumbrada en su casa!...
Pero todo ello, y cuanto había de puertas adentro, no
alcanzó para pagar las deudas de su padre. Después de
todo, aunque Silda hubiera llevado su cama a casa
de tío Mocejón, se habrían aprovechado de ella Carpia o su hermano, y, al fin, la misma cuenta le saldría
que no teniendo cama propia. No sé si discurría Silda
de esta suerte cuando se acostaba sobre el montón de

[68] *carrejo:* pasillo largo dentro de una habitación. *(Nota
del autor.)*

redes viejas del rincón de la cocina; pero es un hecho averiguado que tenderse allí, taparse hasta donde le alcanzaba la media manta y quedarse dormida como un leño eran una misma cosa.

Algo más que la cama extrañaba la comida. No era de bodas la de su casa; pero la que había, buena o mala, era abundante siquiera, porque entre dos solas personas, repartido lo que hay, por poco que sea toca a mucho cada una. Luego, como hija única de su padre, que no se parecía en el genio ni en el arte a Mocejón, era, relativamente, niña mimada; por lo cual, de la parte de Mules siempre salía una buena tajada para aumentar la de su hija; al paso que desde que vivía con la familia de la Sargüeta nunca comía lo suficiente para acallar el hambre; y lo poco que comía, malo y nunca cuando más lo necesitaba y, de ordinario, entre gruñidos e improperios, si no entre pellizcos y soplamocos. Siempre era la última en meter la cuchara común en la tartera de las berzas con alubias y sin carne, y todos los de casa tenían un diente que echaba lumbres; de modo que, por donde ellos habían pasado ya una vez, era punto menos que perder el tiempo intentar el paso. ¡Tenían un arte para cargar la cuchara!... Cada cucharada de Mocejón parecía un carro de hierba. Solamente su mujer le aventajaba no tanto en cargarla como en descargarla en su boca, que le salía al encuentro con los labios replegados sobre las mandíbulas angulosas y entreabiertas y los dientes oblicuos hacia afuera, como puntas de clavos roñosos; luego..., luego nada, porque nunca pudo averiguar Silda, que no dejaba de ser reparona, si era la boca la que se lanzaba sobre la presa o si era la presa la que se lanzaba, desde medio camino, dentro de la boca: ¡tan rápido era el movimiento, tan grande la sima de la boca, tan limpia la dentellada y tan enorme el tragadero por donde desaparecía lo que un segundo antes se había visto, chorreando caldo, a media cuarta de la tartera! No eran tan limpios en el comer Carpia y su hermano, aunque sí tan voraces; pero lo mismo los hijos que los padres, tenían la buena costumbre, antes de soltar en la tartera la cuchara que acababan de tener en la boca, de darle dos restregoncitos contra los calzones o contra el refajo, a fin de quitar escrúpulos al que iba a tomar con ella su correspondiente cucharada, por riguroso turno.

Porque Silda no lo hizo así el primer día que comió en aquella casa, la llamó puerca la Sargüeta y le dio Carpia un testarazo.

Cuando no había olla, cosa que no dejaba de ocurrir a menudo, si abundaban las sardinas, Silda consolaba el hambre con un par de ellas, asadas, con un gramo de sal, encima de las brasas; si no había sardinas, o agujas, o panchos, o rayas, o cualquier pescado de poca estimación en la plaza—de la cual le daba la Sargüeta una pizca mal aliñada, o un par de pececillos crudos—, una tira de bacalao o un arenque, por todo compaño, para el mendrugo de pan de tres días, o el pedazo de borona, según los tiempos y las circunstancias. Tal era su comida: fácil es presumir cómo serían sus almuerzos y sus cenas.

Entre tanto, tenía que andar en un pie a todo lo que se le mandara, si quería comer eso poco y malo con sosiego; y lo que se le mandaba era demasiado, ciertamente, para una niña como ella. Por de pronto, ayudar a las mujeres de casa, dentro o alrededor de ella, en el aparejo de la *barquía;* es decir, componer las redes, secarlas, hacer otro tanto con las velas y con las artes de pescar, etcétera, etcétera. Cuando toda la familia, hombres y mujeres, iban a la pesca de la bahía, especialmente a la boga—pescado que entonces abundaba muchísimo, y que desapareció por com-

pleto años después, debido, según dice la gente del
mar, a la escollera de Maliaño, porque precisamente
el espacio que ella encierra era donde las bogas tenían
su pasto—, a la pesca de bahía tenía que ir Silda
también, y a trabajar allí, aunque niña, tanto o más
que las mujeres, o que Carpia, pues la Sargüeta rara
vez iba ya a la bahía con su marido; a ella se encomendaba preferentemente la engorrosa tarea de sacar
la ujana, hundiendo en la basa las dos manos, con
los dedos extendidos, como las layas de los labradores,
y virar luego la tajada, y deshacerla en pedacitos para
dar con las gusanas, que iban echando en una cazuela
vieja, o en una cacérolilla de hojalata, con arena en
el fondo. Otras veces se la veía con un cestito al brazo, picoteando el suelo con un cuchillo, a bajamar,
para dar con las escondidas amayuelas, o en las playas de arena sacando muergos con un ganchito de
alambre. Pero al cabo, estas tareas y otras semejantes,
aunque penosas, sobre todo en invierno, le daban cierta libertad, y a menudo pasaba ratos muy entretenidos
con niñas y muchachos de su edad, que también andaban al muergo, y a la amayuela, y a la gusana, y
al chicote. Esto fue siempre lo preferible para ella:
coger la esportilla y largarse a la Dársena, al arqueo
del chicote, de la chapita y del clavo de cobre. Allí
conoció a Muergo, y a Sula, y a otros muchachos
raqueros de la calle de la Mar, y, sobre todo, al famoso
Cafetera—cuya biografía en libros anda años hace—,
que, aunque de la calle Alta, no asomaba por ella
jamás, y a Pipa y a Michero, y a más de una chicuela
que andaba con ellos a todo lo que salía. Siguiendo a
esta tropa menuda, se aficionó al Muelle-Anaos y a la
vida independiente y divertida que hacía en aquel terreno famoso, en que cada cual campaba por sus respetos, como si estuviera a cien leguas de la población
y de todo país civilizado. Insensiblemente fue retar-

dando la hora de volver a casa, y volvía casi siempre
con la espuerta vacía. En ocasiones no volvió hasta
la noche; y como lo mismo le sacudían el polvo [69]
por faltar una hora que por faltar todo el día, optó
serenamente por lo último; y al Muelle-Anaos acudía
casi diariamente, aunque la mandaran a la Peña del
Cuervo, y con los del Muelle-Anaos aprendió a la Maruca. Así la conoció Andrés.

Es de advertir que Silda, aunque asistía a todas las
empresas y a todos los juegos de la pillería del Muelle-
Anaos, rara vez tomaba parte en ellos más que con la
atención; no por virtud seguramente, sino porque era
de ese barro: una naturaleza fría y muy metida en sí.
Sabía dónde se *ufaba* [70] el cobre, y el cacao, y el azúcar, y de qué manera, y dónde se vendía impunemente,
y a qué precio; sabía dónde se gastaban los cuartos
así adquiridos en tazas de café con copa, y lo que se
daba por un ochavo, y por un cuarto, y por dos cuartos, y hasta por un real; sabía cómo se jugaba al
cané..., y sabía muchísimas cosas más que se enseña-
ban en aquella escuela de cuantos vicios pueden arrai-
gar en criaturas vírgenes de toda educación física y
moral; pero jamás en su espuerta entró cosa que no
pudiera cogerse a la vista de todo el mundo; ni vendió en el barracón del tío Oliveros un triste clavo ni
una hebra de cáñamo; ni tomó en sus manos un naipe
para el cané, ni una piedra en las guerras de Bajamar
entre *raqueros* y terrestres, o entre *raqueros* de la
calle Alta y *raqueros* de la calle del Mar. Satisfacíase
con asistir a todo y enterarse de todo cuanto hacían
los pilletes, impávida e insensible, por carácter, como
se ha dicho ya, no por virtud.

Andrés tampoco tomaba parte en las empresas ra-

[69] *le sacudían el polvo:* expresión equivalente a que le *daban
muchas palizas.*

[70] *ufaba:* lo mismo que *robaba.*

queriles de los muchachos del Muelle-Anaos, pero sí
en sus pedreas, en sus zambullidas, en sus juegos de
agilidad, en sus intentos, casi siempre logrados, de
atrapar un perro y arrojarlo al agua con un canto al
pescuezo. Sus diversiones de preferencia allí eran remar con Cuco en su bote y pescar con un aparejillo
que tenía desde las escaleras del Paredón. Eso le gustaba mucho también a Silda; y en cuanto Andrés
calaba la sereña, ya estaba ella a su lado, muy calladita y con los ojos clavados en el aparejo.

—¡Que pican!—solía decir alguna vez que otra, muy
por lo bajo, viendo que la sereña se estremecía.

—Es picada falsa—respondía Andrés sin halar el
aparejo.

Y así se pasaban los dos larguísimos ratos. Cuando
se trataba de algún pancho, Silda ayudaba a Andrés a
encarnar los anzuelos, y si los panchos eran dos, ella
destrababa el uno.

Y a todo esto, calladita, impasible, y siempre con la
cara, las manos y los pies limpios como un sol. Era
como la señorita de aquella sociedad de salvajes; a
Andrés le hacía por eso mismo mucha gracia, y tenía
con ella consideraciones y miramientos que jamás usaba con las otras niñas desharrapadas que solían andar
por allí. En cambio, ella no mostraba mayor inclinación al vestido y a los modales de Andrés que a la basura y a la barbarie de los *raqueros*. Al contrario, el
objeto de sus visibles preferencias parecía ser el monstruoso Muergo, el más estúpido, el más feo y el más
puerco de todos sus camaradas. Mas estas preferencias no se revelaban en el hecho solo de acercarse a
él muy a menudo, pues a otros muchos se acercaba
también siempre que le daba la gana, sino en que con
ninguno era tan cariñosa como con Muergo

—¡Límpiate los mocos y lávate esa cara, cochino!

—solía decirle; o—: ¿Por qué no te esquilan esa greña?... Dile a tu madre que te ponga una camisa.

Entre tantos puercos y descamisados como andaban
por allí, solamente se dolía de la roña y de la des-
nudez de Muergo. Y Muergo correspondía a estas re-
lativas delicadezas de Silda riéndose de ella, dándole
una patada o arrimándole un tronchazo como el de
la Maruca. ¡Y la preferencia continuaba por parte
de Silda! ¿Por qué razón? Vaya usted a saberlo. Acaso
la fuerza del contraste; la misma monstruosidad de
Muergo; un inconsciente afán, hijo de la vanidad humana de domar y tener sumiso lo que parece indómito
y rebelde, y de embellecer lo que es horrible; hacer con
Muergo lo que algunas mujeres, de las llamadas elegantes en el mundo, hacen con ciertos perros lanudos
y muy feos: complacerse en verlos tendidos a sus
pies, gruñendo de cariño, muy limpios y muy peinados,
precisamente porque son horribles y asquerosos y no
debieran estar allí.

Más fácil de explicar es la inclinación de Andrés al
Muelle-Anaos y a la pillería que en él imperaba. Hijo
de marino y llamado a serlo, los lances de la bahía
le tentaban, y el olor del agua salada y el tufillo de
las carenas le seducían; y escogió aquel terreno para
satisfacer sus apetitos marineros, porque allí había
botes de alquiler, y lanchas abandonadas, y barcos en
los careneros, y ocasión de bañarse impunemente y
en cueros vivos a cualquier hora del día, y correr la
escuela, y fumar con entera tranquilidad, y muy principalmente porque otros chicos de su pelaje andaban
también por allí muy a menudo; ventajas todas que
no podían hallarse reunidas en la Dársena ni en los
cañones del muelle. Sólo la Maruca las ofrecía alguna
vez, y por eso iba también, de tarde en tarde, a la
Maruca.

Por lo que hace a su amistad con los *raqueros,* no

había otro remedio que elegir entre ella y la fatiga de entrar en su terreno por la fuerza de las armas, lo cual era algo pesado y expuesto para hecho diariamente. Por lo común, se hacía la primera vez. Después se firmaban las paces, y se vivía, cuidando de tenerla engolosinada con cigarros y cualquier chuchería de la ciudad, especialmente a Cuco, que, por su corpulencia y barbarie, era el más temible en sus bromas, aunque, a su modo, fuera sociable y cariñosote.

Y como Silda iba apegándose más y más a la vida regalona del Muelle-Anaos, y sus ausencias de casa eran más largas cada día, y el Cabildo no parecía acordarse de dar la ofrecida ayuda de costas, y la familia de Mocejón estaba resuelta a no mantener de balde a una chiquilla tan inútil y rebelde, ocurrió una noche lo de la tunda aquella, que obligó a Silda, que tantas había sufrido ya, a largarse a la calle y a dormir en una *barquía,* por no querer aceptar la oferta que, al bajar, le hizo al oído el bueno del tío Mechelín, marinero que, con su mujer, tía Sidora, ocupaba la bodega, o sea la planta baja de la casa.

Y como es preciso hablar algo de esta nueva familia que aparece aquí, y el presente capítulo tiene ya toda la extensión que necesita, quédese para el siguiente, en el cual se tratará de este asunto... y de otros más, si fuere necesario.

IV

DONDE LA DESEABAN

Todo lo contrario de Mocejón y de la Sargüeta, así en lo físico como en lo moral, eran Mechelín y tía Sidora. Mechelín era risueño, de buen color, más bien alto que bajo, de regulares carnes, hablador y tan comunicativo, que frecuentemente se le veía, mientras *echaba una pitada* [71] a la puerta de la calle, referir algún lance que él reputaba por gracioso, en voz alta, mirando a los portales, o a los balcones vacíos de enfrente, o a las personas que pasaban por allí, a falta de una que le escuchara de cerca. Y él se lo charlaba y él se lo reía, y hasta replicaba, con la entonación y los gestos convenientes, a imaginarias interrupciones hechas a su relato. También era algo caído de cerviz y encorvado de riñones; pero como andaba relativamente aseado, con la cara bastante bien afeitada, las patillas y pelo grises, no precisamente hechos un bardal, y era tan activo de lengua y tan alegre de mirar, aquellas encorvaduras sólo aparentaban lo que eran: obra de los rigores del oficio, no dejadez y abandono del ánimo y del cuerpo. Entonaba, no muy mal. a media voz algunas canciones de sus mocedades, y sabía muchos cuentos.

Su mujer, tía Sidora, también gastaba ordinaria-

71 *echaba una pitada:* echaba un cigarro.

mente muy buen humor. Era bajita y rechoncha; andaba siempre bien calzada de pie y pierna, vestida con
aseo, aunque con pobreza, y gastaba sobre el pelo pañuelo a la cofia. Nadie celebraba como ella las gracias
de su marido, y cuando le acometía la risa se reía con
todo el cuerpo; pero nada le temblaba tanto al reírse
como el pecho y la barriga, que, tras de ser muy vo-
luminosos de por sí, los hacía ella más salientes en
tales casos, poniendo las manos sobre las caderas y
echando la cabeza hacia atrás. Pasaba por regular
curandera, y casi se atrevía a tenerse por buena co-
madrona.

Nunca había tenido hijos este matrimonio ejemplar-
mente avenido. Tío Mechelín era compañero en una
de las cinco lanchas que había entonces en todo el
Cabildo de Arriba, en el cual abundaron siempre más
las *barquías* que las lanchas, y tía Sidora estaba principalmente consagrada al cuidado de su marido y de
su casa; a vender, por sí misma, el pescado de su quiñón[72], cuando no hubiera preferido venderlo al costado de la lancha, y acompañar, a jornal, en la Pescadería, a alguna revendedora de las varias que la
solicitaban en sus faenas de pesar, cobrar, etcétera.
El tiempo sobrante lo repartía en la vecindad de la
calle, recetando cocimientos aquí, restañando heridas allá, cortando un refajo para Nisia o frunciendo
una mangas para Conce..., o *apañando*[73] una criatura en el trance amargo.

Como no había vicios en casa, ni muchas bocas, tía
Sidora y su marido se cuidaban bastante bien, y hasta
tenían ahorradas unas monedas de oro, bien envuel-
tas en más de tres papeles, y guardadas en lugar se-

[72] *quiñón:* parte que del conjunto de una cosa (tierra, pescado, etc.), se lleva en común con otros.
[73] *apañando una criatura:* como si se tratara de arropar a
un recién nacido.

guro, para un por si acaso. Los domingos se remozaban.
Ella, con su saya de mahón azul oscuro, medias, azules también, y zapatos rusos; pañolón de seda negra,
con fleco, sobre jubón de paño, y a la cabeza otro
pañuelo oscuro. El, con pantalón acampanado, chaleco y chaqueta de paño negro fino, corbata a la marinera, ceñidor de seda negra y boina de paño azul
con larga borla de cordoncillo negro; la cara bien afeitada y el pelo atusado... hasta donde su aspereza lo
consintiera.

Todas estas prendas, más una mantilla de franela
con tiras de terciopelo, que usaban las mujeres para
los entierros y actos religiosos muy solemnes, las con-
servaron hasta pocos años ha, como traje caracterís-
tico y tradicional, las gentes de ambos Cabildos de
mareantes [74].

Con una moza del de Abajo llegó a casarse—¡raro
ejemplar!—un hermano de Mechelín que era callealtero, como toda su casta. ¡Bien se lo solfearon deudos,
amigos y comadres! «¡Mira que eso va contra lo regular, y no puede parar en cosa buena! ¡Mira que ella
tampoco lo es de por suyo ni de casta lo trae!... ¡Mira
que Arriba las tienes más de tu parigual y conforme
a la ley de Dios, que nos manda que cada pez se man-
tenga en su playa!... ¡Mira que esto y lo otro. y mira
que por aquí y mira que por allá!»

Y resultó, andando el tiempo, lo anunciado en el
Cabildo de Arriba; no, a mi entender, porque la novia
fuera del de Abajo, sino porque realmente no era buena de por suyo, y se dio a la bebida y a la holganza,
hasta que el pobre marido, cargado de pesadumbre y
de miseria, se fue al otro mundo de la noche a la
mañana, dejando en éste una viuda sin pizca de vergüenza y un hijo de dos años, que parecía un perro

---

[74] *mareante:* individuo del gremio de pescadores matriculados. *(N. del A.)*

de lanas de los negros. Mechelín y su mujer ampara-
ban en cuanto podían a estos dos seres desdichados;
pero al notar que sus socorros, lo mismo en especie
que en dinero, los traducía la viuda en aguardiente,
dejando arrastrarse por los suelos a la criatura, des-
nuda, puerca y muerta de hambre, amén de echar
pestes contra sus cuñados, por roñosos y manducones [75], y de que el chicuelo, a medida que crecía, se
iba haciendo tan perdido y mucho más soez que su
madre, cortaron toda comunicación con sus ingratos
parientes. Así pasaron cuatro años, durante los cuales
creció el rapaz y llegó a ser el Muergo que nosotros
conocemos. Muergo, pues, era sobrino carnal de tío
Mechelín, en cuya casa no recordaba haber puesto
jamás los pies, y su madre, la Chumacera, sardinera
a ratos, había obtenido por caridad, de los que fueron
compañeros de lancha de su difunto, la peseta diaria
que gana una mujer por el trabajo de madrugar para
la compra de carnada [76]—cachón, magano, etc.—,
para la lancha, a los pescadores y boteros de la costa
de la bahía. El miedo a perder la ganga de la peseta
la obligaba a ser fiel y puntual en este encargo, único
que supo desempeñar honradamente en toda su vida.

¡Con cuánto gusto tío Mechelín y su mujer hubieran llevado a su lado al niño, huérfano de tan buen
padre, si hubieran creído posible sacar algo, mediano
siquiera, de aquella veta montuna y bravía, y muy
particularmente sin los riesgos a que los exponía este
continuo punto de contacto con la sinvergüenza de su
madre! Porque el tal matrimonio se perecía por una
criatura de la edad, poco más o menos, del salvaje sobrino, para que llenara algo de la casa, como la llenan los hijos propios, tan deseados de todos los que no

---

[75] *manducones:* lo mismo que *comilones,* en sentido despectivo.
[76] *carnada:* el cebo que se pone en los anzuelos para pescar.
(N. del A.)

los tienen. Así es que cuando comenzaron las negociaciones del padre Apolinar con tío Mocejón para que éste recogiera a Silda en su casa, los ojos se les iban a los inquilinos de la bodega detrás de la niña que jugaba en la calle; y muy tentados estuvieron más de una vez, viendo bajar al fraile de mal humor, a tirarle del manteo para llamarle adentro y decirle por lo bajo: «Tráigala *usté* aquí, *pae* Polinar, que nosotros la recibiremos de balde, y muy agradecidos todavía.» Pero el acuerdo era cosa del Cabildo, que bien estudiado lo tendría; y, además, no querían ellos que en casa de Mocejón llegara a creerse que el intento de *apandarse* [77] la ayuda de costas ofrecida era lo que los movía a recoger a la huérfana.

—¡*Cuidao*—decía Mechelín a tía Sidora—que ni *pintá* en un papel resultara más al *respetive* de la *comenencia!*... [78] ¡Finuca y limpia es como una canoa del rey!

—Es verdá—añadía tía Sidora—, que pena da considerar la vida que la aguarda allá arriba, si Dios no se pone de su parte.

—¡Uva!—añadía el marido, que usaba esta interjección siempre que, a su entender, un dicho no tenía réplica.

Cuando Silda fue recogida en el quinto piso, tío Mechelín, que la vio subir, dijo a tía Sidora:

—¡*Enfeliz!*... ¡No tendrás tan buen pellejo cuando *abajes!*... ¡Y eso que has de *abajar* pronto!

—Lo mismo creo—respondió la mujer, muy pensativa y con las manos sobre las caderas—. Pero tú y yo, agua que no hemos de beber, dejémosla correr, y la lengua, callada en la boca, que más temo a esa gente de arriba que a una galerna de marzo.

—¡Uva!—concluyó Mechelín con una expresiva ca-

[77] *apandarse:* tomar para sí alguna cosa.
[78] *comenencia:* vulgarismo por *conveniencia.*

bezada, guiñando un ojo, dándose media vuelta y poniéndose a canturriar una seguidilla, como si no hubiera dicho nada o temiera que le pudieran oír los de arriba.

Pero desde aquel momento no perdieron de vista a la pobre huérfana, que, a juzgar por su impasible continente, parecía ser la menos interesada de todos en la vida que arrastraba en el presidio a que se la había condenado creyendo hacerle un favor. Se condolían mucho de ella viéndola en los primeros meses, de invierno riguroso, entrar en casa tiritando y amoratada de frío, con el cesto de los muergos al brazo, o con la cacerola de gusanas entre manos; o bajar del piso con cardenales en la cara, o con el pañolito del cuello por venda sobre la frente. Nunca la vieron llorar ni señales de haber llorado, ni pudieron sorprender entre sus labios una queja. En cambio, la lengua se le saltaba de la boca a tía Sidora con las ganas que tenía de sonsacar pormenores a la niña; pero el miedo que tenía a los escándalos de la familia de Mocejón la obligaban a contenerse. En ocasiones, al sentir que bajaba Silda, se atravesaba el pescador o la marinera, a la puerta de la calle, con un zoquete de pan, haciendo que comía de él; pero, en realidad, por tener un pretexto para ofrecérselo.

—¡Bien a tiempo llegas, mujer!—le decía con fingida sorpresa—. A volver iba al arca este pan, porque no tengo maldita gana. Si tú lo quisieras...

Y se lo dejaba entre las manos, preguntándole al oído:

—¿Qué tal andamos hoy de apetito?...

—Una cosa regular—decía la niña, revelando, en el afán con que apretaba el zoquete, las ganas que tenía de devorarlo.

Pero no podían conseguir que se detuviera allí un instante, ni que al pasar le dijera una sola palabra de las que ellos querían oír. ¿Era miedo que tenía la niña a las venganzas de sus *protectores*? ¿Era dureza y frialdad de carácter?

Ellos achacaban la reserva a lo primero, y esta consideración doblaba a sus ojos el valor de las prendas morales de aquella inocente mártir.

Vieron, días andando, cómo ésta volvía tarde a casa, y averiguaron la vida que hacía fuera de ella, y los castigos que se le daban por su conducta, y las veces que había dormido a la intemperie, en el quicio de una puerta o en el panel de una lancha.

—¡Y acabarán con la *enfeliz* criatura, *dispués* de perderla!—exclamaba tío Mechelín al hablar de ello—. Tan tiernuca y *polida*, déla *usté* carena [79] por la mañana, lapo al *megodía* y *taringa* [80] por la noche, con poco de *boquiblis* [81], y no digo yo ella, un navío de tres puentes se quebranta... ¡Fuérame yo en su caso, *pa* no *golver en* jamás!

—Como llegará a suceder—añadió la marinera—. ¡Eso tiene el poner, sin más ni más, la carne en boca de tiburones!

—¡Uva!

Una noche, después de haber resonado hasta en la bodega los horrores que vomitaban en el quinto piso las bocas de la Sargüeta y de Carpia contra la niña, que poco antes había llegado a casa, y dos ayes de una voz infantil, penetrantes, agudos, lamentosos, como si inopinadamente una mano brutal arrancara de un tirón a un cuerpo lleno de salud todas las raíces de la vida; después de haberse asomado a la puerta de cada guarida algún habitante de ella, no obstante lo frecuentes que eran en aquella vecindad, más arriba o más abajo, las tundas y los alborotos, tío Mechelín y

---

[79] *carena:* repaso y compostura del casco de una nave.
[80] *taringa:* zurra de palos o reprensión áspera.
[81] *boquiblis:* vulgarismo por *comida*.

su mujer vieron a Silda que bajaba el último tramo de
la escalera con igual aceleramiento que si la persiguieran lobos de rabia. Le salieron al encuentro en el portal—tía Sidora con el candil en la mano—, y observaron que la niña traía las ropitas en desorden, el pelo
enmarañado, los ojos humedecidos, la mirada entre el
espanto y la ira, la respiración anhelosa y el color
lívido.

—¡Déjeme pasar, tía Sidora!—dijo la niña a la marinera al ver que ésta le cerraba el camino de la calle.

—Pero ¿adónde vas, *enfeliz,* a tales horas?—exclamó
la mujer de Mechelín, tratando de detenerla.

—Me voy—respondió Silda, deslizándose hacia la
puerta, no cerrada todavía—para no volver más. ¡Todos son malos en esa casa!

—¡Métete en la mía, ángel de Dios, siquiera hasta
mañana!—dijo el pescador, deteniendo con gran dificultad a la niña.

—¡No, no!—insistió ésta, desprendiéndose de la
mano que blandamente la sujetaba—, que está muy
cerca de la otra.

Y salió del portal como un cohete.

—Pero ¡escucha, alma de Dios!... Pero ¡aguarda,
pobretuca!...

Así exclamaba tía Sidora viendo desaparecer a Silda
en las tinieblas de la calle, sin resolverse a dar dos pasos en ella detrás de la fugitiva; porque el mismo Mechelín, con tener buena vista, entre las mejores de los
de su oficio, no pudo saber, por ligero que anduvo, si
la niña había seguido calle adelante, hacia Rúa Mayor,
o había tirado hacia el Paredón, o por la cuesta del
Hospital.

El lector sabe lo que fue de ella aquella noche y a la
mañana siguiente, por habérselo oído referir a Andrés
y haberla visto, tan descuidada y campante, en casa

del padre Apolinar, junto a la Maruca, en la **Fuente** Santa y en los prados de Molnedo.

No habría llegado a la Maruca con Andrés y su séquito de rateros, cuando ya el padre Apolinar, con el sombrero de teja caído sobre los ojos, la cabeza muy gacha por miedo a la luz y los embozos del pelado manteo recogidos entre sus manos cruzadas, restregando, alguna vez que otra, el cuerpo contra la camisa—si es que no la había dado también, desde que salimos de su casa con el relato—, y carraspeando a menudo, atravesaba los Mercados del muelle, con rumbo a la calle Alta.

Sin ser visto, ¡cosa rara!, de la tía Sidora, cuando menos, pues estaba abierta de par en par la puerta de su bodega, llegó al quinto piso y llamó con los nudillos de la mano, diciendo al mismo tiempo:

—¡Ave María!

Una voz de mujer respondió una indecencia desde allá adentro; pero con tal dejo, que el exclaustrado, sin soltar de sus manos cruzadas los embozos del manteo, se rascó dos veces seguidas las espaldas por el procedimiento acostumbrado, y murmuró después de carraspear:

—¡Mucha mar de fondo debe haber aquí!

En seguida volvió a carraspear y a resobarse; empujó la puerta, como la voz se lo había ordenado, y entró.

Mocejón estaba a la mar; pero estaban en casa, destorciendo filástica [82] de chicotes viejos, la Sargüeta y su hija, las cuales, aunque esperaban seguramente la visita del bendito fraile, en cuanto le vieron sospecharon el motivo que le llevaba allí; porque, con tener todavía entre dientes el suceso de la noche anterior, recordaron las insistencias del padre Apolinar para

---

[82] *filástica:* el hilo de que están compuestos los cordones de los cables, cabos, etc. *(N. del A.)*

que se cumplieran los intentos del Cabildo respecto de
la huérfana de Mules; las torres y montones que les
había ofrecido en cambio del amparo que les pedía;
las veces que le habían reclamado infructuosamente
el cumplimiento de las ofertas... En fin, que les dio el
corazón que venía a lo de Silda; y sin esperar a que
acabara de darles los buenos días, ya temblaba la casa.

Tío Mechelín no había ido a la mar aquel día, porque
había pasado la noche con un ladrillo caliente, envuelto en bayeta amarilla, en el costado de estribor, para
matar un dolorcillo que se le presentó poco antes de
meterse en la cama; obra, en su opinión y en la de su
mujer, del disgusto que tomó, en seguida de la cena,
con el suceso de Silda. El dolor se calmó mucho a la
madrugada, y en dudas estuvo el enfermo, al oír en la
calle el grito de «¡Arriba!» del *deputao,* que tiene esa
obligación, y por ello cobra, de levantarse como todos
los demás compañeros; pero no se lo consintió su mujer, y se aguantó en la cama hasta bien entrado el día.

Entonces se vistió; desayunóse con una mediana ración de cascarilla con leche, y, por no aburrirse, se
puso a torcer a la teja unos cordeles de merluza. No
le llenaba del todo este procedimiento, pues era más
recomendado, por más seguro, el de torcer a la pierna,
es decir, sobre el muslo, con la palma de la mano, en
lugar de atar un casco de teja al extremo de la cuerda
y hacerle dar vueltas en el aire. Pero notó tío Mechelín,
al ponerse a trabajar, que al continuo sobar la cuerda
con la palma de la mano sobre el muslo, se le despertaba el dolor con más dureza que del otro modo, y optó
por el cascote. Así estuvo trabajando hasta muy cerca
del mediodía.

Mientras él remataba la última braza de las noventa
que pensaba dar al cordel que tenía entre manos, su
mujer colocaba, pues sabía hacerlo primorosamente,
un anzuelo grande, el único que llevaba el aparejo de

la merluza, al extremo de la *sotileza*[83] o alambre fino
en que debía terminar el cordel, y tenía convenientemente dispuesto el *chumbao* o peso de plomo que se
amarra en el empalme de la sotileza con el cordel,
para que el aparejo, al ser calado, se vaya a pique.

Por tales alturas andaba ya este negocio, cuando en
las de la escalera se oyeron las voces de la Sargüeta
y de Carpia, que respectivamente decían a gritos:

—¡Pegotón!

—¡Magañoso!

Y al mismo tiempo, el zumbar de otra voz áspera y
varonil, y los golpes sonoros en los inseguros peldaños,
como de zancas torpes que bajaran por ellos saltándo-
los de tres en tres.

El matrimonio de la bodega salió despavorido al portal, adonde no tardó en llegar, haciéndose cruces con
una mano, agarrándose con la otra a la sucia barandilla y murmurando latines y fulminando conjuros, el
padre Apolinar.

—*De ira proterva...,* de *iniquitatibus earum.., libera
me..., libera me, Domine, et exaudi orationem, meam!*
¡Jesús, Jesús!... ¡Jesús, María y José!... ¡Furias, furias del averno!... ¡Ufff!... *Fúgite..., fúgite!...* ¡Carne mísera!... Tu palabra impía escandalizará a la
Tierra, pero el Señor te confundirá... Te confundirá...
¡Alabado sea su santísimo Nombre!

Así bajaba exclamando el aturdido fraile, y así llegó
al último peldaño, sin dejar de oírse las otras voces
que desde allá arriba le apedreaban con amenazas y
con improperios:

—¡Farfallón!

—¡Piojoso!

Esto fue lo más blando y lo último que se le dijo al

---

83 *sotileza:* sutileza, la parte más fina del aparejo de pescar,
donde va el anzuelo. Las hay de alambre, de cordelillo y de tanza.
Por extensión, todo cordel muy fino. *(N. del A.)*

pobre hombre... desde lo alto de la escalera; porque,
apenas callaron allí las voces, aparecieron en el balcón,
más venenosas y desvergonzadas, contando las vocea-
doras con dar al fraile una corrida en pelo a todo lo
largo de la calle. Mirándolas con espanto se quedó el
infeliz, al oírlas de nuevo por allí, con los pies clavados
en el portal y un latín cuajado en la entreabierta boca.
¡Salir entonces! ¡Quién se lo mandara!

Pero no hubiera salido de ningún modo, porque para
que no saliera sin hablar con ellos se le habían puesto
delante tía Sidora y su marido; los cuales, haciéndole
señas para que callara, le cogieron cada uno por un
embozo del manteo y le condujeron a la bodega, cuya
puerta cerraron después de entrar.

Tenía esta habitación una salita con alcoba, a la
parte del Sur, con una ventana enrejada que la llenaba de luz, y aún sobraba algo de ella para alumbrar un
poco una segunda alcoba, separada de la primera por
un tabique con un ventanillo en lo alto, y entrada por
el *carrejo* que conducía a la sala desde la puerta del
portal. Cuando esta puerta se abría, se notaban ciertas
señales de claridad en la cocina y dos mezquinas acce-
sorias que caían debajo de la escalera. Cerrada la puerta, todo era negro allí, y no tenía otro remedio tía Sidora que encender el candil, aunque fuera al mediodía.
Las puertas de las alcobas tenían cortinas de percal
rameado; las paredes estaban bastante bien blanquea-
das, y en las de la sala había tres estampas: una, de la
Virgen del Carmen; otra, de San Pedro apóstol, y otra
del arcángel San Miguel, con sus marcos achapados de
caoba. Debajo de la Virgen del Carmen había una cómoda, con su espejillo de tocador encima, algo resobado todo ello y marchito de barniz, pero muy aseado,
como las cuatro sillas de perilla y los dos escabeles de
pino, y el cofre de cuero peludo con barrotes de madera
claveteada, y hasta el cesto de los aparejos, que estaba

encima de uno de los escabeles, y el suelo de baldosas
que sostenía todos estos muebles y cachivaches. La
cama, que se veía por entre las cortinas recogidas sobre sendos clavos romanos, algo magullados ya y con-
trahechos, llenando dos tercios muy cumplidos de la
alcoba, no estaba mal de mullida, a juzgar por lo mucho que abultaba lo que cubría una colcha de percal,
llena de troncos entretejidos, de gallos encarnados y
azules y de otros volátiles pintorescos. El tufillo que se
respiraba allí, algo trascendía a dejo de pescado azul
y humo reconcentrado; pero así y todo, una tacita de
plata llena de pomada de rosas parecía aquella bodega
comparada con todas y cada una de las viviendas de
la escalera.

Y vamos al caso. Fray Apolinar fue conducido, del
modo susodicho, hasta la salita. Allí se dejó caer en
una silla que le preparó muy solícito tío Mechelín, y
después de quitarse el sombrero, que puso sobre otra
silla, y de pasarse por la cara un arrugado pañuelo de
hierbas, continuó así sus interrumpidas lamentaciones:

—¡Carne..., carne mísera, frágil y pecadora! ¡Buff!...
¡Qué sinvergüenzas!... ¡Ni consideración al hombre de
bien, ni respeto al sacerdote..., ni temor de Dios! ¡Y
seguirá el improperio a la luz del día! ¡Lenguas de
serpiente! A bien que yo nada debo y con nada pago.
¡Mangañoso!... Corriente; el hombre más honrado
puede serlo como yo lo soy... y como lo es ella, ¡cuerno!; que bien mangañosa es... ¡Farfallón!..., porque
ofrezco, en nombre de otro, lo que otro se resiste a
dar..., porque no debe darlo... ¿Es merecido el epíteto?
Pues dígote ¡pegotón, pegotón! ¿Por qué? ¿De quién?
Cierto que nadie lo creerá del padre Apolinar... Pero
los que no le conozcan... ¡Y en qué ocasión! Mira,
hombre... ¡Y Dios me confunda si lo hago por bambolla!...—y se levantó la sotana hasta más arriba de las
rodillas, dejando ver que sólo cubrían sus largas pier-

nas unos calzoncillos de algodón y unas medias negras
y recosidas, de estambre—. Y perdona el modo de se-
ñalar, Sidora; pero una hora hace tenía yo pantalones,
aunque malos... ¡Mira si he prosperado de entonces
acá!... ¡Si seré pegotón!... ¡Carne, carne concupiscente y corrompida!... Pero, en fin, más pasó Cristo
por nosotros, con ser quien era... ¡Desvergonzadas!...
*Et dimite nobis, Domine, debita nostra, sicut nos dimi-
timus debitoribus nostros...* Porque yo os perdono con
todo mi corazón, y si otra me queda, que con ella re-
viente... ¡Picaronazas! ¿Sigue el infierno vomitando
escorias todavía, Miguel?... ¿Oyes sus voces protervas
en el balcón, Sidora, tú que tienes buen oído?

—¿Y a *usté* qué le importa que griten o que se
callen?—le respondió la marinera, queriendo echar a
broma aquel paso, que trascendía a prólogo de trage-
dia—. Hágales la cruz como al demonio y témplese los
nervios, que cuanto más solimán echen ahora, menos
tendrán en el cuerpo para la otra vez.

—¡Uva!—añadió tío Mechelín, que no quitaba ojo
al exclaustrado ni perdía una palabra de las pocas,
pero buenas, que llegaban a sus oídos desde el balcón
del quinto piso, no obstante estar cerrada la puerta de
la bodega—. ¡Esa es la fija: proba a la cellisca, y vira
por avante!

—Es que, si declaro mi verdad, ni en este puerto
cerrado me creo seguro contra esos huracanes... ¡Si
huelen que estoy aquí!... ¡Cuerno!... Y no es que
tiemble mi carne flaca, sino que temo más a una mala
lengua que a un bote de metralla.

—Si *agüelen* que está *usté* aquí, *pae* Polinar—repuso en voz solemne tío Mechelín, preparándose como
para decir una gran cosa—; si *agüelen* que está *usté*
aquí..., será como si no lo *agolieran;* porque a mi casa
no atraca *naide* cuando yo hago una raya en la puerta.

—¡Bah!—añadió tía Sidora con muchísimo retin-

tín—. ¿No hay más que querer asomar el *bocico* en casa
de *naide, pa* salirse con la suya?... Echese, échese a la
espalda, *pae* Polinar, esos cuidados, y díganos. con dos
pares de rejones que les entren de pecho a espalda,
¿qué mil demonios ha tenido con ellas? ¿Qué mala
ventisca le llevó hoy, santo de Dios, a caer entre las
uñas de esas gentes?

—¡Uva, uva!... Eso es lo que hay que saber.

—Pues, hijos de mi alma—dijo el exclaustrado, después de enjugar blandamente los sanguinolentos bordes de sus párpados con un retal de lienzo fino que
traía guardado para esos lances—, con dos palabras
os mataré la curiosidad... Que se presenta en mi casa
la niña...

—¿Qué niña?

—La del difunto Mules.

—¿Silda?

—Así creo que se llama.

—¿Cuándo se presentó?

—No creo que hace una hora todavía.

—¿De *aónde* venía? ¿*Onde* está?

—Cállate esa boca, hombre; que todo irá saliendo
cuando deba salir... Y después, *pae* Polinar, ¿qué resultó?

—Digo que se me presenta la niña, o, para que el
demonio no se ría de la mentira, me la presentan y se
me dice: «Padre Apolinar, que anoche la golpearon y
la maltrataron en su casa, y se escapó de ella, y durmió en una *barquía*, y que ya no tiene más casa que la
calle, con el cielo por tejado..., y que a ver cómo arregla
usted este negocio...» Porque ya sabéis, hijos míos,
que al padre Apolinar se le encomienda, en los dos Cabildos, el arreglo de todas las cosas que no tienen compostura... Esa es mi suerte. No es cosa mayor; pero las
hay peores..., y, sobre todo, a mí no me toca escoger...
Que el padre Apolinar oye esto, y que, en bien de la

niña desamparada, piensa acudir a casa de Mocejón,
para oír..., para saber, para implorar, si convenía... Y
que vengo, y que llamo, y que me mandan entrar, y
que entro..., y que, en lugar de oírme, me injurian y
vilipendian porque intercedí para que recogieran a la
muchacha y el Cabildo no les ha dado lo que les ofreció
por otras bocas y por la mía; y que me harán y que
me desharán... Y, ¡cuerno!, que tuve que salir ahumando, que no me devoraran aquellas furias... Y ya
sabéis del caso tanto como yo.

Tía Sidora y su marido cambiaron entre sí una mirada de inteligencia; y no bien acabó el padre Apolinar
su relato, díjole aquélla:

—¿De modo que a la hora presente Silda está sin
amparo?

—Como no sea el de Dios...—respondió el fraile.

—Ese a *naide* falta—replicó la marinera—; pero ayú-
date y te ayudaré... ¿Y qué es de ella, la *enfeliz*?

—No te lo puedo decir. De mi casa salió..., para ir a
ver entrar la *Montañesa,* con el hijo del capitán. ¡Mira
si la acongoja bien lo que le pasa! ¡Recuerno con la
cría!

—Cosas de inocentes, *pae* Polinar. Dios lo hace. Y
usté, ¿qué rumbo piensa tomar?

—El de mi casa en cuanto salga de aquí.

—Digo yo *respetive* a la muchacha.

—Pues respective a la muchacha digo yo también.
Después daré cuenta de todo al alcalde de mar de este
Cabildo, para que sepa lo que ocurre; y allá se des-
cuernen ellos... Yo, *lavo inter inocentes manos mea.*

—Y si en tanto le saliera a la pobre *desampará* un
buen refugio—preguntó tía Sidora, mientras su marido
confirmaba las palabras con expresivos gestos y ademanes—, ¿por qué no le había de aprovechar?

—¡Uva!—concluyó tío Mechelín, acentuando la interjección con un puñetazo al aire.

—¡Un buen refugio!—exclamó el fraile—. ¡Qué más quisiera ella!, ¡qué más quisiera yo! Pero ¿dónde está él, Sidora de mis pecados?

—Aquí—respondió con vehemencia cordialísima la marinera, sacando más pecho y más barriga que nunca—. En esta misma casa.

—¡Aquí!—exclamó asombrado fray Apolinar—. Pero ¿estáis dejados de la mano de Dios? ¿Tenéis la paz y buscáis la guerra?

—¿Por qué la guerra?

—¿Sabéis que es una cabra cerril esa chiquilla?

—Porque no ha tenido buenos pastores; ahora los tendría.

—¿Y las del quinto piso?... ¿Pensáis que os darán hora de sosiego?

—Ya nos entenderemos con esas gentes: por buenas, si va por las buenas; y si va por las malas..., hasta para la mar hay conjuros, bien lo sabe *usté*.

—Pues, hijos—exclamó fray Apolinar, levantándose de la silla y calándose el sombrero de teja—, con tan buena voluntad no ha de faltaros el auxilio de Dios. Mi deber era poneros en los casos; y ya que os puse y no os espantan, digo que me alegro por el bien de esa inocente; y como no digo más que lo que siento, ahora mismo me largo en busca de su rastro, sin más miedo a los demonios del balcón que a los mosquitos del aire... Bofetones, afrentas y cruz sufrió Cristo por nosotros... Animo y a sufrir algo por El.

Y salió acompañado del honradote matrimonio. Al pasar por delante de la alcoba del *carrejo,* tía Sidora, alzando las cortinillas de la puerta, dijo, deteniendo al fraile:

—Mire y perdone, *pae* Polinar. Aquí pensamos ponerla. Se llevarán estas ropas de agua y todos estos trastos de la mar, que ocupan mucho y no *agüelen* bien, al rincón de *ajunto* la cocina; se arreglará como

es debido la cama que ahora no tiene más que el
jergón; y hasta el dormir le oiremos nosotros desde
la otra alcoba. ¡Verá qué guapamente va a estar!
Como hubiera estado el *lichón* de mi sobrino, si fuera
merecedor de ello.

—¿Qué sobrino?—preguntó el fraile, andando hacia
la puerta del portal.

—El hijo de la Chumacera, de allá abajo.

—¡Ah, vamos..., Muergo!... ¡Buen pez! Si va de
la que va, te digo que hará buena a su madre. Carne,
carne también, mordida del gusano corruptor... ¡Buen
pez!..., ¡bueno, bueno, bueno! Conque hasta luego:
vaya, adiós, Miguel; ¡ea!, adiós, Sidora.

Los cuales le oyeron claramente murmurar estas
palabras, en cuanto puso los pies en el portal:

—*Domine, exaudi orationem meam!*

Porque sin duda iba pidiendo al Altísimo que le li-
brara de las injurias que las del quinto piso quisieran
lanzarle desde el balcón.

Si hace la salida un minuto antes, el haber pasado, como pasó, desde aquel punto de la calle hasta
la esquina de la cuesta del Hospital sin oír una in-
juria hubiera sido un verdadero milagro; pues aún
estaban entonces, de codos sobre la barandilla, echando pestes por la boca, la Sargüeta y su hija Carpia.

V

COMO Y POR QUE FUE RECOGIDA

No se le olvidaban a Andrés, con las glorias, las memorias. Había prometido a Silda ver al padre Apolinar al volver de San Martín; y, para cumplir su promesa, dejó el camino derecho que llevaba, un poco después del mediodía, por detrás del Muelle, y se dirigió a la calle de la Mar, atravesando una galería de los Mercados de la plaza Nueva.

Sentada en el primer peldaño de la escalera del padre Apolinar halló a Silda, muy entretenida en atarse, al extremo de su trenza de pelo rubio, un galón de seda de color rosa. Tan corta era la trenza todavía, que después de pasada por encima del hombro izquierdo, apenas le sobraba lo necesario para que los ojos alcanzaran a presidir las operaciones de las manos; así es que éstas, y la trenza, y el galón, y la barbilla, contraídas para no estorbar la visual de los ojos entornados, formaban un revoltijo tan confuso, que Andrés no supo, de pronto, de qué se trataba allí.

—¿Qué haces?—preguntó a Silda en cuanto reparó en ella.

—Ponerme esta cinta en el pelo—respondió la niña, mostrándosela extendida.

—¿Quién te la dio?

—La compramos con el cuarto que le echaste a Muergo. El quería pitos y Sula caramelos; pero yo quise

esta cinta que había en una tienda de pasiegas, y la
compré. Después me vine a esperarte aquí, para saber eso.

—¿Está en casa *pae* Polinar?

—No me he cansado en preguntarlo—respondió Silda con la mayor frescura.

—¡Vaya, contra!—dijo Andrés, puesto en jarras delante de la niña, dando una patadita en el suelo y
meneando el cuerpo a uno y otro lado—. Pues ¿a quién
le importa saberlo más que a ti?

—¿No quedamos en que subirías tú y yo te espera-
ría en el portal? Pues ya te estoy esperando; conque
sube cuanto antes.

Andrés comenzó a subir de dos en dos los escalones.
Cuando ya iba cerca del primer descanso, le llamó
Silda y le dijo:

—Si *pae* Polinar quiere que vuelva a casa de la Sargüeta, dile que primero me tiro a la mar.

—¡Recontra!—gritó desde arriba Andrés—. ¿Por
qué no se lo dijiste a él cuando estuvimos en su casa
antes?

—Porque no me acordé—respondió Silda de mala
gana, entretenida en la tarea de poner el lazo de color
de rosa en su trenza de pelo rubio.

No habría transcurrido medio cuarto de hora, cuando ya estaba Andrés de vuelta en el portal.

—Estuvo en casa de tío Mocejón—dijo a Silda, ja-
deando todavía—, y de poco no le matan las mujeres.

—¿Lo ves?—exclamó Silda, mirándole con firmeza—. ¡Si son muy malas!... Pero ¡muy malas!

—Te van a llevar a una buena casa—continuó Andrés, en tono muy ponderativo.

—¿A cuál?—preguntó Silda.

—A la de unos tíos de Muergo.

—¿Cómo se llaman?

—Tío Mechelín y tía Sidora.

—¿Con los de la bodega?

—Creo que sí.

—¿Y ésos son tíos de Muergo?

—Por lo visto.

—Buenas personas son...; pero ¡están tan cerca de los otros!...

—Dice *pae* Polinar que no hay cuidado por eso.

—¿Y cuándo voy?

—Ahora mismo bajará él para llevarte. Yo me marcho a casa a esperar a mi padre, que desembarcará luego, si no ha desembarcado ya... ¡Contra, qué bien entraba la *Montañesa!*... ¡Lo que te perdiste!... ¡Más de mil personas había mirándola desde San Martín!... Adiós, Silda; ya te veré.

—¡Adiós!—respondió secamente la niña, mientras Andrés salía del portal y tomaba la calle a todo correr.

Bajó pronto fray Apolinar; pero antes que Silda le viera, ya le había oído murmujear entre golpe y golpe de sus anchos pies sobre los escalones.

—¡Cuerno de hinojo con la chiquilla!—decía al bajar el último tramo de la escalera—. ¡Muy tumbada a la bartola, como si no le importara un pito lo que a mí me está haciendo sudar sangre!... Corra usted medio pueblo en busca de ella para que se averigüe que no ha ido a San Martín, sino que la han visto en la Puntida con dos *raqueros*...; vuélvase usted a casa, y fáltele el apetito para comer la triste *puchera* de cada día, y díganle a lo mejor que lo que busca y no halla, y por no hallarlo se apura, lo tiene en el portal, rato hace, sin penas ni cuidados... ¡Cuerno con el moco este!... ¿Por qué no has subido, chafandina?

—Porque esperaba a Andrés, que era quien había de subir.

—¡Había de subir!... ¿Y quién es la que está a la intemperie de Dios y necesita de un mendrugo de pan y de una familia honrada que se lo dé con un poco de amor? ¿No eres tú?... Y siéndolo, ¿a quién le importa más que a ti subir a mi casa y preguntarme: «*Pae* Polinar, ¿qué hay de eso?...» ¡Moco, más que moco!... Vamos, deja ya ese moño de cuerno y vente conmigo.

Mientras caminaban los dos hacia la calle Alta, *pae* Polinar iba poniendo en los casos a la chiquilla Entre otras cosas, le dijo:

—Y ahora que has encontrado lo que no mereces, poca bribia y mucha humildad... Se acabó la Maruca y se acabó el Muelle-Anaos..., porque si das motivos para que te echen de esa casa, *pae* Polinar no ha de cansarse en buscarte otra. ¿Lo entiendes? Tu padre, bueno era; tu madre no era peor; conmigo se confesaban. Pues tan buenos o mejores que ellos son las personas que te van a recoger... De modo que si sales mala, será porque tú quieras serlo, o lo tengas en el cuajo... Pero conmigo no cuentes para enderezar lo que se tuerza por tus maldades..., ¡cuerno!..., que harto crucificado me veo por ser tan a menudo redentor... Porque ¡mira que lo de esta mañana!. . Y escucha, a propósito de eso: iremos por Rúa Menor a la cuesta del Hospital. En cuanto lleguemos al lado de ella, te asomas tú a la esquina con mucho cuidado y miras, sin que te vean, a la casa de la Sargüeta. Si hay alguno asomado al balcón, te echas atrás y me lo dices; si no hay nadie, pasas de una carreruca a la otra acera; yo te sigo, y, pegados los dos a las casas, y a buen andar, nos metemos en la de Mechelín, que nos estará esperando... ¿Entiendes bien?... Pues pica ahora.

No sospechaba Silda que se quisieran tomar tantas precauciones por lo que al mismo fray Apolinar interesaban, pues no tenía otra noticia que la muy lacónica que le había dado Andrés de lo que había ocurrido en casa de Mocejón; pero como a ella le importaba mucho pasar sin ser vista, cuando llegó el momento oportuno cumplió el encargo del fraile con una escrupulosidad sólo comparable al terror que le infundían las mujeres del quinto piso; y no hallándose éstas en el balcón ni en todo lo que alcanzaba a verse de la calle, atravesáronla como dos exhalaciones el exclaustrado y la niña, y se colaron en la bodega de tío Mechelín, cuya mujer *barciaba*[84] la olla en aquel instante para comer, creyendo, pues era ya muy corrida la una de la tarde, que Silda no parecería tan pronto como había creído el padre Apolinar.

No podía llegar la huéspeda más a tiempo. Recorrió serenamente con la vista cuanto en la casa había al alcance de ella, y se sentó impávida en el escabel que le ofreció con cariño tía Sidora, delante del otro sobre el cual humeaba el potaje dentro de una fuente honda muy arranciada de color y algo cuarteada y deslucida de barniz, por obra de los años y del uso no interrumpido un solo día. Tío Mechelín, por su parte, y mientras le bailaban los ojos de alegría, ofreció a Silda un buen zoquete de pan y una cuchara de estaño, porque en aquella casa cada cual comía en su cuchara; la oferta fue aceptada como la cosa más natural y corriente, y se dio comienzo a la comida, sin que se notara en la muchachuela la menor señal de extrañeza ni de cortedad; aprovechaba rigurosamente el turno que le correspondía para meter en la fuente su cuchara, y oía, sin responder más que con una fría mirada, las palabras cariñosas de aliento que tía Sidora o su marido le dirigían.

Fray Apolinar creyó muy oportuna la ocasión para repetir a Silda lo que le había dicho por el camino, y aun para añadir algunos consejos más, y comenzó a ponerlo por obra; pero tía Sidora le cortó el discurso diciéndole:

[84] *barciaba:* lo mismo que *apartaba.*

—Todo eso y otro tanto hará ella, sin que se lo manden, por la cuenta que le tiene. ¿No *verdá,* hija mía? Ahora come con sosiego; llena esa barriguca, que bien vacía debes de tenerla; duerme en buena cama, y *dispués* ya habrá tiempo para todo; tiempo *pa* trabajar y tiempo *pa* divertirte como Dios manda.

—¡Uva!—exclamó tío Mechelín—. Al cuerpo no hay que pedirle más rema[85] que la que puede dar por sí... Y *usté, pae* Polinar, que tiene buen pico y mano en todas partes, bueno sería que diera cuenta, a quien debe tomarla, de los *mases* y los *menos* que ha habido en este particular.

—¡Vaya si estoy yo en eso, por la responsabilidad que me alcanza!—respondió el fraile—. ¡Si me mamaré yo el dedo!

—¡Uva!... Hoy es sábado... Mañana habrá Cabildo *motivao* a socorros y otros particulares.

—Mejor entonces—dijo el padre Apolinar—; yo pensaba ver solamente al Sobano cuando volviera de la mar esta tarde; pero ya que tú me haces ese recuerdo, me acercaré mañana por acá y haré que el caso sea tratado en Cabildo.

—¡Uva!... Pero nada de *sustipendio* ni de socorro pa el caso; aquí no se quiere más que *autoridá* y mano contra todo mal enemigo de lo que se hace con buen corazón.

—Entendido, M i g u e l, entendido... ¡Recuerno!... ¡Pues no me va a mí parte de ello! Cuando a ti te desuellen por lo que haces, buena me pondrían a mí la pelleja... ¿Tantas horas hace que lo has visto?... ¿Eh? ¿Lo olvidaste ya? Pues a mí todavía me tiemblan las carnes y me zumban los oídos. ¡Lenguas, lenguas de sierpe y almas de perdición!

—Vaya—dijo, medio en broma, tía Sidora—, que tiene *usté* menos correa de lo que yo creía, *pae* Poli-

---

[85] *rema:* el acto de remar todos los remeros a la vez. *(N. del A.)*

nar. ¿Quién se acuerda ya de eso, si no es para hacerle
la cruz y pensar en otra cosa?

—Cierto, Sidora, cierto—respondió apresuradamente
el fraile—que ni por lo que son ellas ni por lo que yo
soy debiera haber vuelto a tomarlas en boca. Pero
somos barro frágil, carne mísera, y se cae, se cae cien
veces cada hora. Mi ejemplo debiera ser de fortaleza, y
lo es de..., de chanfaina, Sidora, de chanfaina. porque
no valemos un cuerno... *Domine, ne recordaris pec-
cata mea!* Y con esto, si no mandáis otra cosa, me
vuelvo a mis quehaceres... Silda, lo dicho, dicho: has
caído de pie; te ha tocado la lotería. Si lo arrojas por
la ventana, no merecerás perdón de Dios, ni cuentes
conmigo, por mal que te vaya... Conque, Miguel; conque, Sidora, a la paz de Dios... Creo que se podrá salir..., digo yo, sin avería gruesa, ¿eh?... ¿Os parece a
vosotros?

Tía Sidora se levantó, sonriéndose maliciosamente;
salió, llegó a la misma puerta de la calle, miró y escuchó desde allí y volvió a la salita, diciendo al padre
Apolinar:

—No se ve un alma ni se oye un mosquito

—No tomes tan a pechos mi pregunta, mujer—dijo
el fraile, algo pesaroso de haberla hecho—, porque
ya sabes que, cuando llega el caso, fray Apolinar tiene
piel de hierro para las injurias; pero, de todos modos,
se te agradece la precaución, y Dios te lo pague.

Tornó a despedirse, y se marchó.

Momentos después preguntaba tía Sidora a Silda:

—Y de equipaje, ¿cómo estás, hijuca? ¿No tienes
más que lo puesto?

—Y otra camisa limpia que se quedó allá—respondió
Silda.

—Pues no hay que pensar en sacarla, aunque *juera*
de *rasolís*. Pero ya parecerá otra, ¿no *verdá*, Miguel?

—Y lo que *de* menester *juere*—respondió tío Mechelín—, que para cuando llegan los casos son los *agorros* [86].

De pronto dijo Silda:

—El que no tiene hilo de camisa es Muergo.

—Buena la tendría si la mereciera—respondió tía Sidora.

—Esta mañana—añadió Silda—tampoco tenía calzones, y *pae* Polinar le dio los suyos.

—¡Bien de sobra los tenía!—dijo la marinera con enojo visible hacia su sobrino.

A lo que replicó en seguida la chica:

—Le dio los que llevaba puestos, y yo creo que no le quedaron otros.

Tía Sidora y su marido se miraron, recordando haber visto al fraile en calzoncillos.

—Y bien, ¿y qué?—preguntó a la niña tía Sidora.

—Que más falta le hace a Muergo la camisa que a mí.

Volvieron a mirarse Mechelín y su mujer, y preguntó aquél a la niña:

—¿Y cuando te laven ésa, que buena falta le hace ya?...

—Me estaré en la cama hasta que se seque—respondió Silda, encogiéndose de hombros.

—Pero ¿de qué conoces tú a ese *lichón* de Muergo? —preguntó la marinera.

—De allá abajo.

—¿Y por qué me cuentas a mí que anda sin camisa y sin calzones?

—Porque me dijo Andrés que era sobrino de *usté*.

—¿Quién es Andrés?

—Un c...tintas, hijo del capitán de la *Montañesa*.

—¿Le conoces tú?

—El me llevó a casa de *pae* Polinar cuando yo estaba sola en el Muelle-Anaos esta mañana.

---

[86] *agorros:* vulgarismo por *ahorros*.

—¿Para qué te llevó?

—Para que hiciera por mí lo que ha hecho Es bueno ese c...tintas de Andrés.

—¿Conoce él a Muergo?

—Mucho le conoce.

—¿Y por qué no le da la camisa, ya que es rico?

—Le tiene *enquina* porque me tiró a mí a la Maruca de un tronchazo.

—¿Quién te tiró?

—Muergo.

—¿Y cómo saliste?

—Me sacó Muergo porque se lo mandaron Sula y otro que se llama Cole.

—De modo que si no se lo mandan ésos, ¿te ahogas?

—Puede que sí.

—¿Y con *too* y con eso pides camisa para él? ¡Un rejón que le parta!...

—¡Da asco verle *de* cómo anda! Pero si le dan aquí camisa, que no la lleve si no se corta las greñas y se lava las patas. Es muy *lichón,* ¡muy *lichón!*... ¡Y muy burro! ¡Y muy malo!...

—Entonces, ¿por qué mil demonios te apuras tanto por él?

—Por eso, porque da asco verle... y su madre no tiene vergüenza.

Al llegar aquí Silda con la respuesta, una voz que de pronto se dejó oír hacia el extremo del *carrejo,* como si tuviera la fuerza material de una catapulta, la arrojó hasta lo más escondido de la alcoba. La voz era vibrante, desgarrada, con matices aguardentosos, entre provocativa y fiera, con unos altibajos y unos retintines que estaban pidiendo camorra.

—¡Ahí va!—decía—. *Pa* que se mude los piojos mañana, que es domingo..., o *pa rueños* del *carpancho,* que en mi casa están de sobra..., o *pa* gala del día que la caséis con un marqués de cadenas de oro..., ¡caraspia!... Porque las Indias *vos* van a caer en la bodega con esa *inflanta* que *echemos* ayer a la barredura con la escoba... ¡Puaf!... ¡Toma, *pa* ella y *pa* el magañoso que *vos* vino con la princesa y con el cuentoooo!... ¡Indecenteeeees!

Cuando la voz se fue alejando hacia la calle, salió de su escondite tía Sidora, con muchas precauciones, y halló en mitad del *carrejo* un envoltorio blanco. Recogiólo, lo deshizo y vio que era una camisa de niña; sin duda, la de Silda. Atreviéndose después a llegar al portal y a sacar la cabeza fuera de la puerta, vio a Carpia que se alejaba por el medio del arroyo, hacia abajo, los brazos en jarras, descalza de pie y pierna, cerniéndose el refajo y con dos *carpanchos* vacíos sobre la cabeza.

«Ya lo saben—dijo para sí—. Mejor que mejor; eso tenemos adelantado. Les pica y empiezan a morder. Pues que muerdan. Ellas se cansarán. ¡Bribonazas! ¡Borrachonas! ¡Sinvergüenzas!»

VI

UN CABILDO

Lo que entonces se llamaba Paredón de la calle Alta existe todavía, con el mismo nombre, entre la primera casa de la acera del Sur de esta calle y la última de la misma acera de Rúa Mayor. Solamente falta el pretil que amparaba la plazoleta por el lado del precipicio y la ancha escalera de piedra que descendía por la izquierda hasta Bajamar [87], atracadero de las embarcaciones de aquellos mareantes, hoy parte de un populoso barrio, con la estación del ferrocarril en el centro. Allí, en el Paredón, celebraba sus cabildos el de Arriba, al aire libre, si el tiempo lo permitía, y si no, en la taberna del tío Sevilla, que era como su holgadero, su lonja, su banco, su fonda, su tribuna y, más tarde o más temprano, el pozo de sus economías.

Ya se sabe, porque lo dijo tío Mechelín en su casa, que al día siguiente habría Cabildo «*motivao* a socorros y otros particulares». Y lo hubo, en efecto, concurridísimo. No faltaba un mareante, voz y voto, al sonar en el reloj del Hospital las nueve y media de la mañana. El Sobano, alcalde de mar, o, si se prefiere,

[87] Actualmente es todo esto una espaciosa y elegante avenida, a la que, por acuerdo unánime de la Corporación municipal, se ha dado el nombre de *Rampa de Sotileza*, inmerecida honra, tanto más agradecida cuanto nunca fue soñada por las modestas ambiciones del autor de este libro. (*Nota del año 1888.*)

presidente del Cabildo, dio el ejemplo acudiendo de los primeros. Era hombre de pocas palabras y mucha sentencia; y como había sido dos veces regidor del Ayuntamiento de la ciudad, en representación de ambos gremios de mareantes, aunque iba a la mar como cualquiera de ellos, y no los aventajaba mucho en rentas ni en calzones, había adquirido ese desparpajo o aire de suficiencia que da, entre ignorantes y pelones como él, el roce frecuente con personas de viso y de pesetas; y más si estas personas están constituidas en autoridad; y mucho más todavía si, como le ocurrió al Sobano, había sido tan autoridad como cada una de ellas y participado de sus honores y magnificencias. Cierto que cuando los gremios le diputaron para tan alta magistratura, ya habrían visto en él prendas de entendimiento y de juicio y modales que no abundaban entre la gente de mar. Pero ¿y lo que había observado y aprendido aquel hombre mientras ejerció dos veces, a dos años cada una, el cargo de regidor? ¿Quién de los mareantes santanderinos dejó de verle en la procesión del Corpus, o en las de Semana Santa, o en los bancos curules de la catedral, con su traje negro, de rigurosa etiqueta, y con su medalla de concejal sobre el pecho, y sus guantes blancos..., de algodón, porque no hubo modo de calzarle los de cabritilla en sus manazas encallecidas por el remo?

Pues ¿y cuando, durante la semana de su turno, presidía el teatro, desde aquel palco con colgaduras de terciopelo y oro, arrellanado en su sillón de seda, con sus policías de respeto detrás de la cortina del antepalco, y era dueño de enviar a la cárcel al primer caballerete que hiciera méritos para ello, y de complacer o no a aquella muchedumbre de gentes principales, volviendo o no volviendo cara abajo, sobre la barandilla de su palco, el cartel de la función, para que se repitiera o no se repitiera alguna parte de ella muy aplaudida por el público? ¿Qué mareante de Arriba no vio esto desde la *cazuela* [88] alguna vez, o no lo supo, siquiera, por relatos de los dichosos que lo habían visto?, diga.

Pero quizá algún boquirrubio de los de hogaño, imberbe aspirante a gobernador, si no a ministro, que ninguna de esas prerrogativas es cosa del otro jueves. Cierto; y bien sé yo que, por ver, se han visto, como dice Mesio, hasta sastres con reloj; pero véngase acá ese boquirrubio; acérquese al Cabildo que yo le resucito ahora en el Paredón de la calle Alta; fíjese en aquel hombre atezado, áspero de barba, rudo de greña, cargado de espaldas, torpe de manos y no muy aventajado de calzones; que le diga yo, apuntando al hombre aquel: «Ese es el que ha hecho todas esas cosas que a ti no te parecen del otro jueves»; y a ver si no hay motivo sobrado para que se asombre y para que las personas del mismo pelaje del héroe, que le rodean, se juzguen diez codos por debajo de él. Que es a donde íbamos a parar con el propósito, aunque el camino haya sido algo más largo de lo conveniente a la impaciencia de los lectores boquirrubios.

Se reunía el Cabildo de Arriba:

Porque de un momento a otro iba a sacarse una leva, y sacándose una leva había que socorrer con ciento cincuenta reales a cada matriculado de los comprendidos en ella, por orden riguroso de matrícula.

Porque el reparto de cuarenta reales por mareante cabeza de familia, y de diez por cada viuda, que debió haberse hecho en la semana anterior, a causa de no haber podido salir las lanchas a la mar en cerca de quince días de temporales, no se hizo en ocasión oportuna ni por completo.

---

[88] *cazuela:* desígnase también con este nombre la localidad de *paraíso* en los teatros.

Porque, de dos meses a aquella parte, había muchos descubiertos en el tesoro del Cabildo, a consecuencia de no haber ingresado en él todas las soldadas que semanalmente habían de ingresar, a razón de una por cada lancha de pesca o de pasaje, pinaza, *barquía*, etcétera.

Porque el boticario del gremio había advertido que no admitiría nuevo *asalareao*, cuando terminara el vigente, si no se le daban cuarenta duros más al año, o se asalariaba el Cabildo con otro médico que recetara menos.

Porque se acercaba el día de San Pedro, y urgía saber si, por la primera vez, desde tiempo inmemorial, dejaba el Cabildo de pagar el gasto de las fiestas, así religiosas como profanas: misa de tres, con música y sermón, y entre otras menudencias de rúbrica, novillo de cuerda y el tamborileo de la ciudad durante dos días y tres noches.

Porque había cinco enfermos socorridos por el Cabildo que ni sanaban ni se morían.

Y, por último, y sobre todo, porque el tesorero se declaraba incapaz de acudir a tantas necesidades si los que más gritaban por no cobrar a punto los socorros no pagaban lo que debían al tesorero, o no se le autorizaba para meter mano a las reservas existentes para los grandes apuros y necesidades del gremio.

Tales eran los principales puntos que iban a tratarse aquel día en Cabildo. La Junta, digámoslo así, compuesta de dos alcaldes de mar—primero y segundo—, tesorero y recaudador, ocupaba el sitio más visible, esparrancada en lo alto de la plazoleta, cerca del pretil en cuyo lomo cabalgaban *raqueros,* o apoyaban ligeramente sus posaderas los congregados más viejos o más perezosos. Los demás se extendían en grupos por la explanada; grupos que se hacían o se deshacían, según que no hablara o que hablara la presidencia, o fuera menos interesante o más interesante lo que expusiera un orador de la masa.

Entre tanto, se oía un rumor incesante de conversaciones a media voz, y sobre este rumor el zumbido de Mocejón, que parecía un tábano por lo tenaz y molesto. Todo cuanto allí se decía o se acordaba provocaba sus gruñidos; y con su pipa rabona entre los dientes, los brazos cruzados sobre el pecho, la cabeza gacha y torcida, el gesto de ira y de tedio, y puerco y sin afeitar, iba, torpe y perezoso, de acá para allá, respondiendo a todo sin hablar con nadie y renegando hasta del sol que caldeaba la escena.

Aunque no con la brusquedad salvaje de este hombre, abundaban allí los recelosos y descontentadizos, y era muy curioso observar cómo aprovechaban precisamente la ocasión en que debían ser explícitos y dar la cara, para volverse de espaldas, o, cuando menos, de costado, y murmurar una excusa maliciosa o una barbaridad cualquiera hacia un colateral que no había desplegado sus labios.

Decía el Sobano, por ejemplo, que blanco.

—¡Yo digo que negro!—respondía, empinándose. un vejete.

—¿Por qué?—replicaba el alcalde de mar.

—¡Porque sí!—decía el otro, virando de costado, y luego, haciendo un poco de *barquín-barcón* con la encorvada espalda, añadía, encarándose con los de atrás—: ¡A mí con ésas!... ¡Si cuando tú vas, ya estoy yo de vuelta, pobretuco..., *rasolís!*

Otra vez era un mozo de piel lustrosa, pelo encrespado, corto de labio y largo de dientes, que se había atrevido a apuntar un reparo, con voz airada, desde lo más trasero del concurso.

—¿Y qué hay con eso?—le preguntaba, desde la paredilla, alguien de la Junta.

—*Pos...* ¡lo dicho!—respondía el mozo, volviendo la cara a su derecha.

—¿Y qué es lo dicho?—le replicaban.

—*Pa* saberlo está *usté* ahí—respondía el del labio corto y los dientes largos, acabando de dar la media vuelta hacia atrás—; *pa* eso, *pa* saber lo que digo y hacer lo que *nusotros quieramos,* que *pa* eso *semos* Cabildo.

Palabra que recogía con gusto un cincuentón desaliñado, diciendo, con la cara vuelta al costado de babor:

—*Pa* largas sereñas semos Cabildo *nusotros,* que *pa* comerse la ujana, como si no *juéramos naide.*

—*Ande* [89] va eso—exclamaba, un poco más allá, un mareante caído del hombro derecho y guiñando un ojo al preopinante—; *ande* va eso, bien lo sé yo... Algunos *güen* pellejo van echando de un tiempo acá... Mejor que el mío, ¡zonchos!

Por donde se murmuraba tan recio solía andar Mocejón.

—La barredera..., ¡la barredera, hijos!—añadía por su parte, con la cabezona gacha y el ojo de cerdo—. ¡La barredera!... Aquí no se gasta menos... a pie *ensuto* [90] y cuerpo regalón; y tú, pobre mareante, *arrevienta* allá *juera jalando* [91] del remo, ¡y vengan *julliscas!*... Siempre largando lastre y nunca *mus* [92] sale la cuenta... ¡Cómo ha de salir, *ñales,* si *angunos* hombres no tienen *calo!* [93]

No era opinión muy corriente esta del malévolo Mocejón en el concurso ni, en honor de la verdad, exis-

---

[89] *Ande:* vulgarismo por *adónde.*

[90] *a pie ensuto:* a pie enjuto. Sin mojarse los pies al andar por sitios por donde hay agua.

[91] *jalando:* vulgarismo por *halar,* tirar hacia sí de una cosa, y especialmente de un cabo, de una lona, de un remo, etc.

[92] *mus:* vulgarismo por *nos.*

[93] *calo:* profundidad del agua. *(N. del A.)*

tían razones para que lo fuera; pero, en cambio, abundaba, entre los que nunca habían podido lograr la tesorería, la de que el tesorero no sabía serlo; que todos los achaques del tesoro consistían en la falta de un hombre que supiera administrarlo como era debido, y que el Sobano, con todo su saber, no alcanzaba a enderezar lo que torcían otros en punto a intereses del gremio.

Estas eran las notas de color sombrío que salpicaban aquel cuadro tan alegre y pintoresco y la base del rumor incesante que se observaba entre sus personajes. Porque el verdadero peso de la discusión lo llevaba, en nombre de la Junta, el Sobano; y entre el concurso, hombres de buena voluntad, como tío Mechelín y otros compañeros, que, aunque también trataban los puntos de medio lado, al fin los trataban racionalmente. Por lo común, el alcalde de mar era quien encauzaba y dirigía los discursos; cortando extravíos ociosos y razones impertinentes, llevaba los remates a donde debían y cuando debían llevarse, y formulaba los acuerdos, a los cuales no se oponían al cabo ni los más díscolos.

Sin esta especie de dictadura jamás hubiera sido posible en aquel Cabildo, ni en el de Abajo, ni en ningún concurso por el estilo, resolver cosa alguna.

Y se resolvió entonces, al cabo de hora y media de sesión al aire libre, bastante respetada de curiosos y transeúntes, y, lo que es más raro, de las hijas y mujeres de los congregados allí, hembras capaces de todo, menos de desacatar los preceptos tradicionales, que eran leyes para el gremio; se resolvió, digo:

Primero. Que pagaran, a contar desde aquel día, soldada y media por semana las embarcaciones deudoras, en este concepto, al tesoro del Cabildo, hasta la extinción de las respectivas deudas.

Segundo. Que se advirtiera al boticario del gremio

que no se le darían los cuarenta duros de aumento que pedía para el nuevo *asalareo,* ni se despediría al facultativo, ni se pondría coto a sus recetas.

Tercero. Que cuando llegara el caso de marchar al servicio de la Armada los matriculados comprendidos en la leva cobrarían puntualmente cada uno los ciento cincuenta reales de socorro a que tenían derecho.

Cuarto. Que en la taberna del tío Sevilla se pondrían de manifiesto, acabado el Cabildo, las cuentas de tesorería, y que con el remanente que arrojaran y a medida que fueran recaudándose los créditos, se irían levantando todas las cargas pendientes, sin tocar al fondo de reserva; pues si sagrada era la obligación que tenía el Cabildo de dar socorro a los pescadores en épocas de temporal, no lo era menos la de pagar los pescadores las soldadas semanales al tesoro del Cabildo.

Quinto. Que se gastara la cantidad de costumbre en las fiestas de San Pedro.

Y, por último. Que los enfermos que ni sanaban ni se morían continuaran percibiendo el socorro que se les pasaba, hasta que Dios dispusiera de ellos según fuera su santísima voluntad.

Proclamados estos acuerdos a la luz del sol y estampados en el fondo azul de los cielos, bajo fe de la palabra honrada de los mareantes constituidos en Cabildo, libro que no admite raspaduras ni malicias de redacción, y por eso nunca dieron que hacer sus cláusulas a la Justicia, tosió el Sobano cuando ya el concurso comenzaba a disgregarse, alzó el brazo derecho y la cabeza, y dijo así, sobre poco más o menos:

—¡Alto, señores!..., que falta un punto por arreglar y hay que arreglarlo antes de irnos de aquí.

La curiosidad movió a todas las gentes aquellas. y poco a poco fueron acercándose al alcalde de mar hasta encerrarle en compacto círculo. Mocejón y el otro mareante, el mozo del labio corto y los dientes largos, se quedaron fuera de la línea, pero con mucho oído y refunfuñando.

El Sobano comenzó a hablar entonces, con su gran parsimonia y pulsando mucho las palabras para que ofendieran menos, de cierto compromiso adquirido siete meses antes por el Cabildo, pero fuera de junta, de socorrer con una ayuda de costas a la familia que recogiera y tratara como era debido en «josticia y caridá»—esto lo recalcó mucho—a la huérfana del llamado Mules, «perecido en las rompientes de San Pedro del Mar, con todos sus compañeros, en la última costera del besugo».

Tío Mocejón, barruntando que aquel asunto iba con él, recibió las palabras del Sobano y las miradas codiciosas de la gente como un mastín el palo con que le hurgan los muchachos por debajo de la puerta.

Añadió el alcalde de mar que si el Cabildo no había cumplido lo que ofreció por boca de hombres de bien, era porque no se creía obligado a ello, visto que de sobra estaban pagados el escaso alimento que recibía la huérfana y el montón de guiñapos que se le daba por cama, con el trabajo y los castigos bárbaros que se le imponían por la familia que la había recogido.

—¡Uva!—exclamó una voz.

—¡Chova..., ñules!—bramó la aguardentosa de Mocejón—. ¡Que se haga bueno eso!

—¡Se hará!—dijo con firmeza el Sobano—. Y todo lo que sea *de* menester. Pero más le valiera a *anguno* que me oye aguantarse al remo mientras pasa esta *noruestá* [94], que *isar* [95] tanta vela.

—¡Uva!—volvió a exclamar la voz de Mechelín.

—Y ese que me provoca—gruñó Mocejón—, ¿*isa*

[94] *noruestá:* vulgarismo por *noroestada,* duración prolongada de los vientos del Noroeste.

[95] *isar:* vulgarismo por *izar.*

vela o no la *isa?* ¿Sopla aquí el *nuroeste pa toos* por igual, *u* sopla de otro modo?..., ¡ñules!... Y *miá* tú, chaquetín de la bodega: si *quiés* decir algo, lo dices claro y a la cara, y no *escondío* entre el *porreto* como los *pulpes*..., ¡ojo!

Hubo un poco de movimiento, como hervor de resaca, en el concurso, al oír a Mocejón, cuyo desconocimiento animó al Sobano, curado de escrúpulos ociosos, a contar en pocas palabras lo acontecido a Silda en casa de la Sargüeta hasta que fue recogida en la de Mechelín.

Se preguntó al Cabildo si consideraba bastante aquella casa para refugio y amparo de la huérfana, y el Cabildo respondió que sí, entre los gruñidos, bandazos y manoteos del salvaje Mocejón, que no cerraba boca ni paraba un punto, mientras el mozo de pelo crespo, de labio corto y de los dientes largos iba con los ojos airados de Mocejón a los de adentro y de los de adentro a Mocejón, sin saber a quién arrimarse con su parecer.

Tío Mechelín tomó entonces la palabra y dijo:

—Se hace saber que por el amparo de la desvalida no se quiere *sustipendio* ni cosa *anguna* de *naide;* pero se pide al Cabildo mano y *autoridá* para que se deje hacer por ella, a quien quiere hacerlo de buena *voluntá,* lo que otros no han querido o no han podido hacer. ¿Vale *u* no vale esto que se dice? ¿Se me entiende *u* no se me entiende? ¿Hay *seguranza* [96] *u* no hay *seguranza* de que la cosa se haga como se pide?

—¡La hay!—respondieron muchas voces.

Y el Sobano añadió en seguida, con la proa puesta a Mocejón:

—El Cabildo ampara a esa muchacha... ¿Se oye bien lo que se dice?... Pues no se dice más, porque no es

[96] *seguranza:* lo mismo que *seguridad.*

menester más para que *angunos* entiendan lo que se quiere decir.

Mocejón, que no cesaba de rutar[97], protestando de todo y contra todo, al ver que el concurso se deshacía, fue soltando voz según iban creciendo los rumores de los que se dispersaban; y todavía cuando, arrollado por ellos y estorbando a la mayor parte, estaba cerca de la taberna del tío Sevilla, se le oía decir:

—¡Pos *míate* el otro..., piojucos..., chumpaoleas! ¡Nules! Se ha de ver si sirve ser un cuentero, lambecaras, como tú, *pa* difamar a *naide* que vale más que tú, y la perra sarnosa que ha de volver a parirte a ti y a *toa* esa gatupería que saca la cara por ti..., ¡reñules!

[97] *rutar:* murmurar, rezongar.

LOS «MARINOS» DE ENTONCES

Aunque el lector de ultrapuertos quisiera permanecer un ratito en el Paredón, después de terminado el Cabildo, para dar recreo a los ojos contemplando el panorama que se descubre desde allí, describiendo con la vista un arco desde el monte Cabarga hasta el llano de las Presas, deteniéndola en el cercano fondeadero del Pozo de los Mártires, verdadero bosque de arboladura, o en el más próximo aún del Dueso, salpicado de lanchas y *barquías* del Cabildo, bien ajeno éste a creer que su axioma tradicional de «por mucho que apañes no fundarás en el Dueso» había de ser desacreditado por el genio emprendedor de las siguientes generaciones, plantando en el Dueso mismo la estación del ferrocarril, emblema del espíritu revolucionario y transformador de las modernas sociedades; haciendo, por curiosidad, desde lo alto de la escalera, algunas preguntas—que no quedarán sin sabrosa respuesta—a los muchachos de lancha que canturrian o vocean debajo del Paredón mientras achican o desatracan las que están a su cuidado, o dando un vistazo, desde el crucero del alto de la cuesta del Hospital, a las dos filas de casas altas, angostas, desvencijadas. adheridas unas a otras, para sostenerse mejor cargadas de balcones, de redes y de trapajos, con rabas de pulpo y artes de pescar secándose en las paredes del fondo, y tripas de sardinas y piltrafas de bonito por los aires, y madres desgreñadas y sucias espulgando a sus hijos, medio desnudos, a la puerta de la calle; que todo eso y mucho más que no digo, porque se adivina, y porque no cabe en la pulcritud del arte, era el barrio de los mareantes de Arriba, y en la misma forma continuó siendo durante muchos años, aunque en la contemplación de este y del otro espectáculo quiera detenerse, repito, el susodicho lector de ultrapuertos, y aunque se pare un instante a la puerta de la taberna del tío Sevilla, atestada de marineros, que más se ocupan en tomar la mañana que en examinar las cuentas del Cabildo, aún nos queda tiempo sobrado para llegar, poco a poco, a la calle de San Francisco, por la cual discurrían los elegantes de entonces, con sus tuínas[98] de mezclilla verdosa, prenda recién introducida en la indumentaria al uso, y penetrar, con la debida licencia, en casa del capitán de la *Montañesa,* don Pedro Colindres, más conocido entre la gente de mar por su mote de *Bitadura,* en el instante de llegar, con su señora y su hijo, de la misa de once de la Compañía.

Y quiero que sea éste el momento de nuestra presentación a él, para que le vean todas sus empavesadas de señor los que hayan podido verle a bordo o desembarcar al día siguiente con su ropaje del oficio, sin arrastraderas[99], macizo y basto.

No era este personaje de mucha talla: quizá no pasaba de la regular; pero, en cambio, era doble, sobre todo de espaldas, de brazos y de manos...

Perdone la impaciencia del lector; pero necesito tomar esta figura desde más atrás, *ob ovo* casi, para que resulte con todo el relieve que debe tener en el mo-

---

[98] *tuínas:* especie de chaquetones largos y holgados.
[99] *arrastraderas:* las velas correspondientes a las velas mayor y de trinquete. *(N. del A.)*

mento de aparecer en el cuadro. Procuraré ser breve;
pero, aunque no lo consiga, no se apure, pues esta di-
gresión, además del fin inmediato que lleva, ha de
ahorrarnos otras por el estilo, despejándonos el terreno en que vamos a entrar, porque la especie abunda
en ejemplares, y *ab uno disce omnes.*

De cepa marinera por todos sus cuatro costados,
apenas salió de la escuela de don Valentín Pintado
ingresó a estudiar náutica en el Consulado [100] con
don Fernando Montalvo; pero ya desde entonces, aunque sólo contaba trece años, fumaba valientemente de
lo pasiego, si no había tabaco más suave a sus alcances; nadaba de espaldas y se sostenía derecho en el
agua sin mover los brazos; se hacía el muerto y, en
fin, echaba un *cole* desde el paredón del Muelle-Anaos;
daba torno a cualquiera de su parigual remando en
un bote; había capitaneado dos guerras, y en la bo-
fetada limpia era una reputación en la plaza de las
Escuelas, en la Maruca, en el prado de Viñas y en otros
holgaderos por el estilo; le temían de lumbre muchí-
simos zapateros de portal; tenía buenas amistades en
el Paredón de la calle Alta, y en la mesa de la Zanguina llegó a dar las tres bolas y el cangrejo a un
cabo de la guarnición que había sido pinche de billar
en su tierra, y así y todo, le ganó la partida

Pero todavía conservaba en el vestir, y en el andar,
y en el decir, el aire terrestre; todavía era vivaracho,
desorejado de borceguíes, gastaba cachucha [101], tiraba
a rubio y decía: «¡Coila!», cuando se enfadaba, y comía mucho pan, pellizcando, sin sacarlo, el zoquete
que llevaba en el bolsillo.

En cuanto fue náutico, se asimiló poco los aires y

----

[100] Hasta el año 1837, en que se inauguró el Instituto Cántabro, se estudiaban esta asignatura y otras de la carrera mercantil
en el Consulado de Comercio.

[101] *cachucha:* montera, gorrilla de paño.

el estilo de aquella raza especialísima de estudiantes que no parecían nacidos de madre, como toda la descendencia de Adán, sino construidos de roble en las gradas de un astillero. De ellos tomó la rudeza del acento, el apóstrofe crudo, el mirar osado, la falta de respeto a todo profesor que no fuera el suyo, el andar oscilante, con los hombros levantados; el horror a los faldones, la chaqueta abrochada, la gorra con galón dorado y visera de charol, muy pegada a la frente..., y hasta la tez empañada.

Cuando concluyó los cursos de náutica necesitó hacer, en calidad de agregado, dos viajes redondos a la isla de Cuba. Y los hizo en un barco que mandaba un amigo de su padre. En estos viajes tuvo la categoría de mozo de a bordo; es decir, la de marinero principiante. Después se examinó en El Ferrol, y allí, aprobados sus ejercicios, obtuvo el título de tercero, con el cual se embarcó en Santander en una fragata para hacer los tres viajes que se le exigían en aquella segunda etapa de su carrera. Los hizo también, en poco más de un año, a ratos navegando como en una palangana y a ratos con la vida en un hilo.

Del último de estos viajes volvió, aunque crisálida todavía, apuntándole las alas de mariposa. Ya el espeso pelambre a su cara, afeitada de quijadas arriba, era algo más que sombra de patilla a la catalana; sus manos comenzaban a ponerse velludas, su voz a embronquecerse y sus espaldas a encorvarse; era muy atezado y formaba con los marinos en sus parrandas y rumantelas [102].

Preparóse, repasando con Montalvo una temporadita; fuese a El Ferrol por segunda vez; aprobáronle en el rígido examen a que fue sometido, y se le extendió su título, en toda regla, de segundo, o sea de piloto de derrotas, que es lo que iba buscando Pedro Colin-

---

[102] *rumantela:* francachela, diversión.

dres, ya, para entonces, conocido entre la gente del
oficio con el nombre de Bitadura, no sé por qué. . Y
aprovecho esta oportunísima ocasión para advertir a
los lectores de tierra adentro, persuadidos, quizá, de
que es un capricho mío la coincidencia de que casi
todos los personajes que van apareciendo hasta ahora
en este libro tengan un mote por nombre, que no hay
tal capricho ni cosa que lo parezca. Tan frecuente es el
mote entre las gentes de mar de este puerto, y tan ave-
zadas están a oírse llamar por él, que en el gremio
de pescadores ha habido quien desconocía su propio
nombre de pila, y muchos que no lo conocieron hasta
que lo necesitaron para inscribirse en el libro de ma-
trículas de mar. Lo mismo entre estas gentes ignorantes y zafias que entre las más elevadas y cultas, de
carrera, el mote aparece sin saberse por dónde ni
cómo. Generalmente procede de un dicho o de un
hecho, o de una circunstancia cualquiera de la persona, que se halla encima de la noche a la mañana;
pero quién se lo puso y cuándo, no es fácil de averiguar.

Bitadura tardó bastante en colocarse, después de
recibir el título de segundo, porque esas plazas no
abundaban, con ser entonces tan numerosa la marina
mercante de vela; pero, al fin, halló barco, y en él
hizo su primer viaje de piloto.

A la vuelta de este viaje fue cuando apareció en
Santander en perfecto carácter de marino; ya era...
como todos. Porque yo no sé cómo diablos sucedía
eso, pero sucedía: que fueran rubios o delgados, o
altos o bajos, los náuticos del Instituto o los agregados
en su primer viaje, poco a poco iban transformándose; y cuando volvían de segundos, todos eran igua-
les: todos tenían mucha espalda, mucha mano y muy
velluda; todos eran morenos, con patilla corrida, muy
espesa; abiertos de brazos, ásperos de voz, lentos en el

andar, duros de ceño, secos de frase, pero pintorescos de palabra, y de gustos pueriles y espíritu regocijado. Por último, todos vestían el mismo traje: la gorra con galón de oro y botón de ancla, sin corona; el chaquetón pardo también, y la corbata negra a la marinera; y acaso esta rigurosa uniformidad de vestido y de modales contribuyera a darles la extraordinaria semejanza que se notaba entre ellos.

Bitadura fue uno de los más populares de su tiempo, y cuando, después de haber corrido borrascas en todos los mares de los dos mundos, dio en antojársele que no le llenaban por entero, al llegar a Santander, los entretenimientos del café de la Marina, las parrandas nocturnas, las culebras en las romerías y otras hazañas de rigor en el gremio, algunas de ellas harto pueriles, se armó un día de valor, él, que no se amilanaba entre los abismos del mar embravecido; se atusó un poco la greña, se puso camisa limpia y unas botas de charol debajo de las perneras, y se fue a pedir a un piloto jubilado, más por falta de salud que por sobra de años, la única hija que tenía, moza, a la sazón, en la flor de su primavera, y, como decía el mismo Bitadura, al describírsela a un amigo después de confesarle su proyecto, «bien corrida de eslora[103], recia y levantada de amuras, airosa de raseles[104] y alta de guinda».

Estaba hecha a poco la pretendida, porque en aquel tiempo aún había clases, y apenas gastaban seda las chicas solteras de más de siete familias de Santander; era bien afamado el pretendiente, porque no se tomaban a pecado las calaveradas temporeras, digámoslo así, de aquellos mozos tan honrados en el fondo de sus almas y tan valientes y sufridos en el mar; le es-

---

103 *eslora:* la longitud de un barco. *(N. del A.)*
104 *raseles:* las partes en que a los extremos de popa se estrecha el fondo de la nave. *(N. del A.)*

timaba mucho el padre, y la hija le había visto, por
tres veces, barrer a bofetadas la acera de enfrente
para quedarse él solo echándole requiebros, mentalmente, desde allá; de modo que, aunque todavía no
había pasado de piloto y era tan desmañado en finiquituras y voquibles [105] que sudó brea para dar a entender lo que quería en aquel trance—porque claro
del todo no acertó a decirlo—, concediéronle la chica,
que se llamaba Andrea, y tenía dos ojos como dos soles; un pelo que relucía de negro, y tan abundante,
que no le cabía en la cabeza; y una boca y un color...;
en fin, una buena moza en toda la extensión de la palabra.

Casóse con ella andando los días; y antes de un
mes de casado se embarcó para hacer su último viaje
de piloto. Porque a la vuelta, habiéndose desembarcado
el capitán por una larga temporada, le dieron a él el
mando del buque, que era un bergantín bien afamado.
Y hete aquí ya a Periquito hecho fraile. Ya era capitán; ya tenía una paga de sesenta pesos al mes, y no
tardaría en disfrutar de los beneficios que generat-
mente conceden los fletadores o dueños del barco al
capitán que lo manda con celo e inteligencia... Pero,
en cambio, ¡qué peso tan molesto el de los deberes
que le imponía su repentina transformación! ¡Cómo
le costaba amoldarse al ritual de su nueva categoría!
Por de pronto, fuera chaquetones y botes de agua, y
todo cuanto ésta y las demás prendas del hábito de
un piloto representaban en su vida pública: la independencia, la holgura, la vida alegre de mozo descuidado, el lenguaje convencional y pintoresco..., ¡y hágase usted hombre formal, y hable en serio con mer-
caderes y corredores y, sobre todo, vístase usted de

---

[105] *finiquituras* y *voquibles: finiquituras* son los ademanes
exageradamente refinados; *voquibles,* las palabras mal dichas
y con pretensiones de cultas.

paño fino, con alas y arrastraderas..., y meta el cor-
pachón macizo debajo de una levita; los pies dentro de
unas botas de charol; las manazas, gruesas y velludas,
en guantes de cabritilla, y..., ¡horror de los horrores!,
sobre la cabeza, arreglada por la hoz del peluquero,
encájese el oprobio de la castora..., y échese usted con
ese aparejo a la calle, sin atreverse a andar ni a re-
volverse mucho por temor de que salten los botones o
revienten las costuras, y salude a la moda en los es-
critorios de consulados, y mientras habla o le despa-
chan, siéntese, por lo fino, en una silla, y métase la
duda de si pondrá la canoa en el suelo o la tendrá entre las manos, ¡o la arrojará por el balcón, que es lo
que él preferiría!

La primera vez que se vio ataviado así delante de
un espejo soltó la carcajada.

—Con esto y un bastón—exclamó—, un matasanos
de aldea.

—¿Por qué no lo compras?—le dijo su mujer

Bitadura la miró con el asombro pintado en la cara

Decir a un capitán de aquellos que saliera con bastón equivalía a aconsejar a un coracero que llevara en
la mano un abanico.

Pero, en fin, se fue acostumbrando a la librea, aunque no la usaba más que en actos oficiales, digámoslo
así, o en momentos muy solemnes; fuera de estos casos,
un traje holgado, de medio aparejo, entre piloto y capitán; cómodo, sin dejar de ser serio.

Cuando ya tenía un hijo de tres años, le dieron el
mando de la *Montañesa,* uno de los mejores barcos
de la matrícula de Santander. Como no era lerdo, se
acostumbró primero al trato de gentes que al uso de
las prendas finas; llegó a ser un capitán de los más
atractivos para los pasajeros, y el armador de la *Montañesa* no tuvo motivos para arrepentirse de haberla
puesto bajo su mando. Como, además, era un marino

consumado y un administrador celosísimo, abriósele ancha mano, comenzando por concedérsele los abarrotes [106], con lo cual, llevando por su cuenta pacotillas de frutos ultramarinos, se granjeó muy buenas ganancias en pocos viajes, y señalósele más tarde un buen interés en los cargamentos que se le encomendaban. A pesar de ello y de tener muy rebasados los cuarenta cuando el lector le ha conocido, continuaba siendo, fuera de servicio, el Bitadura de siempre, el muchacho grande, dado con pasión a las cosas chicas de su tierra, a los placeres sencillos, a la frase pintoresca y al vestido cómodo.

Andrea, que no tuvo más hijos que el que conocemos, se había ido ajamonando poco a poco, y era, en la ocasión en que aparece aquí, una mujer de gran estampa; blanca y apretada de carnes, rica de formas y de rostro alegre y bello.

Había ido a misa de once aquel día, del bracete de su marido, con vestido de gro negro, chal de Manila, mantilla de blonda, abanico de nácar y mitones de seda calados. El, con levita y pantalón de paño negro finísimo, con trabillas de botín, chaleco de raso, sobre el cual serpenteaban dos enormes ramales de la cadena de oro de su reloj; chalina de seda, de cuadros oscuros, con dos alfileres de brillantes unidos por una cadenilla de oro; sombrero de copa muy reluciente; botas de charol y guantes de seda de color de ceniza. Sudaba el hombre de calor y de molestia, debajo de aquellas galas que le oprimían por el cuello, por la cintura, y por las manos, y por los pies; y relucía su atezado rostro, encuadrado entre las patillas, algo grises ya, y las alas del sombrero, mientras el al-

---

[106] *abarrotes:* fardo de poco bulto con que se llenan los huecos que quedan en la bodega de un buque después de cargado. *(N. del A.)*

midonado cuello de la camisa se reblandecía y arrugaba con el sudor del pescuezo.

Todo aquello lo esperaba él, y bien sabe Dios lo que le desazonaba; pero la salida era de necesidad, porque su mujer había estado soñando con ella meses enteros: no conocía satisfacción más grande, y él quería demasiado a su mujer para no complacerla. Por otra parte, ¿a qué negarlo?, si Andrea se creía más alta que una corregidora por ir del brazo de un marido como el suyo, Bitadura pensaba que, en opinión de cuantos pasaban a su lado, no había princesa que valiera en estampa lo que su mujer.

Y así marchaban los dos, calle de San Francisco arriba y plaza Vieja adelante, recibiendo a cada paso bienvenidas y apretones de mano él, y felicitaciones y saludos ella, mientras Andrés, que caminaba, a la derecha de su madre, con su vestido de los domingos, compuesto de chaqueta entallada, con cuello de muaré, pantalón de mezclilla de lana, chaleco jaspeado, corbata de mariposa, borceguíes nuevos y gorra de felpilla imitando piel de tigre, saludaba muy ufano a los amigos de su mismo pelaje, o se hacía el desconocido cuando le guiñaba el ojo algún granuja, su camarada de hazañas del Muelle-Anaos. Al salir de misa, nuevos y más numerosos saludos, nuevas detenciones y bienvenidas; y vuelta a casa con el posible apresuramiento, porque no faltarían visitas que recibir en ella, amén de que había convidados a la mesa, se comía a la una en punto, y Andrea no se fiaba de la guisandera que había tomado para aquel lance, superior a los recursos culinarios de su criada.

El lector y yo llegamos en el momento en que el capitán largaba los guantes y la cachimba sobre una cómoda, y su mujer, después de plegar la mantilla y el pañolón de seda, los guardaba en un tirador del propio mueble. De buena gana hubiera cambiado Andrea

su vestido de gro por otro más modesto, de raso de
lana, y el capitán sus arreos de «señor del Ayuntamiento» por el atelaje de a bordo; pero, como ya se
ha dicho, aguardaban visitas, por ser de rigor en
aquellas circunstancias, y las visitas de entonces no
las recibía un recién llegado como Bitadura sin echarse
encima el fondo del baúl, máxime siendo día de fiesta
y teniendo una mujer tan escrupulosa en estos particulares y tan guapota y apuesta como la que él tenía.

Mientras ésta se daba una vuelta por la cocina, se
oyeron golpes a la puerta de la escalera, y Bitadura
salió corriendo a la sala..., sala de capitán de entonces,
con los retratos de todos los barcos en que había na-
vegado, desde piloto inclusive; un espejo con marco
de papel dorado y dos o tres cuadritos de bordados de
felpilla, obras de la capitana cuando iba al colegio,
colgados en las blancas paredes; sobre las rinconeras
y la consola de caoba, caracoles de la China, ramilletes
de coral, monigotes de especias, una bandeja grande,
puesta de canto, detrás de una caja de música, y entre dos fruteros de cera, con sendos fanales, y debajo
de otro ovalado, un barco que se bamboleaba sobre
una mar contrahecha, en cuanto se tocaba un resorte
que tenía la peana; sillería de cerezo, una alfombra
delante del canapé; cortinillas de muselina rameada
en las vidrieras del balcón, en las de la alcoba, *carrejo*
y gabinete; el suelo de tabla de pino, muy fregado...,
y paren ustedes de contar. Las sillerías, de caoba, con
embutidos de limoncillo y asientos de tejido de cerda;
el reloj de sobremesa, los candelabros de plata, los
espejos de vara y media de altos, con marco de pasta
dorada; el retrato de cuerpo entero, obra del pincel
de Salvá o de Barceló; el papel aterciopelado en las
paredes, las cortinillas de tafetán encarnado en las
vidrieras de las alcobas, y la alfombrita delante de
cada puerta y de cada mueble importante de la sala,

quedábanse para un puñadito de familias, cuyas mujeres torcían el gesto cuando se rozaban con el vulgo de los mortales, y cuyos muchachos gastaban las únicas levitas forradas de seda que se vieron entre sus coetáneos, no bebían agua en las fuentes públicas aunque se murieran de sed, jugando finalmente al marro con sus congéneres, y antes se hubieran dejado desollar que descalzarse en la Maruca para navegar un poco en sus flotantes perchas.

Y perdone otra vez el lector al ver que me marcho por los trigos nuevamente; puede más que mi propósito de no extraviarme con el relato la fuerza de los recuerdos que vienen enredados a cada detalle que apunto de aquellas gentes y de aquellos tiempos que se grabaron en las tablas vírgenes de la memoria.

Vuelvo, pues, al asunto, y digo que la primera visita al recién llegado capitán fue la del matrimonio del cuarto piso, con la mayor de sus hijas, apreciable familia de tenderos por juro de heredad, pero harto insípida para unos gustos tan especiales como los de Bitadura. Algo más le entretuvo después el jubilado capitán Arguinde, con sus alegrías de carácter y su desatinada sintaxis de vizcaíno impenitente; no tanto doña Sinforiana Cantón, viuda desde muy joven, y ya pasaba de los cuarenta y cinco, de un piloto que murió de calenturas en la costa de Africa; mucho menos la señora y las hijas de un comandante retirado, amigas de su mujer, y menos todavía otras personas que acudieron a verle por razón de parentesco remoto o de gratitud o de interés. Porque con los amigos y camaradas, con la gente de *aligote* [107], como él llamaba a los del oficio, ya se había visto despacio y en lugar conveniente para hablar sin trabas y reír sin medida.

De esta gente eran los tres convidados que aguar-

---

[107] *aligote:* pescado de bahía. *(N. del A.)*

daban, además de su piloto Sama, y fueron llegando uno tras otro. Uno solo de ellos era capitán. De los dos pilotos, sin contar a Sama, uno se llamaba Madruga, prototipo de la especie; el otro era Ligo, el mozo que vimos en San Martín con Andrés. Este era el más joven de todos, y quería ser el más elegante y culto; desde luego, era el más aparatoso y el más desatinado. Madruga y él formaban un delicioso contraste. Madruga era impasible de fisonomía, hablaba bajo, poco y como de mala gana; pero lo que hablaba salía forrado en cobre de sus labios, cuya expresión de burla estaba tan cerca de la del enojo, que se confundían muy a menudo: de aquí el interés singularísimo de su pintoresca palabra. Ligo, al contrario, era locuaz, con grandes presunciones de hombre de mundo, o de ser capaz de serlo. Hablaba de todo en el estilo y con la brusquedad de lo que era, con términos finos, que él fabricaba a su gusto cuando la necesidad se lo exigía. De este modo, resultaban unos potajes, unas finezas tan burdas, unas groserías tan finas, que era todo lo que había de oír.

Había señoras todavía en casa de Bitadura cuando él llegó, y llegó el último. Madruga se había portado tal cual, quitándose la gorra y haciendo su poco de reverencia antes de sentarse. Sama tampoco se había metido en muchos dibujos, porque no los conocía, y se había achantado, muy calladito, en un rincón, donde se entretenía en dar vueltas a la gorra entre sus manos, mientras silbaba, casi mentalmente, una *sopimpa* de allá.

El capitán Nudos, algo más joven que Bitadura. y tan bien vestido como él y cortado por el mismo patrón que él, no le aventajaba un ápice en perfiles de cortesía y ceremoniales de sociedad; verdaderamente, estaba casi rapado a navaja en esos particulares; pero, al cabo, había tenido trato de gentes por razón de su empleo, y tenía oído que en una casa la señora debe ser siempre la persona más atendida de propios y extraños; por lo cual, viendo desocupado un hueco en el canapé donde se sentaba, entre otras amigas, la capitana, allá se coló, y allí dio fondo junto a ella, sin más trabajo que el de removerse algo para agrandar la plaza en que no encajaban bien sus anchas posaderas. Y allí estaba algo oprimido y molestando un poco a sus colaterales; pero, al cabo, como un señor y sin meterse con nadie.

Cuando entró Ligo, con gran estruendo de tacones y resoplidos y mucho zarandeo de arboladura, el amo de la casa entretenía, como Dios y su impaciencia le daban a entender, aquellos ratos fastidiosos; Andrea hablaba con las señoras; Sama, cansado de voltear la gorra, se había puesto de codos sobre los muslos, y se divertía en meter escupitinas, a plomo, por la juntura de dos tablas del suelo; Madruga, con el pie izquierdo descansando sobre la rodilla derecha, muy tirado el cuerpo hacia atrás, con una mano entre las solapas del chaquetón y en la otra la gorra, escuchaba, con una atención tan afectadamente grave que resultaba cómica, lo poco que en serio se le ocurría a Bitadura; y el capitán Nudos, a juzgar por la cara que ponía. le estaba pidiendo a Dios que le inspirara un modo de salir cuanto antes de aquellas estrecheces.

Por entrar Ligo y observar el cuadro, se ratificó en su creencia de que aquellos hombres no valían para el trance en que estaban metidos, y sospechó que las señoras se aburrían. El lo iba a arreglar todo dando una lección de cortesía y travesura elegante a sus camaradas, y un poco de amenidad a la visita, para recreo de las señoras. ¡Y allá va! Apóstrofe a éste, palmoteo sobre la espalda del otro, indirectas a Bitadura, chicoleos a la capitana, fineza por aquí, galantería por allá, cómo se las arreglaría el bueno de Ligo, y de qué calidad serían sus discreciones y amenidades, que antes que pensara en sentarse en la silla que arrastraba de un lado para otro, mientras hablaba y se revolvía dentro del coro, ya no quedaba en la sala una señora, y salía detrás de la última la capitana con las mejillas muy coloradas y mordiéndose los labios de risa.

En cuanto se vieron solos los cinco marinos. Bitadura cayó sobre su compañero, el del sofá, que comienza a desarrugar la faz y a desentumecerse, diciéndole, mientras le abrumaba a resobones:

—¡*Osio*, Macario!... ¡*Desínfrate* ya, hijo, que tienes la cara como una *ufía!* [108]

A lo que añadió Ligo:

—¡Si él no se metiera en *manipulencias* que no entiende!...

—Para *manipulencias* y *pitiflanes*, tú—dijo Madruga muy serio.

—Ya se ve que sí—repuso Ligo—. Aquí hay aparejo para navegar en todas aguas, lo mismo de aligote que de pitiminí. Y si no, ¡mira cómo se *desguarnían* de risa las señoras, que estaban, cuando yo entré, como en el cuarto de oración!... ¡*Na*, hombre, que sois toninas de la mar, y no más que eso!...

Y por aquí siguió la porfía; y al ruido del tiroteo y de las carcajadas, perdió Sama el respetillo que le infundía la presencia de Bitadura, que, al cabo, era su capitán; largó una *sopimpa* de cornetín, remedándole con los puños y con la voz, y cata a los cuatro restantes bailándola como los negros de Cuba. Y no jugaron después a paso o al soleto porque llegó la capitana, avisó que estaba la sopa en la mesa y se fueron todos al comedor.

Cinco meses había estado fuera de su patria Bitadura, y cerca de dos de ellos acababa de pasarlos en la

---

[108] *ufía:* vejiga inflamada. *(N. del A.)*

mar, sin comunicación alguna con el mundo. Lo primero que se le ocurriría hoy a un hombre en esas mismas condiciones, al volver a su casa y sentarse a la mesa entre amigos, sería preguntarles: «¿Quién manda en España? ¿Qué hay de política? ¿Cuándo se hizo el último pronunciamiento? ¿Qué revolución se prepara? ¿Qué gobernador tenemos...?»

A Bitadura y a todos los Bitaduras de entonces les tenían estas cosas sin cuidado. Lo que preguntó con grandísimo interés, tan pronto como se sentaron todos a la mesa, y mientras servía a Madruga un plato de fideos encogollado, porque acababa de oírle decir que todavía estibaba tal cual en la bodega, fue del tenor siguiente:

—¿Y qué hace Nerín?... ¿Y Caparrota?... ¿Cómo está la Sietemuelas? ¿Y Tumbanavíos?

Estos y otros tales fueron los temas de la conversación, interrumpida a menudo para decir, por ejemplo, Madruga a Sama, que estaba enfrente de él: «Atraca esos abarrotes», señalando unas aceitunas que deseaba; o Ligo a Andresillo: «Pica esa bomba, motil», para que le escanciara el vino de una botella en la copa que le presentaba; y así por el estilo.

Hacia los postres se habló un poco, casi en serio, de los propósitos del capitán con respecto a la carrera de su hijo. Ya iba siendo éste muy grandullón, y deseaba su padre que se matriculara en Náutica en pasando un año, para que hiciera a su lado todas las prácticas, antes que él se cansara de navegar, o le recogiera el mismo Dios la patente, dándole sepultura en el campón de las merluzas; con lo que a la pobre madre, cuya cruz más pesada era pensar incesantemente en ese mismo riesgo mientras su marido andaba navegando, se le oprimió el corazón. No podía resignarse, sin protesta, a que su hijo siguiera la carrera azarosa de su padre.

Viendo Bitadura que por aquel lado se enturbiaba el horizonte, torció el rumbo de la conversación; y con esto y con haberse acabado los postres, y con aparecer en la mesa la ginebra y el marrasquino y los avíos de hacer café, como se hacía allí, a taza de polvo por barba, colado con agua hirviendo por manga de franela; y con retirarse Andrea y su hijo con sus correspondientes raciones en una bandeja, «para no estorbar a nadie», quedáronse los marinos mejor que querían.

Una hora después Madruga bailaba el *Cucuyé* con Ligo, y, un poco más tarde, a instancias del anfitrión, su piloto, provisto de un cuchillo y una servilleta retorcida, cantaba y representaba el *Samalá-culé...* (precisamente por representar esto tan a la perfección, se le había puesto el mote que llevaba), haciéndole el coro y ayudándole en la escena todos los demás...

Y en éstas y en otras tales, hasta la hora de irse a *correr un largo* a la Alameda de Becedo.

¡Y aquellos niños grandes eran los hombres que sabían conducir un barco a todos los puertos del mundo, y, con una plegaria ferviente y una promesa a la Virgen, afrontar cien veces la muerte, con faz serena y corazón impávido, en medio del furor de las tempestades!

¿Ha contado jamás la poesía cosa más grande y más épica que aquellas pequeñeces?

EL ARMADOR DE LA «MONTAÑESA»

—Perfectamente, señor don Pedro; todo lo que usted me cuenta, todas las noticias que me da, junto con los resultados obtenidos, prueba de nuevo que la *Montañesa* es una finquita más que regular, en lo que no tiene poca parte la mano de su administrador, que la trae y la lleva por esos mares de Dios con una suerte rara. Verdaderamente, tiene usted mano de ángel. Hasta los huracanes, una vez empujándole y otras deteniéndole, parece que están a su servicio, a fin de que el buque llegue a puerto en hora de sazón para el negocio de la casa... Que siga unos cuantos años tovía alumbrándole tan buena estrella, y... A propósito de azares de la mar: ¿persiste usted en hacer marino al único hijo que tiene?

Decía así don Venancio Liencres, comerciante rico y armador de la *Montañesa,* hablando con su capitán al día siguiente de lo narrado en el capítulo anterior, en el triste y empolvado departamento señorial del mezquino escritorio que tenía en el entresuelo de una casa del Muelle. Rato hacía que estaban solos allí los dos: el comerciante, mal vestido y peor sentado en el sillón de paja de su pupitre, sobrecargado de fajos de cartas sin contestar y de muestras de azúcar, harinas y cacao, y el capitán, en el sofá roñoso de enfrente, debajo del retrato de la *Montañesa,* igual al que tenía él en su casa, y de un papel con los *Días de correo a la semana,* clavado en la pared con tachuelas amarillas, sobre un ribete de ligueta encarnada.

Mientras el comerciante hablaba así, manoseaba, con notorio cariño, después de haberlo plegado cuidadosamente, el extracto de cuentas del último viaje de la fragata, que apresuradamente, y para gobierno suyo, le habían hecho en el contiguo departamento, cuya puerta de comunicación había cerrado el capitán, por encargo de don Venancio, después de entrar por ella.

Bitadura se quedó un poco suspenso con la pregunta del comerciante, tan inesperada como extraña para él. Inesperada, porque era la primera vez que aquel hombre le hablaba de su hijo; extraña, porque jamás se le había ocurrido que Andrés pudiera seguir otra carrera que la de marino. Por eso, sin salir de su medio asombro, respondióle con esta otra pregunta:

—Y si no le hago marino, ¿qué va a ser?

—Cualquier cosa... Todo es preferible a esa carrera de azares, en que el hombre de mejor corazón y de más suerte no puede conseguir jamás lo que logra sin esfuerzo cualquier perdulario que no sea marino: la vida de familia. Bien lo sabe usted.

—Cierto es eso—respondió el capitán, devorando un suspiro y frunciendo el entrecejo, como si el comerciante le hubiera acertado en el rinconcito en que él guardaba el único secreto de su corazón.

—Además—añadió don Venancio Liencres—, no se halla usted, con respecto al porvenir de su hijo, en el caso de otros compañeros de profesión; usted, por haber obtenido buenos frutos de su carrera y por no tener más que un hijo, puede darle a escoger entre lo que más le guste.

—Nada le gusta tanto como la carrera de marino —se apresuró a replicar el capitán.

—O escoger usted mismo—continuó el comerciante, fingiendo no haber oído la réplica—lo más conveniente para él; porque las inclinaciones de los niños obedecen, por lo común, a caprichos del momento..., a fantasías pasajeras de la imaginación, al contagio de los entusiasmos de otro... Ya usted me entiende.

—Sí que le entiendo, señor don Venancio—dijo Bitadura con una fuerza de atención y una seriedad poco imaginables en el descuidado marino que el día antes bailaba la *sopimpa* en su casa con Madruga—; pero puesto a escoger carrera para Andrés, ¿qué escojo? ¿La de picapleitos?

—¡Bah!

—¿La de matasanos?

—¡Puf!

—¿La de procurador?... ¿La de escribano?... ¿La de catedrático?...

—¡Horror!... Nada de eso, don Pedro amigo; nada de eso; eso es la peste del mundo y, además, una miseria... ¡Abogados, médicos..., curiales, literatos! ¡Puaf!... Bambolla y hambre... A cosa más sólida debe aspirar un padre para su hijo... Y ríase de los que le digan que no sólo de pan viven las gentes; que esto suelen decirlo los que nunca han logrado hartar el estómago. ¡Pan, pan ante todo, mi señor don Pedro!, es decir, pesetas, ¡muchas pesetas!, que lo demás ello solo se viene a la mano. Mire usted, hombre: mi padre guardaba ganado en el monte, y mi madre sallaba maizales a jornal; yo no tuve otros estudios que los que pudo darme el maestro del pueblo: las cuatro reglas, una bastardilla mediana y el Catecismo. Pues con esto sólo y mucha paciencia, y hoy barriendo el almacén y andando a escobazos con los ratones que mordían los sacos de harina, y después haciendo casi lo mismo en el escritorio, y luego corriendo las hojas y copiando algunas cartas, y llevando muchas al correo, y ¡aguantando y aguantando!, y ¡adelante y adelante!, hoy dependiente, mañana un poquito más, al otro día mucho más alto..., aquí me tiene usted. Me dieron la mujer que pedí cuando se me antojó casarme; cónsul del Tribunal de Comercio he sido no sé cuántas veces; alcalde, siempre que me ha dado la gana, y no gasto coche porque no lo necesito, y el único que hay en el pueblo no sale más que los días que repican fuerte. ¿En qué se me conoce que no he resobado de muchacho los bancos de las aulas con el trasero?; o, por lo menos, ¿qué diferencia de cultura halla usted entre las dos docenas de personas que pasan aquí por principales y yo? Quiero decir con esto que el comercio es el alma de los pueblos, la miga de todas las cosas, la mejor y más digna carrera para la juventud, con doble motivo cuando ésta no necesita pasar por las estrecheces por que yo pasé para llegar a donde he llegado. ¿Me entiende el señor don Pedro?

El señor don Pedro entendía perfectamente al señor don Venancio; y, porque le entendía, se permitió apuntar algunas observaciones no desprovistas de fundamento, tales como la del riesgo de pasarse la vida empeñado en las ingratas tareas del escritorio, y llegar a viejo sin haber salido de pobre, ni visto el mundo ni aprendido cosa alguna de lo que hay o de lo que se enseña en él.

—¡Desatinos, desatinos!—decía don Venancio Liencres a cada reparo que, a su manera, le hacía Bitadura, deseoso, evidentemente, de ponerse de acuerdo con el modo de discurrir del comerciante, el cual remachó sus argumentos con la fuerza de este otro—: El comercio en Santander es, hoy por hoy, pan de flor; poco, pero bueno; y oro molido llegará a ser, si la codicia no nos ciega, si no hacemos locuras... como esa que se ha echado a volar estos días, con referencia a no sé quién que hablé del caso no sé dónde: la de que

podrían ser convenientes un camino de hierro entre
Alar y Santander, a imitación del que se está haciendo
entre Aranjuez y Madrid, y una línea de vapores entre
este puerto y la isla de Cuba. ¡Caminos de hierro!
¡Vapores! Aventuras de loco; calaveradas de gente
levantisca que tiene poco que perder y quiere probar fortuna con caudales de los incautos, para venir
a parar a aquello de «Aquí yace un español que, estando bueno, quiso estar mejor». Y vuelvo a mi tema:
si nos arreglamos con lo que tenemos y no nos lanza-
mos en aventuras descabelladas, como esa del ferrocarril y de los vapores..., que, a Dios gracias, no pasa
de una idea de estrafalario, comentada por cuatro
desocupados..., el maravedí que aquí se siembre en el
comercio con un poco de cariño y de inteligencia, da
la peseta bien cumplida en el primer agosto. ¿Se va
usted enterando, señor don Pedro?

Don Pedro se iba enterando, en efecto, y, por lo
mismo, se atrevió a decir al comerciante que, aun
aceptando como el Evangelio todo lo que exponía, quedaba la dificultad material de poner a Andresillo en
ese rumbo. ¿Qué entendía Bitadura de esas cosas, aunque estaba tan arrimado a ellas por razón de su oficio?
¿Quién le daba la mano? ¿Qué valedores tenía? ¿Adónde se arrimaba su hijo? ¿Por qué puerta le metía?

—Vamos a eso—respondió don Venancio, que hablando de aquellas cosas estaba en su púlpito natural,
porque no entendía pizca de otras, amén de que, por
las trazas, había tomado con empeño el asunto de la
carrera de Andrés—. Entrégueme usted su chico. Yo
no tengo más que dos hijos: el varón será de su edad
próximamente; pienso traerlo al escritorio en cuanto
pase el verano. Que trabajen juntos y se hagan buenos amigos: un mismo estímulo puede animar a los
dos, pues si el hijo de don Venancio Liencres trabajaría en la viña de su padre, en esa viña tiene muy bue-

nas cepas en producto el padre de Andrés Colindres. Que pasaban los años, y los niños aplicados llegaban a comerciantes entendidos, y usted y yo a retirarnos a descansar: aquí quedaba su caudal de usted, acrecentado por los intereses o por el beneficio de los negocios, si había preferido usted que ese caudal pasara de la humilde categoría de una cuenta corriente con interés a la más respetable de un socio comanditario... ¿Acaba usted de comprenderme, señor don Pedro?

—Sí, señor—respondió éste, sin disfrazar el vivo interés con que trataba el punto—. Pero y si, después de metido en el comercio, resulta que no le toma ley o no sirve para el paso, ¿qué hago yo de mi hijo?

—Pues, ¡canastos!—replicó el comerciante—, si después de hecho marino resulta que se marea, o se ahoga, o sale un perdido y vende el barco, ¿hará usted de él cosa mejor que un pinche de escritorio, holgazán y torpe, como hay muchos?...

—Tiene usted razón, señor don Venancio—respondió con prontitud Bitadura, que no disimulaba jamás sus impresiones.

—¡Vaya si la tengo!—exclamó el comerciante, repantigándose en el sillón, completamente satisfecho de su triunfo, aunque sin extrañarse de él.

—Creo que hemos de entendernos—añadió Bitadura, levantándose—. Por lo pronto, le agradezco a usted con todo corazón el interés que se toma por la suerte de mi hijo y la oferta que me hace... No tardaré en responderle con mayor claridad... No lo extrañe usted. Las cosas que mejor me suenan son las que más quiero yo ver de lejos; se marca mejor así el rumbo que traen que atracándose a ellas.

En esto, oprimía con su diestra la mano que le había tendido el comerciante; y como estaba algo conmovido, al decir por despedida: «A la orden de usted, señor don Venancio», don Venancio vio las estrellas, por una razón que se le alcanzaría al más torpe al observar cómo, momentos después de salir Bitadura, se soplaba el comerciante los dedos, cárdenos y como pegados unos a otros; detalle que prueba, a lo sumo, que es un poco peligroso dar la mano a hombres como aquél si están algo conmovidos.

Pero ¿por qué mil demonios se interesaba tanto el señor don Venancio Liencres por la suerte de Andresillo? ¿Qué se le daba al rico comerciante, duro de epidermis como las talegas que amontonaba en su caja de hierro, de que al hijo del capitán Bitadura le tocara la lotería o se le comieran los tiburones? ¿De cuándo acá reparaba tanto el hombre del daca y toma en que los marinos gozaban poco las delicias del hogar doméstico? ¿Por qué se mostraba ahora tan sensible a esas pequeñeces, de las cuales jamás le había oído hablar, como las considerara género de mal comercio para su corazón? ¿Por qué en lo referente a ellas discurría lo mismo que Andrea?... ¡Tate!... ¡Andrea!... Este nombre fue un punto luminoso en la oscuridad de los razonamientos del capitán mientras iba camino de su casa... «¿Apostamos dos cuartos—se dijo—a que mi mujer ha andado conspirando por aquí?» ¿Serán de ella también las razones de conveniencia que don Venancio me ha expuesto, combatiendo mi propósito de hacer marino a mi hijo? De cualquier modo, y sean de quienes fueren esas razones, están muy en su lugar y yo no debo desatenderlas porque no se me hayan ocurrido a mí.»

Efectivamente, la capitana había conspirado contra los planes de su marido en el escritorio de don Venancio Liencres. Cada pena negra que pasaba, y pasaba muchas la infeliz durante las larguísimas ausencias de su marido, temiendo por su vida entre las veleidades del mar o los rigores de extraños climas, y, ¿por qué ocultarlo?, por su cariño de esposo amante—que lo

era en verdad, y a toda prueba, el bueno de Bitadura—,
cada pena de éstas, repito, que pasaba Andrea, volvía
los ojos del alma a su hijo, y otra pena mayor resultaba
de ello al considerar que a las ausencias del capitán
habría que añadir pronto las del agregado..., ¡y las
dos ausencias a un tiempo!..., ¡y ella sola, enteramente
sola, en su casa, temiendo por la vida de los dos! Muchas veces había intentado hablar con este tema a su
marido, y hasta conseguido fijar su atención por unos
instantes; pero de allí no pasó nunca, porque Bitadura, que todo lo metía a barato, le salía al encuentro
con una cuchufleta, pegándole una papuchadita y
mordiéndole luego los carrillos, o tapándole la boca
con un beso, después de haberle dado tres vueltas en
el aire, entre sus brazos de hierro, en la misma postura
que coloca un padrino a su ahijado mientras el cura
le pone la sal en los labios. Pero Andrés iba creciendo,
se acercaba la hora de decidirse, y Andrea seguía temiendo lo peor. Se armó de voluntad después de me-
ditarlo mucho, y tres días antes de la llegada de su
marido pidió una audiencia en el escritorio a don Venancio Liencres; y con esta sencilla y poderosa elocuencia del corazón, tan común en todas las madres
cuando abogan por la causa de sus hijos, expuso al
comerciante sus temores, sus deseos y sus fervientes
súplicas para que, guardando, mientras fuera posible,
el secreto de aquellas gestiones, tratara de desarraigar
en su marido la idea que tanto la atormentaba a ella.

Don Venancio Liencres era un hombre completamente insignificante: *intus et foris;* pero en los casos
dudosos tenía el buen instinto de inclinarse a lo mejor,
porque su madera, aunque tosca, era sana; además,
como todas las nulidades de suerte, que son hechas de
esta manera, careciendo de materiales propios para
hacer algo regular siquiera, tomaba los que le ofre-
cían en cualquier parte; y los tomaba con amor, por-

que se pagaba muchísimo de que las gentes le tuvieran en algo, haciendo algo que no hicieran los demás. Estimaba cordialmente al capitán; conocía de vista a su hijo, y hasta le parecía guapo y dispuesto; tuvo en mucho aquel acto de consideración hacia él de una mujer tan guapota y honrada como la capitana; pareciéronle naturalísimos sus temores y muy fundados sus deseos, y aun se conmovió un poquillo con sus sentidas palabras; y no sólo le prometió de todas veras servirla en cuanto deseaba, sino que de cuenta propia llegó con su amparo hasta donde ha visto el curioso lector; y todavía hubiera llegado más allá si mayor esfuerzo se hubiera necesitado para conseguir, con la virtud sola de sus razonamientos—pues cabalmente el razonar bien era la manía del señor don Venancio Liencres—, el triunfo sobre la obstinación del capitán.

Esta vez fue Bitadura quien sacó, tan pronto como llegó a casa, la conversación sobre la carrera de Andrés; y como la capitana no ignoraba de dónde venía su marido, a las primeras palabras de éste se le puso la cara que ardía. Esto la delató, y Bitadura se hizo el enfadado; pero se le veía la mentira por el rabillo del ojo y por los extremos de la boca. Andrea, haciendo como que no veía nada, confesó el hecho con todos sus pormenores y un aire de resignación bastante falsificado también.

—¡Nos veremos sobre ese particular!—exclamó Bitadura, paseándose por la sala, siempre de espaldas a su mujer, braceando mucho y taconeando más—. ¡Ir con los secretos de familia a casa de los vecinos!... ¡Eso no se hace!

Andrea, que le miraba a hurtadillas y le vio tan empeñado en no dar la cara, comenzó a pasear detrás de él, pero muy cerquita, y le dijo, según iban andando con acento de estudiada humildad:

—Pues, hijo, si tan mal he obrado creyendo acertar,

ya lo sabes: el cuchillo eres y la carne soy; conque corta por donde quieras.

—¡Sí, señora!—respondió Bitadura, volviéndose de
pronto—. ¡Sí que cortaré!... ¡Y ahora mismo! ¡Y mucho! ¡Venga usted acá! ¡Siéntese usted aquí!

Y sentándose él en el sofá, la sentó a ella sobre sus
rodillas.

—¡Míreme usted a la cara!... ¡Venga esa pitorruca!

Y le dio un mordisco en la nariz.

—¡Vengan esas orejillas!

Y se las mordió también.

—Y ahora, para acabar primero, vaya todo este bra-
zado de carne por el balcón abajo.

Y tomó a su mujer en brazos, como solía. Púsose
enfrente del balcón, y diciendo: «¡A la una!, ¡a las
dos!, ¡a las tres!», columpiándola al mismo tiempo,
giró de pronto sobre sus talones hacia adentro y le
estampó en la cara media docena de besos.

—Toma..., por habladora..., por cuentera... y porque me da la gana.

Andrea se reía como si le hicieran cosquillas, y tomaba aquellos castigos tan dulces por señales de buen
agüero..., hasta que Bitadura le dijo que todo se haría como ella deseaba; y se trocaron los papeles.

IX

LOS ENTUSIASMOS DE ANDRES

Andresillo, entre tanto, caminaba hacia la calle Alta, deteniéndose con todos los conocidos que hallaba al paso, para hablarles de la llegada de su padre, de lo que había oído contar sobre su viaje, y algo también de la comida del día antes, y muy particularmente de las cosas de Sama, Ligo y demás comensales. ¡Muchísimo se había divertido con ellos! Iba a la calle Alta para ver qué tal se las arreglaba Silda en su nueva casa. Consideraba a la huérfana como protegida suya, y se interesaba por su suerte.

Al llegar enfrente del Paredón, vio a Colo que subía de Bajamar, con dos remos al hombro y en una mano un balde a medio llenar de macizo. Colo era aquel sobrino de don Lorenzo, el cura loco, de quien ya se ha hecho mención. Andrés le preguntó por la casa de tío Mechelín, y notó que Colo estaba de muy mal humor. Antes que él pensara en preguntarle por la causa de ello, le dijo el marinero, echando abajo los remos:

—Hombre..., ¡si esto no es *pa* que uno pierda hasta la *salú*...!

—¿Qué te pasa?—le preguntó Andrés.

—Ese hombre, ¡toña!, mi tío el loco, que no hay perro, ¡toña!, que le saque de la bodega ese hijo, ¡mal rayo!; y esta mañana, malas penas, me voy *pa* la lancha, me coge a la puerta de casa, y, ¡toña!, y que me hace manipular en el *sostituto*..., ¿no es eso, tú?; ¿no

se dice *asina?*... Ello es lo que hay que hacer para atracarse a ese colegio en que enseñan esos latines de...,
¡mal rayo!... ¡*Miá* tú, hombre, qué sé yo de eso ni *pa*
qué me sirve!

—*Pa* maldita la cosa—dijo Andrés.

—Pues dale que ha de ser, y sin más tardanza, en
cuanto se acabe este verano... Conque yo me cerré a la
banda...; y sin más ni más, el burro de él, ¡toña!, me
largo dos estacazos con aquel bastón de nudos que él
gastaba... ¡Mal rayo! Pero ¿*pa* qué, hombre? Vamos a
ver: ¿*pa* qué quiero yo eso?; ¿no *juera* mejor que me
echara el coste del estudio en unos calzones nuevos?...
Pus porque le dije esto *mesmo,* me alumbró otro estacazo. ¿No es animal?... Dicen que hay una..., ¿cómo
dijo?..., ello es cosa de iglesia... ¡Ah!, capellanía... Una
capellanía que es de *nusotros;* y que si yo allego a ser
cura, me embarbaré de betún. Como no me embarbe,
¡toña! De palos me embarbaré yo; porque ahora resulta que el señor que enseña esos latines da más leña
entodía [109] que el animal de mi tío... ¿Cómo dicen que
se llama ese maestro?... Don, don...

—Don Bernabé—apuntó Andresillo, que ya le conocía de oídas.

—Eso, don Bernabé...

—¡Mucho palo te espera allí!—dijo Andrés con candorosa ingenuidad—. ¡Mucho palo!

Con esto y poco más, siguieron los dos chicos hacia
arriba; y al pasar por delante del portal de tío Mechelín, dijo Colo a Andrés:

—Esta es la casa.

Y como la suya estaba en la otra acera y al extremo
de la calle, despidióse y apretó el paso.

En esto salió de hacia la bodega Silda, acompañando
a Muergo. Muergo llevaba ya puestos los calzones del
padre Apolinar, pero sin otro arreglo que haberles re-

---

109 *entodía:* vulgarismo por *todavía.*

cogido él las perneras a fuerza de arremangarlas; y
así y todo, le bajaba la culera hasta los tobillos. Con
eso, el chaquetón de marras por encima y las greñas
revueltas coronando el conjunto, el hijo de la Chumacera parecía un fardo de basura que andaba solo.

—Aquí llevo una camisa..., ¡ju, ju!—dijo a Andrés
el monstruoso muchacho, golpeándose con la mano
derecha una especie de tumor que se le notaba en el
costado izquierdo.

Andrés le miró asombrado, y Muergo apretó a correr
calle abajo. Silda dijo a Andrés en seguida, aludiendo
a Muergo:

—Quería yo que le dieran una camisa, y ellos no
querían, porque Muergo no la merece y su madre no
tiene vergüenza; pero le encontré esta mañana cerca
del Paredón, y le traje a casa para que le viera su tía
sin camisa y le diera una vieja de su tío. El no quería
venir; pero luego vino, y entonces no le querían dar la
camisa; pero yo me empeñé, y se la dieron; pero si la
echa en aguardiente y le ven sin ella, no le darán más
ni le dejarán volver aquí... Su madre es una borrachona y él también sorbe mucho aguardiente. ¡Qué
feo es y qué puerco!, ¿verdad, tú?... Entra un poco,
verás qué bien se está aquí... Ya no pienso volver a la
Maruca tan pronto, ni al Muelle-Anaos... Se hace una
allí muy pingona... Pasa luego este portal, para que no
te encuentren las del quinto piso si bajan; y no te pares nunca mucho a esa puerta de la calle, porque te
tirarán inmundicias desde el balcón. Son muy malas,
¡pero muy malas!... Ayer armaron bureo [110] porque
a tío Mocejón le dijeron en el Cabildo que me habían
castigado mucho, y que si no me dejaban en paz los
de su casa, se verían con la Justicia... Son muy malas,
¡pero muy malas!

Tía Sidora, que andaba trajinando por adentro, sa-

---

[110] *bureo:* entretenimiento, diversión, y también bronca.

lió, al rumor de la conversación, hasta la mitad del
carrejo, y Silda le dijo, señalando a Andrés:

—Este es el c...tintas bueno que me llevó a casa de
pae Polinar.

Se alegró mucho la marinera de conocerle. y le pon-
deró la acción; y como el muchacho le pareció muy
guapo, le dijo lo que sentía, con lo que Andrés formó un
gran concepto de tía Sidora, aunque se puso muy colorado con los piropos. Ella no conocía personalmente
al capitán de la *Montañesa;* pero su marido sí, y muchas veces le había hablado de él, ponderando sus
prendas de marinero y su *parcialidá* de genio; era gran
persona el señor don Pedro y, además, callealtero de
origen, otra condición muy digna de tenerse en cuenta
por la tía Sidora para estimar al capitán y alegrarse
de que hubiera sido su hijo quien se apiadó de la niña
desamparada en el Muelle-Anaos y la llevó a casa
de persona capaz de hacer por ella lo que hizo el *pae*
Polinar. Le trataron mal, muy mal, las desvergonzadas de arriba cuando fue a hablarles sobre la niña que
ella y su marido recogieron después, como la hubieran
recogido antes, si no hubieran mirado más que al
buen deseo; pero había otras cosas que considerar, y
se aguantaron. Ahora, gracias a Dios, estaba Silda en
puerto seguro, y el Cabildo había puesto en los casos
a las deslenguadas sin vergüenza para que no inten-
taran impedir con sus malas artes que hicieran otros
por la desdichada lo que ellos no quisieron hacer...

—Mira *la* mi alcoba—dijo Silda a Andrés, interrum-
piendo la retahila de tía Sidora.

La alcoba, libre de estorbos y muy barrida, contenía
una cama muy curiosa y una percha vieja con algunas
prendas de vestir de tía Sidora.

—Aquí se colgarán también *los* sus vestiducos—dijo
ésta—en cuanto los tenga listos. Ahora le estoy arre-
glando uno de una saya mía de percal, casi nueva; y,

si Dios quiere, hemos de mercar algo de tienda cuando se pueda, porque no se puede todo lo que se quiere. En remojo tengo lienzo para dos camisucas, que es lo que más falta le hace, porque vino la infeliz, *pa* el *cuasi*, en cuerucos vivos.

Desde allí pasaron a la salita, donde estaba la saya de tía Sidora hecha pedazos sobre una silla, cerca de un montón de filástica deshilada. Aquellos retazos eran las piezas del vestido de Silda, que había cortado y se disponía a coser tía Sidora. Silda había asistido con mucha atención a aquellas operaciones, y tía Sidora esperaba hacerle tomar apego a la casa; enseñarla, poco a poco, a coser y el Catecismo, hacer lumbre arrimar siquiera la olla, barrer los suelos; en fin, lo que debía aprender una hija de buenos padres, que había de ser mañana una mujer de gobierno. En opinión de tía Sidora, Silda se había dado a la bribia desde la muerte de su padre, porque malas mujeres le habían hecho la casa aborrecible. No sucedería eso en adelante; la niña saldría cuando y como debiera salir, y pasaría en casa el tiempo que debiera pasar; pero ni en casa ni en la calle tendría otras ocupaciones que las propias de sus años y de su sexo.

Mientras decía todas estas cosas, a su manera, la tía Sidora encarada con Andrés, Silda, con su faz impasible, miraba tan pronto a éste como a la marinera, y Andrés, atentísimo y hasta impresionado con la locuacidad expansiva y noblota de la pescadera, no apartaba los ojos de ella sino para fijarlos un momento en los serenos de Silda, como diciendo: «¿Lo oyes bien?» Al fin no se contentó con la elocuencia de su mirar, y acudió a la de las palabras, enderezando a la niña, muy serio y con gran energía, las siguientes:

—Te digo que no tendrás vergüenza si vuelves al Muelle-Anaos y a arrimarte a ese indecente de Muergo.

—Al Muelle-Anaos—le interrumpió tía Sidora—ya

está ella en no volver..., ¿verdá, hijuca?... Y por lo
tocante a Muergo, según él se porte, así nos porta-
remos con él... ¿No es eso, venturaúca de Dios?...
Pero ¿qué mil demontres habrá visto esta inocente en
ese espantajo de Barrabás, pa tomarse tantos cuidaos
por él?... Pa mi cuenta, es de puro móstrico [111] que le
ve... ¿Verdá, hijuca?

Silda se encogió de hombros y preguntó a Andrés si
iría a la calle Alta cuando las fiestas de San Pedro.
Andrés respondió que puede que sí, y tía Sidora le pon-
deró mucho lo que había que ver entonces y lo bien
que se veía desde la puerta de su casa. Habría hogueras
y peleles y mucho baíloteo; tres días seguidos, con
sus noches, así; y en el del Santo, novillo de cuerda.
Sartas de banderas y gallardetes de balcón a balcón.
Las gentes del barrio, sin acostarse en sus casas, comiendo en la taberna a la intemperie y triscando al
son del tamboril. La calle, atestada de mesas con li-
cores y buñuelos. La iglesia de Consolación, abierta
de día y de noche; el altar de San Pedro, iluminado, y
la gente, entrando y saliendo a todas horas. Pero tan
bien enterado estaba Andrés de lo que eran aquellas
fiestas como la misma tía Sidora, porque no había
perdido una desde que andaba solo por la calle.

Después examinó con muchas ponderaciones una
sedeña de bahía que estaba colgada de un clavo.
¡Aquello se llamaba un aparejo de veras y no el cordelillo que él tenía, con unas tanzas de poco más o
menos y unos anzuelos de chicha y nabo! Tía Sidora,
que le vio tan admirado de aquello poco, fue por el
cesto de las artes, que su marido no había llevado a
la mar porque estaba a sardinas, que se pescan con
red. Andrés había visto muchas veces aquellos aparejos secando al balcón o amontonados en el cesto, pero
devanados. Tía Sidora le explicó el destino y el ma-

111 móstrico: vulgarismo por mostrenco.

nejo de cada uno. Los cordeles de merluza, del grueso
de la cabeza de un alfilerón gordo, con su remate fino
y un anzuelo grande a la punta. El palangre para el
besugo: más de ochenta varas de cordel lleno de anzuelos colgando de sus reñales cortos; de palmo en
palmo, un reñal. Las cuerdas de bonito, compuestas
de tres partes: la primera y la más larga, un cordel
que se llamaba *aún,* doble de gordo que el de la merluza; después, una cuerda más fina, y después, la sotileza de alambre, con un gran anzuelo. Se encarnaban
los anzuelos del besugo y el de la merluza con carnada de sardina, generalmente, y en el del bonito se
ponía un engaño cualquiera: por lo común, una hoja
de maíz, que no se deshacía en el agua, como el papel.
Para llevar a la pesca las cuerdas del besugo había
una copa, especie de la maserita, aproximadamente
de un pie en cuadro, con las paredes en talud muy
abierto, como la que tía Sidora enseñó a Andrés, porque
la tenía a mano. A medida que se encarnaban en los
anzuelos se iban colocando en el fondo de la copa con
los *reñales* [112] tendidos sobre las paredillas y el cordel
cogido sobre los bordes. Así se llevaba a la mar este
aparejo, cuya preparación exigía bastante tiempo, porque los anzuelos no bajaban de doscientos. A veces se
trababan cien besugos de un golpe. La merluza se pescaba al garete [113], casi a lancha parada, y a una profundidad de cien brazas poco más o menos; el besugo,
pez bobo, se trababa él por sí mismo, dejando tendida
la cuerda con los anzuelos colgando; el bonito, a la

[112]   *reñal:* reinal, cuerdecita muy fuerte de cáñamo, compuesta de dos ramales retorcidos. *(N. del A.)*
[113]   *garete: Ir* o *irse al garete*: estar un buque a merced del
viento o de las corrientes. || *Pescar al garete:* mantener la lan-
cha en el sitio que se desea con la ayuda de algunos remos mo-
vidos oportunamente. *(N. del A.)*

cacea [114], a todo andar de la lancha a la vela. Era un
animal voraz, y se tragaba el engaño con tal ansia, que
a veces salía trabado por el estómago. Para todo
esto había que salir muy afuera, ¡muy afuera!, y se
daban casos de no volver los pescadores al puerto en
dos o tres días, bien por tener otros más próximos
para pasar la noche o por obligarlos a ello algún repentino temporal. La sardina, que venía en *manjúas* [115]
enormes, se ahorcaba por las agallas en la red atravesada por delante. Esto bien lo sabía Andrés, igual
que el manejo de la guadañeta para *maganos* [116] en
bahía, por lo que la afable marinera no se lo explicó.

Andrés no pestañeaba oyendo a tía Sidora, que, por
su parte, se gozaba en el efecto que sus relatos causaban en él.

—¡Dará gusto eso!—exclamó, relamiéndose, el muchacho.

Y confesó a tía Sidora que siempre le había encan-
tado el pescar, pero que nunca había pescado mar
afuera, ni siquiera entre San Martín y la Horadada.
Las más de las veces, en el paredón del Muelle-Anaos;
pero, que fuera en el Paredón, que fuera en bahía
con el bote de Cuco, siempre panchos, ¡en todas partes, panchos!... ¡Nunca una lubina, ni siquiera una
porredana que pesara un cuarterón! Así es que tenía
muchas ganas de ser mayor para poder alquilar, a cara
descubierta, con otros amigos, una *barquía* y hartarse
de pescar de todo. Esto, mientras no empezara a navegar, porque, en navegando, tendría bote y marineros
de sobra con los de su barco, cuando estuviera en el
puerto. Porque él iba a matricularse en Náutica muy
pronto, como había vuelto a decírselo su padre el día

114 *cacea: a la cacea*, pescar mientras va bogando la lancha.
(N. del A.)
115 *manjúa:* majal, cardume: la multitud de peces que cami-
nan juntos como en tropel. *(N. del A.)*
116 *magano:* calamar. *(N. del A.)*

antes, mientras comían. En fin, todo lo que sabía y pensaba lo dijo allí, correspondiendo a las bondades que tía Sidora había tenido con él, y persuadido de que, tanto la marinera como Silda, le escuchaban con sumo interés, y era la verdad... Como que tía Sidora le ofreció de corazón, un poco después, pan del día y una sardina asada, lo cual rehusó Andrés muy cortésmente. Pero, al despedirse, ofreció volver a menudo por allí.

Cuando llegó a su casa, le dijo su madre, comiéndole a besos, que ya no sería marino. La noticia, por de pronto, le dejó estupefacto; pero antes de averiguar si le alegraba o le entristecía y de preguntar a qué pensaba dedicarle su padre, pensó si debería volver inmediatamente a casa de tía Sidora para contar el suceso o dejarlo para otro día.

Porque ¡como él había dicho allí que iba a ser marino...!

X

DEL PATACHE Y OTROS PARTICULARES

El negocio de Andrés caminaba en posta por la nueva senda en que le había encarrilado la conspiración de la capitana y la elocuencia del señor Venancio Liencres. Bitadura emprendería otro viaje a la isla de Cuba en todo el mes de julio, y Andrea había propuesto que, para cuando se ausentara su marido, estuviera preso Andrés con algún compromiso, por pequeño que fuera, a los planes del comerciante, aceptados al fin terminantemente por el capitán. Con los aires de la ausencia cambian mucho los pensamientos de los hombres, que son mudables de suyo, y, por si acaso, desde el mismo día en que se quedó acordado entre Bitadura y su mujer que Andresillo sería puesto a las órdenes de don Venancio Liencres, para que fuera haciendo de él un comerciante, se le dio un maestro que en lección particular le repasara las cuentas y le enseñara a escribir con soltura la letra inglesa, lo cual sería obra de dos o tres meses y de un par de horas de trabajo cada día. Lo demás lo iría aprendiendo en el escritorio, pues en opinión del comerciante del muelle, medio día de práctica sobre el atril enseñaba más que un curso de partida doble en la cátedra de un maestro.

Entre los muchos consejos buenos que al neófito dio su madre, le encareció particularmente el de procurarse la compañía y el trato íntimo del hijo del comerciante, con quien, según éste había dicho y repetido el capitán, trabajaría en el escritorio y caminaría hasta el pináculo de su infalible prosperidad. Este preliminar lo consideraba ella de mucha importancia, pues una amistad íntima, a la edad de los dos muchachos, se convierte después en vínculo inquebrantable.

Bien conocía Andrés al hijo del comerciante. Se llamaba Tolín—Antolín—, y era éste, en lo físico, poca cosa: delgaducho y pálido, aunque animoso. No le convenían, al paso, más de tres pies y medio desde la raya y hacía muy mala jaliba cuando le tocaba ponerse; jugando al marro le atrapaba cualquiera, sin más trabajo que cortarle el atocadero, porque se cansaba pronto de correr. A las canicas era algo más diestro, pero poco lucido; sacaba mucha cuarta y, además, la lengua. Dos veces había ido a la Maruca; pero no volvió allá, porque cada vez le había costado dos días de cama el descalzarse, e ir a la Maruca para no descalzarse era como no ir. Por lo demás, torcía bastante bien los tacones de los borceguíes; tenía el charol de la visera tan roído y agrietado como el de la del mayor adán, y el pañuelo del bolsillo bien empapado en barro de todos los colores, la mejor señal de que Tolín, aunque por la categoría de su padre pudiera, y aun debiera serlo, no era de los pinturines ya mencionados, que jugaban a compás, con canicas de vidrio, en los Arcos de Dóriga o en los de Bolado, después de barrerles el suelo un almacenero.

Todo esto sabía Andrés, porque Andrés conocía a todos sus coetáneos de Santander, altos o bajos, y, por saberlo muy bien, no le era simpático Tolín, aunque jamás se le hubiera ocurrido echársele por camarada de su preferencia; mas ya que se le encargaba tanto asociarse a él, trató de hacerlo sin la menor repugnancia, y lo consiguió bien pronto, porque la intimidad

de Andrés era de las más codiciadas entre los chicos
de su tiempo, prestigio que se explica sabiendo, como
sabemos, que el hijo de Bitadura era tan apto para
un fregado como para un barrido, y unía a la estampa distinguida y hasta gallarda de un señorito la fortaleza y la soltura de un pillete de la calle.

¡Y vea usted lo que es juzgar por las apariencias!
La amistad de Tolín le procuró uno de los placeres que
jamás había gustado. Tolín tenía grandísima privanza en el *Joven Antoñito de Ribadeo,* patache que se
atracaba junto a la escalerilla de la Pescadería, porque
casi siempre llegaba cargado de carbón. Esta privanza
de Tolín tenía por motivo los muchos favores que debía el patrón del patache al señor don Venancio Liencres, cuyas relaciones mercantiles en los puertos de
Asturias eran muchas y buenas, y no solamente pro-
porcionaba con ellas buenos fletes al *Joven Antoñito,*
sino que le distinguía con señaladísimas preferencias,
y jamás negaba a su honrado patrón un anticipo de
dos o tres mil reales en días de apuro; es decir, un viaje sí y otro no, cuando mejor andaban las cosas ..

Y aquí se hacen de necesidad unos cuantos párrafos
consagrados a la especie patache para que se tenga
una idea bastante exacta de esos apuros del *Joven Antoñito de Ribadeo,* de la importancia de los favores de
don Venancio Liencres al patrón y, por consiguiente,
de lo arraigada que estaría la privanza de Tolín a
bordo de aquel patache.

Se ha porfiado mucho, entre ociosos y entremetidos,
sobre si fueron o no más valientes y arriesgados que
Colón y que Blondin los hombres que se embarcaron
con el primero para ir en busca de un nuevo mundo y
el que montó en las espaldas del segundo para pasar
por una cuerda tendida sobre los abismos del Niágara.
Que si a Colón le alentaba la fe científica y la pasión
de la gloria, y que si a Blondin le sostenía la confianza

de su serenidad y de su experiencia bien probada; que
si los otros, tras del temor que podía caberles, sin ser
muy aprensivos, de que entregaban sus vidas al capricho de dos locos, solamente iban impulsados por la
esperanza de una buena recompensa... Cabe, en efecto, la disputa acerca de estos graves particulares, y
me guardaré yo muy bien de terciar en ella con la
pretensión de ponerme en lo cierto. Lo que hago es
sacar a colación el caso para afirmar, como afirmo,
teniéndolo presente los lectores, que se necesita mucho
más valor que para todo eso, y aun estar mucho más
dejado de la mano de Dios, para entrar, con deliberado
propósito, a navegar en un patache, lo mismo de patrón que de marinero, que de motil, porque allí todo es
peor en lo sustancial, con ligeras diferencias de detalle.
Allí no caben la fe científica ni la pasión de la gloria,
ni la confianza en la serenidad, ni la esperanza de lu-
cro; allí no hay nada de lo bueno, pero sí todo lo malo
de las carabelas de Colón y de la cuerda de Blondin.
Entrar allí para buscarse la vida es tirar a matarse
poco a poco y con mala herramienta.

El patache es un barquito de treinta toneladas escasas, con aparejo de bergantín-goleta. Supónese que
estos barcos han sido nuevos alguna vez; yo nunca los
he conocido en tal estado, y eso que no los pierdo de
vista, como lo pueda remediar. Por tanto, puede afir-
marse que el patache es un compuesto de tablucas y
jarcia vieja. Lo tripulan cinco hombres; a lo más, seis
o cinco y medio: el patrón, cuatro marineros y un
motil o muchacho cocinero. El patrón tiene a popa su
departamento especial, con el nombre aparatoso de
cámara; la demás gente se amontona en el rancho
de proa, espacio de forma triangular, pequeñísimo a
lo ancho, a lo largo y a lo profundo, con dos a modo
de pesebres en los costados. En estos pesebres se aco-
modan los marinos para dormir, sobre la ropa que

tengan de sobra y debajo de la que vistan, pues son
allí tan raras como las onzas de oro las mantas y las
colchonetas. Para entrar en el rancho hay, entre el
molinete y el castillo de proa, un agujero poco mayor
que el de una topera, el cual se cubre con una tabla
revestida de lona encerada, tapa unas veces de co-
rredera y otras de bisagras. De cualquier modo, si el
agujero se cubre con la tapa, no hay luz adentro ni
aire; si la tapa se deja a medio correr o levantada,
entran la lluvia, y el frío, y el sol, y las miradas de
los transeúntes; porque el patache, en los puertos,
siempre está atracado al muelle. Cada tripulante, incluso el patrón, compra y guarda su pan—tortas de
mucho diámetro, que duran cerca de seis días cada
una—. Con este pan, unas patatas, o unas alubias, o
unas berzas, con un escrúpulo [117] de tocino o de man-
teca o de aceite para ablandarlo, todo ello a escote, y
condimentado por el motil, cuyas manos no tocan el
agua dulce como no sea para revolver, dentro de la
que echa en un balde, las patatas recién partidas o
la berza después de haberla picado sobre el tejadillo
de la cámara, a veces con el hacha; con este potaje,
repito, y aquel pan come la tripulación, en el santo
suelo, alrededor de la cacerola, en la cual va cada uno,
incluso el patrón, metiendo su cuchara cuando le toca.
Así cena también las mismas patatas, las mismas alubias y las propias berzas. En ocasiones, en lugar de
las patatas o de las berzas o de las alubias, hay bacalao, que el motil guisa en salsa roja, después de haberlo desalado dándole dos zambullidas en el agua
de la dársena, desde la borda, atado con un cordel.
Para almorzar, un poco de cascarilla en un tanque...
Y siempre lo mismo, cuando los tiempos marchan
bien.

[117] *escrúpulo:* medida antigua de peso, usada principalmente
en farmacia, que equivalía a 28 granos, o sea 1,198 miligramos.

Ningún tripulante de patache gana sueldo fijo; todos van a la parte. Pero ¡qué parte! Por de pronto, el flete en viaje redondo, aunque se abarrote la bodega y se encogolle el puente con barricas y tablones, no pasa mucho más de los dos mil reales. De este flete gana el cuarenta por ciento el barco; el patrón, soldada y media y, además, el cinco por ciento de capa o soborno o, lo que es lo mismo, sobre flete cobrado. El resto se reparte entre los cinco tripulantes: seis, ocho, doce duros o quince lo más a cada uno, cantidad que significaría algo, a pesar de su pequeñez, si el y ir y venir y el fletarse de un patache fuera coser y cantar; pero ya se verá lo que hay sobre estos particulares.

Con alguna que otra excepción vascongada, el patache es siempre gallego o asturiano, y si no hay carbón, o manzanas, o *tabales* [118] de arenques que traer, llega a Santander en lastre; esto es lo más corriente. Ya está en la dársena, atracado al muelle. Allá va el patrón, hombre ya picado en viejo, calmoso y de triste mirar, de escritorio en escritorio, de almacén en almacén, llamando a cada dueño por su nombre, saludándolos a todos finísimo y cortés, y acabando en todas partes con la misma pregunta:

—¿Hay algo para Ribadesella?

Una mañana, un día entero de gestiones así, le dan por resultado veinte sacos de harina, dos cajas de azúcar, ocho *coloños* [119] de escobas, un catre viejo y dos fardos de papel de estraza. Y no hay más carga en todo Santander para Ribadesella. Los sucesivos correos van trayendo algunos pedidos nuevos, pero tan pocos y tan lentamente, que con una suerte loca llega a abarrotarse la bodega en poco más de mes y medio. Lo común es que el patache no complete su carga en menos de

[118] *tabal:* atabal, envase en que vienen de Galicia los arenques. *(N. del A.)*

[119] *coloños:* se aplica también este nombre a los haces de leña, de tallos secos, etc.

dos meses o que cierre el registro a media carga. Pero,
en fin, ya está despachado y se pone en franquía, es
decir, se desatraca del muelle y se fondea en medio
de la dársena para salir a la marea de la tarde o al
nordeste de la mañana. Pues entonces, precisamente
entonces, se le antoja al tiempo dar un cambio al noroeste y armar una marimorena que no se acaba, en
invierno sobre todo, en menos de tres semanas, cuando
no dura dos meses cumplidos; dos meses que, con los
otros dos, suman cuatro... Pongamos tres por término
medio... ¡Tres meses de patatas, de pan y de tocino
para seis hombres de buen diente y con un puñado
de pesetas entre todos para comer y vestir ellos y las
familias de los más de ellos!

Y amainó el temporal y apuntó el nordeste y el ba-
rómetro sube. Leva el patache, y la propia lancha,
con el esfuerzo de los propios marineros, lo remolca
hasta la canal. Iza allí toda su trapajería, comienza a
desentumecerse y a inflamarse y luego a virar por
avante, y bordada va, bordada viene, en cosa de medio
día está fuera del puerto. Si es muy afortunado, en
treinta horas llega al punto de su destino; si es de mediana suerte, le coge una calma enfrente de Cabo
Mayor, y allí se pasa las horas muertas hecho una bo-
ya; o una serie de vientos redondos que le tienen seis
u ocho días atolondrado en el mar, sin saber adónde
tirar ni por dónde meterse, y, entre tanto, la gente
de a bordo, que no contaba con aquello, mano a la harina, o a las conservas, o a los fideos del flete, porque
no es cosa de morirse de hambre llevando la casa llena
de provisiones. Si es algo desgraciado, arriba dos o
tres veces durante el viaje, lo cual supone otro mes de
retraso; si es desgraciado más que algo, cada una de
estas arribadas le cuesta un quebranto serio en el
casco o en el aparejo, y pone a los tripulantes en gravísimo riesgo de perder la vida. Pero, de todos modos,

venturoso o infeliz, más tarde o más temprano lo coge un vendaval entre Tinamayor y Suances, que lo trae en vilo hasta el Sardinero, si no le da la gana de estrellarse antes contra una peña. Desde allí me lo planta de otro voleo en la boca del puerto, con rumbo a las Quebrantas. Unas veces lo arroja en ellas de un tirón; otras le permite detenerse un poco, echando el ancla a medio camino de las fieras rompientes. En esta situación horrible, raro es el ejemplar que se aguanta hasta que cesa el temporal... Y, entre tanto, es la única ocasión que tienen los infelices tripulantes para abandonar el barco, que cabecea y tumba y danza, con las velas desgarradas y tremolando en su arboladura la jarcia hecha pedazos, juguetes de las olas. que lo envuelven y meten el gigantesco lomo por debajo de su quilla.

Lo ordinario es que el ancla roñosa garree [120], o se rompa la cadena, y que el mísero barco vaya a las rompientes, donde en breves instantes lo convierte en astillas la fuerza incalculable de aquellos embravecidos mares.

Todos los inviernos devora este monstruo su ración de pataches. En una sola tarde, no hace muchos años, he visto yo perecer cinco. Los cinco, después de entrar acosados por el temporal y faltarles la vida suprema, la de la salvación, la que los aleja del abismo, habían tenido que fondear delante de las rugientes fauces del monstruo. Cuatro tripulaciones se habían salvado ya a duras penas, y la lancha de un práctico recogía la quinta, con heroicos esfuerzos, cuando yo llegué al castillo de la Cerda. Momentos después, rotas las débiles amarras, desfilaban uno a uno hacia las Quebrantas, y, para llegar más pronto, a brincos, como

---

[120] *garrear:* arrastrar una embarcación las anclas después de fondeada con ellas. *(N. del A.)*

cabra entre malezas, desaparecían todos ellos en aquel infierno de espuma, de golpes y de bramidos.

También ha probado barcos grandes el paladar del monstruo aquel; pero muy de tarde en tarde, porque el barco grande huye de la costa cuando cerca de ella lo coge el temporal; y si la necesidad le obliga a tomar el puerto y fondear en sitio peligroso, tiene buenas cadenas y mejores cables; y, por último, desde que los hay disponibles, pide un remolcador que lo saque del apuro. El pobre patache navega a la costa, en la costa lo cogen los malos tiempos, y en la costa los aguanta, porque no sabe ni puede andar por otra parte; sus cables y sus cadenas son relativamente débiles; y un remolque de vapor le cuesta lo que él no puede pagar.

Tal es su triste condición; la cual no ahorra, sino más bien duplica, con relación a otro barco más grande, las faenas de los tripulantes a bordo, donde todo es escaso y flaqueza, y exige, por ende, mayores desvelos y más grandes sacrificios a cada uno.

En suma: trabajo incesante, comida misérrima, un pesebre por lecho, un mechinal [121] por dormitorio, todos los riesgos de la mar, todas las desventajas para correrlos, y la conciencia de no mejorar nunca de fortuna por aquel camino. Todo esto acepta, a sabiendas y de buena gana, un hombre que se decide a formar parte de esa legión de héroes de la miseria, de las angosturas y de las fatigas, que ni siquiera tienen por estímulo la triste esperanza de que al acabar su carrera estrellados contra un peñasco, o arrastrados por torbellinos de arena y ondas amargas, se grabe su martirio en la memoria de las gentes, o merezca siquiera su conmiseración, pues hasta la que se siente por los náufragos de alto bordo se regatea a los de un mísero patache. ¡Tan necesario e inevitable se conceptúa su desastroso fin!

___

[121] *mechinal:* habitación muy reducida.

Y ahora pregunto: ¿Es comparable este valor pasivo y desinteresado con la fiebre ambiciosa de los hombres que acompañaron a Colón en su primer viaje, y del que pasó el Niágara sobre una cuerda, encaramado en las espaldas de Blondin?

Y también caigo en la cuenta de que ni esta pregunta, ni mucho de lo que la precede, eran de necesidad para el fin que me propuse sacando a relucir el patache en este cuento; pero no siempre se corta por donde se señala, ni es fácil hablar con interés de un desdichado sin hacer una excursión por todo el campo de sus desdichas; achaque es éste del corazón humano, y ¡ojalá no adoleciera de otros más graves!

Perdone, pues, el lector las sobras, si le molestan, y aténgase a lo pertinente al caso, para comprender la importancia de los favores que hacía el señor don Venancio Liencres al patrón del *Joven Antoñito de Ribadeo* sacándole del apuro de sus largas estancias junto al muelle, una vez con fletes de preferencia y otras con generosos anticipos de dinero.

Tolín sabía algo de esto porque estaba cansado de hallarse con el patrón en la escalera, y como no hay patache que, por malo que sea, no tenga una lancha bastante buena, la del *Joven Antoñito de Ribadeo* era, casualmente, de las mejores en su clase: ligerita y esbelta, no mal pintada ni muy sucia. Tolín vio esto, y, por verlo, se acordó de los vínculos que unían con su padre al patrón del patache; y, acordándose de ello, un día se coló en el *Joven Antoñito de Ribadeo*, en el cual no le recibieron con palio porque no lo había; pero, en su defecto, el patrón le presentó a sus marineros para que se le tratara allí como quien era, concluyendo por advertirles, pues barruntaba lo que iba buscando el chicuelo, que siempre que pidiera la lancha se la dieran, y hasta la ayuda del motil cuando tratara de salir de la dársena.

Desde aquel día mandaba Tolín a bordo del patache más que el mismo patrón. Pero no abusaba. Su único entretenimiento era bajarse a la lancha, siempre ociosa, puesto que el barco estaba atracado al muelle, y, desde que el motil le había enseñado a cinglar [122], andar voltejeando por la dársena, o corretear de aquí para allá, agarrado a las estachas de los quechemarines y lanchones. Tolín habló de estas cosas con Andrés en cuanto fue su amigo; y Andrés, asombrado de la fortuna de Tolín, quiso que le presentara en el patache aquel mismo día; y Tolín le presentó no solamente como un amigo, sino como un futuro consocio en la casa de comercio y, además, como hijo del capitán de la *Montañesa*. Un solo título de éstos hubiera bastado para merecer toda la consideración de los tripulantes del *Joven Antoñito de Ribadeo;* con los tres juntos, casi le admiraron. Después trepó por la jarcia hasta los tamboretes y bajó hasta el fondo de la bodega con la agilidad y firmeza de un grumete; y, por último, saltó a la lancha, armó uno de sus remos a popa, y cinglando con una mano sola y con la otra en la cadera, llegó, sorteando lanchas y cabos tendidos, hasta la Rampa Larga en un periquete, y en otro volvió. Aquello acabó de ganarle las simpatías de la tripulación del patache, y desde entonces ya tuvo barco donde holgar a su antojo, y hasta lancha buena y de balde con que salir a la bahía, solo o acompañado, a correr las aventuras de remero y de pescador. ¡Nunca pudo imaginarse Tolín, poco dado a las emociones marítimas, el valor de la ganga que proporcionó a su amigo al partir con él su privanza a bordo del *Joven Antoñito de Ribadeo!*

Andrés, en cambio de este favor, quiso hacer partí-

---

[122] *cinglar:* hacer andar un bote con un solo remo colocado a popa y moviéndolo alternativamente a un lado y a otro. *(Nota del autor.)*

cipe a Tolín de todas sus amistades y entretenimientos que pudieran llamarse de contrabando. Pero las diversiones del Muelle-Anaos no eran para el hijo de don Venancio Liencres. Las bromas de Cuco le asustaban; los Cafeteras, Pipas y Mecheros, grandullones ya, le inspiraban poca confianza, y los Surbias, Coles, Muergos y Guarines, tropa menuda, con sus hembras y todo, le olían muy mal y le daban asco. De la Maruca ya había probado bastante para convencerse de que no debía volver allá. En la calle Alta, donde también le llevó su amigo, le pareció bien la gente de la bodega; pero la bodega y el resto de la casa, no tanto; el resto de la casa, sobre todo. La curiosidad le arrastró a explorarla un poco por la escalera. No pasó del tercer piso. Tramos inseguros, escalones desclavados o carcomidos, ramales inesperados a derecha e izquierda, y dondequiera que fijaba la vista, una puerta negra, mal cerrada y llena de rendijas... ¡Muchas puertas!... ¡Y unas caras asomando a veces!... ¡Y unas greñas!... ¡Y unos rumores adentro y unos gritos!... Luego, mugre en las paredes, mugre en la barandilla, mugre en los peldaños... ¡Y una peste a *parrocha* y como a espinas de bonito chamuscadas...! Llegó a creerse perdido y enfermo en un laberinto de horrores inmundos; dudó un instante si aquello era realidad o pesadilla, y retrocedió espantado, llamando a Andrés, que ya subía en busca suya.

—Pues todas las cosas de la calle son por el estilo... o peores—le dijo, para tranquilizarle.

Y Tolín, al saberlo, cogió miedo a toda la calle, por la cual no había pasado dos veces en su vida.

No le faltaban agallas, ni era dengoso; pero su parte física era débil, y el espíritu mejor templado flaquea dentro de un cuerpo enfermizo. Además, su educación había sido exclusivamente terrestre, y la tierra era su elemento para las pocas valentías que podía permitirle su naturaleza. Jamás se le hubiera ocurrido andar en bote por la dársena, sin ser el bote de un amigo de su padre y capitán de un barco atracado al muelle, conjunto de circunstancias que, cuando voltejeaba cerca del patache, le permitían considerarse en el portal de su casa, entre amigos de la familia. Lo menos marítimo de lo marítimo, en punto de recreaciones, era la Maruca, por abundar en ella la pillería terrestre, y por eso, y por estar cerca de su casa y conocerlo mucho de vista, intentó, con más éxito, acercarse allá.

De modo que le dijo a Andrés, después de la prueba de la calle Alta, que contara con él para todo, menos para esas cosas; y como habiéndole acompañado un día a pasear en el bote del patache, y yendo los dos solos remando los arrastra la marea y los aconchara contra la cadera de una fragata, poniéndoles el bote casi quilla arriba, trance en el cual hubieran perecido sin el socorro de una *barquía* que pasaba, también le advirtió que no volvería a remar con él otra vez si salían fuera de la dársena.

Andrés se admiró de que hubiera un muchacho a quien no le gustaran esas cosas, y procuró complacer a su amigo, acomodándose a sus gustos siempre que podía; apartóse algo de la Maruca y del Muelle-Anaos, pero no de la calle Alta, adonde iba con bastante frecuencia a echar largos párrafos con la gente de la bodega, porque, además de que tío Mechelín, a quien había caído muy en gracia, le encantaba con sus relatos de la mar, con sus cuentos y, sobre todo, con su buen humor, y tía Sidora se gozaba mucho de verle por allí, al despedirse de todos, nunca dejaba Silda de decirle, con su acento imperioso y su ceño duro:

—Vuelve.

¿Y cómo no había de volver Andrés, si le daba gloria ver a aquella chiquilla, poco antes medio salvaje, sentadita al lado de tía Sidora, tan limpia, tan pei-

nada, tan aliñadita de ropa, tan juiciosita, pasando un
hilo por dos remiendos para soltarse a coser, o mane-
jando el juego de agujas para aprender los crecidos
en una media de algodón azul? Además, le había afir-
mado tía Sidora que sacaba mucho arte para la cocina y para el arreglo de la casa, y cuando la llevaba
consigo a las faenas de la Pescadería, de todo se enteraba y de todo le daba cuenta después; y eso que
parecía que en nada paraba la atención. No quería
ni que le hablaran de la vida que había hecho hasta
allí desde la muerte de su padre. Por lo que toca a tío
Mechelín, todo se le volvía contar a Andrés las habilidades de Silda en cuanto ésta daba media vuelta, y
enseñarle los botones que le había pegado, ella sola,
en el chaleco, o el remiendo que le había cosido en el
elástico. En fin, que la chiquilla era otra ya, y el honrado matrimonio estaba chocho con ella. A mayor
abundamiento, las del quinto piso andaban calladitas
como unas santas, cansadas de provocaciones y chis-
morreos inútiles desde el balcón, y siempre que, entrando o saliendo, pasaban por delante de la bodega,
porque cuando uno no quiere dos no riñen, sin contar
con lo que las refrenaba y contenía la declaración del
Cabildo, que, desatendida, podía dar en qué entender
hasta a la autoridad de Marina, cuyos fallos no ad-
mitían réplica. ¿Qué más? Hasta Muergo parecía in-
fluido benéficamente por la transformación de la chicuela. No solamente no había vendido la camisa, sino
que andaba a la conquista de otra, o de cosa mejor,
presentándose a menudo en la bodega, con el poquísimo aseo que cabía en un puerco como él, y triscán-
dose, en tanto, los zoquetes de pan que, no de muy
buena gana, le regalaba su tía.

¿No era harto justificable el placer que experimen-
taba Andresillo viendo tales cosas en aquella pobrísima

morada? ¿No era el bienestar que reinaba en ella, alrededor de Silda, obra suya, hasta cierto punto?

¿Quién sino él había cogido a la desamparada criatura en medio del arroyo y la había puesto en camino
de llegar a donde había llegado? Que no pensara Tolín
en apartarle de la bodega de la calle Alta, porque eso
no podía ni debía hacerlo él, aun sin lo mucho que le
tiraban hacia allá sus aficiones marineras, los relatos del campechano tío Mechelín y las cariñosas de-
ferencias de la tía Sidora.

XI

LA FAMILIA DE DON VENANCIO, DOS PUNTAPIES, UN BOTON DE ASA Y UN MOTE

No tomaba con tanto calor el asunto de la letra inglesa y del repaso de cuentas, pero no lo desatendía. Su madre pedía a menudo informes al maestro, y éste se los daba bastante buenos; su padre, descansando en el interés que su mujer tenía en que Andrés navegara en popa por sus nuevos derroteros, sólo se ocupaba en los últimos menesteres para la habilitación de su barco, próximo a dar la vela para la isla de Cuba; don Venancio parecía complacerse mucho en ver tan unidos a su hijo y al del capitán, y hasta la encopetada señora del comerciante había dado algún testimonio —no se sabe si espontáneo o aconsejado por su marido— de que no le desagradaba el nuevo camarada de Tolín.

Al llegarse éste una tarde a merendar, muy de prisa, porque le aguardaba Andrés en el portal, le dijo su madre:

—Dile que suba a merendar contigo.

Y subió el hijo de Bitadura, después de hacerse rogar mucho, no de ceremonia, sino porque verdaderamente le imponían y amedrentaban más una señora y una casa como las de don Venancio Liencres que la lucha, solo y a remo, contra el tiro de la corriente en

mitad del canal. Por eso entró algo acobardado; y
también porque, no contando con aquel compromiso,
llevaba los borceguíes sin correas, la camisa de cuatro días, un siete en una rodillera y el pellejo muy po-
roso, por haber bajado de una sola *cataplera* desde la
calle Alta al portal de Tolín.

La señora de don Venancio Liencres era uno de los
ejemplares más netos de las Mucibarrenas santande-
rinas de entonces. Hocico de asco, mirada altiva, cuatro monosílabos entre dientes, mucho lujo en la calle,
percal de a tres reales en casa, mala letra y ni pizca
de ortografía. De estirpe, no se hable: la más vanidosa;
en cuanto se empinaba un poco sobre los pies, colum-
braba el azadón, o el escoplo..., o el tirapié de las
mocedades de su padre... ¡Ah, los pobres hombres!
¡Y cómo las atormentaban sin querer, cuando, ya en-
canecidos, se gloriaban, *coram populo* y de ellas, de
haber sido lo que fueron antes de ser lo que eran!
¡Groserotes! ¡Tener a título de honra el haber hecho
un caudal a fuerza de puño, y el atrevimiento de con-
tarlo delante de las hijas, que no habrían nacido, o
gastarían abarcas y saya de estameña, sin aquellas oscuras y crueles batallas con la esquiva suerte! En fin,
miseriucas de pueblo, de las que apenas queda ya rastro, en buena hora se diga. Don Venancio Liencres era
muy tentado de esas sinceridades delante de su mujer,
que se ponía cárdena de ira al oírlas, después de haberse puesto azul, tiempo atrás, con otras idénticas
de su padre. Pues ni por esos sempiternos testimonios
de su vulgar alcurnia, que parecían providencial castillo de su vanidad, se curaba de ella. Por lo demás, era
una pobre mujer que lo ignoraba todo, desde la tabla
de multiplicar hasta la manera de hacer daño a nadie,
si no con el gesto.

Recibió a Andrés con la boca llena de frunces y una
mirada que parecía pedirle cuenta de su desaliño Cier-

to que Tolín no estaba mucho mejor aliñado; pero
Tolín era Tolín, y Andrés era el hijo del capitán de
un barco de la casa. Mientras se dirigía a abrir las vidrieras de un aparador que ocupaba media pared del
fondo del comedor, alzó la voz indigesta lo indispen-
sable para que fueran oídas estas palabras desde un
cuarto del *carrejo:*

—¡Niña!... ¡A merendar!

Y apareció en seguida la hermanita de Tolín muy
emperejilada con rica falda de seda, grandes puntillas
en los pantalones y todo lo mejor y más caro que podía llevar encima, a la moda rigurosa de entonces, la
hija de un don Venancio Liencres en un pueblo en que
siempre ha sido muy de notar el lujo de las niñas
pudientes. Su madre la miró de arriba abajo, desarru-
gando los párpados y el hocico; y en seguida, volviendo
a arrugarlos, le dijo a Andrés, en una ojeada rápida y
vanidosa:

—¡Mira esto..., y asómbrate, pobrete!

La niña, que se llamaba Luisa, era un endeble ba-
rrunto de una señora fina: manos largas, brazos des-
carnados, talle corrido, hombros huesudos, canillas en-
jutas, finísimo y blanco cutis, pelo lacio, ojos regulares
y regulares facciones. Con esto y con el espejo de su
madre, resultaba una niña finamente insípida, pero
no tanto como la señora de Liencres; al cabo, era una
niña, y podía más en ella la sinceridad propia de sus
pocos años que la confusa noción de su jerarquía, in-
culcada en su meollo por los humos y ciertos dichos de
su madre.

Mientras ésta colocaba sobre la mesa tres platos,
uno con higos pasos para Luisa y los otros dos con aceitunas, la niña se fijó en Andrés, que cada vez se ponía
más encendido de color y más revuelto el pelo.

—Y es guapo—le dijo a su madre, mordiendo un
higo.

—Vamos, come y calla—le respondió ésta a media voz, colocando un zoquetito de pan junto a cada plato. Y luego, dirigiéndose a los chicos, añadió, señalando las aceitunas...—: Vosotros aquí; y en seguida a la calle. Pero ¡cuidado con lo que se hace, y cómo se juega y a qué! ¡No parezcamos pillos de plazuela! ¿Me entiendes, Antolín?

Tolín no hizo maldito el caso de la advertencia; pero Andrés se puso todavía más encendido de lo que estaba, porque pescó al aire cierta miradilla que le echó la señora al hablar a su hijo. El cual agarró con los dedos una aceituna. Andrés, al verlo, agarró otra del mismo modo y, armándose de un valor heroico, le hincó los dientes. Pero no pudo pasar de allí. Había comido, sin fruncir el gesto, pan de cuco, ráspanos verdes y uvas de bardal; pero jamás pudo vencer el asco y la dentera que le daba el amargor de la aceituna.

—Mamá, no le gustan—dijo Tolín en cuanto vio la cara que ponía Andrés.

—No haga usted caso—se apresuró a rectificar Andrés, sin saber qué hacer con la aceituna que tenía en la boca—. Es que no tengo ganas.

—Es que no te gustan—insistió Tolín, mondando con los dientes el hueso de la tercera.

—También yo creo que no le gustan—añadió la niña, estudiando con gran atención los gestos de Andrés—. Puede que quiera higos, como yo.

—¡Quia!... Muchísimas gracias—volvió a decir Andrés echando lumbre hasta por las orejas—. Si es que no tengo ganas..., porque he comido cámbaros..., digo, cambrelos de esos de a cuarto.

La señora le puso higos en lugar de aceitunas, y dejó solos en el comedor a los tres comensales, después de recomendar a Luisilla que despachara pronto su ración, porque la esperaba la muchacha para llevarla a paseo.

Desde aquel día merendó Andrés muy a menudo en casa de Tolín, y fue muchas tardes con éste, y a expensas de éste, a los volatines de la plaza de toros, donde Barraceta hacía la rana a las mil maravillas, y la famosa madame Saque, la *Ascensión al monte de San Bernardo,* por una cuerda inclinada desde la sobrepuerta de los chiqueros al tejado de enfrente. Andrés llegó a remedar tal cual a Barraceta, y Luisilla le mandaba hacer la rana casi todas las tardes que merendaban juntos, en cuanto se quedaban solos en el comedor. Tolín se descoyuntaba mejor que él; pero carecía de fuerza muscular para sostener todo el peso de su cuerpo sobre las manos, y no lograba dar un solo brinco con ellas; mientras que Andrés llegó a dar hasta ocho saltos seguidos, con gran admiración y aplauso de la niña. Se divertían mucho los tres. Después se separaban. Luisilla se iba con sus amigas a los jardines de la Alameda segunda, y Andrés y Tolín a correrla donde mejor les parecía; como valiera el voto del primero, al muelle de las Naos, o a la calle Alta, o al *Joven Antoñito de Ribadeo,* mientras estuvo atracado a la Pescadería.

Así pasó el verano y llegó el otoño, y Andrés y Tolín fueron arrimados, frente a frente, a un doble atril del escritorio de don Venancio Liencres, donde hacían poco más que voltear las piernas, colgantes de las altísimas banquetas; roerse las uñas de las manos o dibujar barcos y volatines con la pluma; ingresó Colo en el Instituto, más que a aprender latín, a llevar leña sobre sus desdichadas carnes, por la mañana y tarde; Bitadura andaba por los mares de las Antillas; Ligo, Madruga, Nudos y otros tales emprendieron largos viajes también; *pae* Polinar continuaba en sus ímprobas tareas de desasnar *raqueros* bravíos y de avenir voluntades incongruentes, sin curarse una miaja de su vicio arraigado de dar la camisa, cuando la tenía, al primero que se la pidiera.

Muergo no iba ya a su casa, porque a medio verano, y por gestiones del fraile, a instancias de tía Sidora, fue colocado de muchacho de lancha en la de tío Reñales, patrón del Cabildo de Abajo. Costó mucho trabajo sujetarle a las diarias tareas de desenmallar la sardina, achicar el agua y otras semejantes de su obligación; pero algunos chicotazos y bofetones, aplicados de firme y a tiempo, le hicieron entrar por vereda, hasta que notó que cuando no iba a la mar con la lancha, se pasaba bien el rato entre los camaradas del oficio, esperándole en el muelle, o durmiendo sobre el panel para custodiarla hasta la madrugada, ocasiones en que la necesidad les inspiraba recursos de gran entretenimiento, brutales casi siempre y hasta feroces, en relación con los gustos y naturaleza moral de cualquier hijo de familia, mas no para aquella casta de seres excepcionales, amamantados por las intemperies, que, descalzos y medio desnudos, se duermen tan guapamente, hechos un ovillo, sin tiritar y cantando, en el hueco de una puerta cerrada del muelle, durante las frías y lluviosas horas de una noche de invierno.

Por razón de este empleo, dejó de frecuentar la calle Alta; pero subía allá siempre que le era posible, porque nunca volvía de la bodega sin haber sacado de ella, cuando menos, un buen zoquete de pan, que muy de buena gana le daba tía Sidora desde que le veía sujeto al yugo de una obligación. Silda había conseguido que se esquilara la greña una vez al mes y se lavara un poco la cara cada ocho días, con lo cual antes ganaba que perdía la natural monstruosidad de Muergo, pues cuanto más se la desmochaba de accesorios y adherentes, más de relieve se ponía, lo cual no le extrañaba a la chica, ni la desencantaba en modo alguno, puesto que

no trataba ella de hermosear al hijo de la Chumacera,
sino de someterle un poco a disciplina y al aseo: un
empeño como otro cualquiera.

En cambio, ella, ¡cómo esponjaba y se desconocía de
hora en hora! ¡Oh! El pan sin lágrimas y el sueño sin
sobresaltos, ¡qué prodigios obran en los niños desva-
lidos... y en los hombres desdichados! Ya cosía sin que
tía Sidora le preparara labor; menguaba una media
sin contar en voz alta los puntos y tejía malla de red
con mucha soltura; era limpia como una plata, y, po-
seyendo el instinto del aseo, los polvos y la mugre de
aquella angosta y pobrísima morada huían delante de
ella. El Muelle-Anaos, la Maruca, el Paredón... No había que mentárselos. Colo, Guarín y otros camaradas
de bribia y mosconeo sólo quedaban en su memoria
para recrearse en el bienestar presente con el recuerdo
de las amarguras pasadas. No los aborrecía, porque
ellos no tenían la culpa de los azares que la habían
arrojado a aquella vida desastrosa, pero huía de en-
contrárselos en su camino cuando iba a la Pescadería o
a Bajamar con tía Sidora para ayudarla en sus faenas.
Fuera de estas ocasiones, rara vez ponía los pies en la
calle; no porque se lo prohibieran, sino porque no
mostraba el menor afán por salir de su covacha. Por
estos solos testimonios había que juzgar de su bienestar, porque jamás lo revelaba de otro modo más elocuente. Era obediente y dócil sin esfuerzo aparente;
pero no afable ni expansiva. Ya se le ha comparado con
el gato por su instinto y natural aseo; pues también,
como el gato, parecía sentir más apego a la casa que a
sus habitantes, porque, en honor a la verdad, debe
declararse que, por esta vez, las apariencias engañaban; yo sé que había en su corazoncillo una buena
dosis de gratitud a los favores que recibía del honrado
matrimonio de la bodega; sólo que no se tomaba el
trabajo de manifestarlo en una frase ni en una pala-

bra, ni siquiera en un gesto; tal vez porque no se daba
cuenta de lo que sentía, ni se cansaba en averiguarlo.
Ni, después de todo, había para qué, pues tal como era
y se conducía, dejándose llevar de la fuerza de sus
propias conveniencias, estaban contentísimos de ella
sus cariñosos protectores. Lo que yo no me atrevo a
asegurar es que se hubiera doblegado, sin quebran-
tarse, la natural esquivez de su carácter, en el supuesto de no andar tan a la medida como andaba, lo
que se le pedía y lo que ella podía dar de buena gana y
sin el menor esfuerzo.

Cleto, el hermano de Carpia, volviendo un día de la
mar con toda la ropa de agua encima, dos remos al
hombro y el cesto de los aparejos en el brazo desocupado, la halló acurrucada junto al primer peldaño de
la escalera limpiando la basura del portal. Como estaba vuelta de espaldas, no vio entrar al pescador; el
cual, sobrio y económico de palabras hasta la ava-
ricia, en lugar de mandar apartarse a la chiquilla,
que le obstruía el camino, le dio una patada que la
hizo perder el equilibrio.

—¡Burro!—exclamó Silda en cuanto alzó la mirada
y conoció a Cleto.

Detrás de éste iba Mocejón, renqueando, también
cargado de ropa embreada, porque había llovido y seguía lloviendo, con el balde del macizo en una mano y
la otra sujetando la *lasca* [123] y una *orza* [124] que llevaba
al hombro, hechas un haz con los cabos de la primera.
Pues entre las patazas del padre se vio la muchachuela
cuando la dejó medio tendida en el suelo la agresión
brutal del hijo. De modo que apenas había intentado

---

[123] *lasca:* pedazo de madera de superficie redondeada y fina,
que se ajusta al carel de la lancha, entre dos bozas, para arrastrar sobre él el aparejo de pescar. *(N. del A.)*

[124] *orza:* tablón poco más largo que la altura de la lancha.
Se cuelga al costado de ésta, sujeto al carel solamente, para
evitar la deriva cuando va ceñido el viento. *(N. del A.)*

incorporarse, cuando ya estaba dando con las narices
en el peldaño, en gracia de otro puntapié más fuerte
que el primero, acompañado de estas palabras, que
más parecían gruñidos:

—¡*Fila*, reñules!...

Silda no dio un grito ni lanzó un solo quejido, aunque
después de llevarse las manos a la cara se las vio te-
ñidas en sangre. Alzóse del suelo muy serenamente y
se volvió a la bodega, donde estaba tía Sidora, que nada
había visto ni oído.

—Me desborregué—dijo al entrar—, y me caí contra
el escalón.

Así explicó el suceso, quizá por horror a otros más
graves de la misma procedencia. Tía Sidora dejó apresuradamente la obra que traía entre manos; colocó a
Silda con la cabeza inclinada sobre el primer cacharro
que halló a sus alcances y le puso sobre la nuca la llave
de la puerta, remedio acreditadísimo para contener
sangre de las narices. No tuvo el lance más consecuencia, ni extrañó a la muchacha lo más leve por lo que
respecta a Mocejón. Por el tocante a Cleto, ya era otra
cosa. Cleto no era malo, ni jamás le dio un golpe mientras con él vivió. Cierto que no le había puesto en
ocasión de ello, y que harto tenía que hacer el muchacho con la guerra en que vivía con su hermana, y
que ni por casualidad la amparó con sus fuerzas para
librarla, una vez siquiera, de las infinitas agresiones
de aquellas mujeres tan infernales. Pero, así y todo,
Cleto no era malo, de la maldad de toda su casta.
Cleto era muy bruto y muy seco, nada más que muy
bruto y muy seco; y ella no le ofendía en nada, ni se
metía con él cuando él la tumbó de un puntapié. Y
he aquí por qué sintió ella el puntapié de Cleto más
que todos los martirios que la habían hecho sufrir las
mujeres de su casa y el animal de Mocejón.

Otro día, muy pocos después de este percance, es-

taba Silda recostada contra el marco de la puerta de
la bodega, acabando de echar un remiendo al chaleco
de tío Mechelín. A menudo trabajaba en aquel sitio,
porque desde él veía lo que pasaba por la calle, sin exponerse a que las del quinto piso la sorprendieran en
el portal. Como la tarde caía y la luz iba escaseando
en aquel crucero, atrevióse a salir hasta la puerta de
la calle para dar desde allí las últimas puntadas a su
gusto. A tal tiempo bajaba Colo por la acera, con las
manos debajo de los sobacos y los ojos hinchados de
llorar. Encaróse con ella en cuanto la vio a la puerta,
y le preguntó, muy angustiado, por Andrés.

—Tres días hace que no viene por aquí—le respondió
Silda—. ¿Para qué le querías?

—*Pa* contarle lo que me pasa, ¡Dios!, y ver si en un
apuro puede hacer algo por mí; él es rico... ¡Paño,
qué somantas!... Mira, Silda.

Y le mostró las palmas de las manos y las canillas
de las piernas cruzadas de rayas cárdenas y sarpullidas
de ronchones morados.

—¿De qué es eso, tú?—le preguntó la niña.

—De los varazos que me alumbran en el latín.

—¿Quién?

—El maestro, ¡toña!, porque no embarco bien aquellas *marejás* de palabrotas en judío... ¡Mal rayo! Mira:
estas rayas más oscuras son de hace cuatro días; estas
otras, de ayer y de *antier;* estas gordas, de esta mañana, y de estos dos bultos *encarnaos* saltó esta tarde
la sangre al alumbrarme el varazo... ¡Dios!... Entonces ya no pude más, Silda..., porque *toos* los días hay
leña para mí, y según tenía el libro en esta mano,
mientras me rajaba a varazos esta otra, se lo tiré a
los morros, con *toa* mi fuerza, a aquel *piazo* de bárbaro. Escapéme, y primero me llevarán a presidio que
al latín. ¡Dios!...; y al que se empeñara en esto sería
capaz de abrirle en canal, ¡toña!... *Pus, güeno,* ¿ves

las manos y las *patas* cómo las tengo? Pues *pior* debo tener las espaldas...

—¿También te pegaba en las espaldas?

—No; me pegaba también *gofetás* en la cara y con el puño del bastón en el cogote, y hasta *patás* en la barriga. Lo de las espaldas es de mi tío el loco, y de ahora *mesmo*, porque al venir *escapao* le dije que ésta y no más; y aquello, Silda, aquello fue una *granizá* de leña sobre mí, con el bastón de nudos; que Cristo, con serlo, no la hubiera aguantado sin rendir el aparejo... Conque... ¡Mírale!...

Y exclamando así, Colo apretó a correr hacia la cuesta del Hospital, porque vio venir hacia él, por lo alto de la calle, el temible cura loco, con los largos faldones de su levita ondeando al aire que movía su veloz andar; el bastón de nudos enarbolado en su diestra; el sombrero derribado hacia la coronilla y los ojos relucientes, porque ésta era la particularidad más llamativa del famoso don Lorenzo.

Silda, al verle acercarse a ella, se retiró atemorizada al portal, precisamente en el instante en que bajaba Cleto de su casa. Sujetábase los calzones con ambas manos por la cintura, y murmuraba entre dientes algo como maldiciones y reniegos. Pero esta vez, aunque halló a Silda atravesada en su camino, no la apartó a un lado con los pies. Observando que cosía, detúvola y díjole:

—¿Me *empriestas* [125] *la uja* un poquitín? A mercar una salía ahora *mesmo*.

A Silda no le pesó ver tan manso delante de ella a un sujeto del quinto piso, y particularmente a Cleto, por lo que ya se ha dicho.

—¿Para qué la quieres?—le preguntó a su vez.

—*Pa* pegar este botón... No tengo más que él en los calzones... La bribona de Carpia me robó la escota *pa*

[125]   *empriestas la uja:* vulgarismo por *me prestas la aguja.*

amarrarse el refajo; de modo que si arrío las manos,
se me va a fondo la braga.

—¿Por qué no te pegan los botones en casa?

—Porque allí no sabe *naide* tanto como eso.

—Pues ¿quién te los pegaba otras veces?

—Yo, cuando tenía *uja*..., hasta que se me perdió.

—¿Y quién te *arremienda?*

—En mi casa no se *arremienda ná,* bien lo sabes tú.
Cuando allí se rompe algo, se deja así hasta que se
cae, si no se *pué* contener con una carena de *puntás*...
Ca uno se da las pertinicientes..., y al sol *endispués.*
¿Me *empriestas la uja?* ¿Sí o no?

—¿Quieres que te pegue el botón yo *mesma?*

—Mejor que mejor... Tómalo: es de asa. De hornilla
lo tengo también arriba. Si te parece mejor, *pico* a
traerlo.

—Bueno es el de asa.

Silda lo tomó en sus manos; rompió con los dientes,
menudos, apretados y blanquísimos, la hebra de hilo
negro que empleaba en remendar el chaleco de tío
Mechelín; diole al extremo resultante un nudo, solamente con el pulgar y el índice de su mano izquierda,
operación en que la había ejercitado con gran empeño
tía Sidora, porque decía que mujer torpe en anudar
la hebra, nunca parecía buena cosedora; taladró, a
duras penas, con la aguja, el empedernido paño de la
cintura del pantalón de Cleto, mientras éste lo sujetaba apretando las manos contra la barriga; metió
la aguja por el asa del botón, dejándolo deslizarse hebra abajo dando volteretas, y comenzó a coser y a
estirar la puntada, poniendo los cinco sentidos en aquella obra, la primera que hacía para fuera de casa.

Cleto no era feo. Había cierta dulzura y mucha luz
en sus ojos negros; eran muy regulares sus facciones,
y bien aplomadas y varoniles todas las líneas de su
cuerpo. Pero andaba muy sucio, y las greñas indómi-

tas de la cabeza le cubrían media cara, curtida por las intemperies y jaspeada por manchones de espeso y negro bozo que comenzaba a ser barba nutrida. Hasta la respiración contenía mientras Silda empleaba las escasas fuerzas de su manecilla, rechoncha y blanca, para hacer pasar la aguja por las durezas de aquel paño, que más parecían cartón embreado. En esta fase y aquella actitud le sorprendió el tío Mechelín, que volvía de la calle con la pipa en la boca.

Detúvose unos instantes a la puerta, contemplando fijamente y con cara de pascua el inesperado cuadro, y exclamó, sin poder contenerse más:

—¡*Arrepara* bien, Cleto!... ¡*Arrepara* bien!... ¡Mira ese saque de mano!..., ¡mira ese cobrar de veta... y ese atesar de *puntá!*... ¿Qué hay que pedir a ello en *josticia* de ley?

Volvió Cleto los ojos hacia tío Mechelín, y apartólos de él en seguida sin responder una palabra. Silda no se dio por entendida de aquellos piropos, ni siquiera con una sonrisa.

El regocijado pescador continuó soltando apóstrofes a Cleto y alabanzas a la costurera.

Acabóse la tarea; metióse en la bodega Silda, mientras Cleto, sin desplegar sus labios, se daba el botón recién pegado, y tío Mechelín no cerraba boca dirigiéndose a Cleto; y Cleto se largó sin despedirse, y el locuaz marido de tía Sidora todavía hablaba hacia él; y tras él salió hasta la puerta de la calle, y desde allí le siguió con los ojos... y con la palabra; y se arrimó al podrido marco cuando perdió de vista al mozo del quinto piso; y entonces, tentado de la pasión de locuacidad que solía acometerle, como ya se ha dicho, comenzó a pasear la mirada por la acera, y los balcones, y las ventanas de enfrente, y sobre los transeúntes, diciendo al propio tiempo y en la más rica y pintoresca variedad de tonos y registros:

—¡Hay que verlo!... ¡*Vos* digo que hay que verlo *pa*
saber lo que son las sus manucas, y aquel *dir* y venir
como la pluma *mesma* por los aires!... Ni pisa ni mancha... Le dice *usté* una vez la cosa: ya está entendida...
Ella, la media azul; ella, la calceta blanca; ella, el remiendo fino; ella, el botón de nácar lo *mesmo* que el
motón de suela; ella, la escoba; ella, la lumbre; ella,
la *puchera*... Vamos, que *pa too* lo que Dios crió hay
remo allí, con una gracia y una finura que lleva los
ojos de la cara... Si me da el dolor en esta banda, ella
calienta el ladrillo, y en un verbo me lo lleva, *engüelto*
en la *baeta*, a la cabecera de la cama. Si *la* mi Sidora
cae de sus males, el angeluco de Dios le *adevina* los pensamientos para que *na* le falte, desde la onza de chocolate, bien *hervía*, hasta el reparo *pa* la boca del estómago... ¿De alimento, dices tú?... Tocante al alimento, es poca cosa; pero es de buen engordar de suyo,
como la den trabajo llevadero y un dormir sin *pesaúmbre*... Oír, no se oye palabra, si no es *pa* responder a lo que se le pregunta, *u* preguntar lo que ella bue-
namente no puede saber... ¿De vestir?... ¡*Pus* no da
gloria de Dios ver cómo le cae hasta un trapujo viejo
que *usté* le ponga encima! Si *vos* digo que, a no saber
quién fue su madre, por hija se la tomara de *anguna
enfanta* de Inglaterra..., cuando no de una señora de
comerciante del muelle. *Pos* ¿y el arte para el deletreo
de *salabario en* primeramente, ya *pa* la lectura en
libros *dimpués*?... ¿Y qué me dices tú de los rezos que
ha *aprendío* en un periquete, que hasta el *pae* Polinar
se asombra de ello?... *Na*, hijos, que si le enseñan solfa,
solfa aprende... ¡Uva!... Y a *to* y a esto, finuca ella;
finuco *el* su vestir, aunque el *vestío* sea *probe;* la
mesma seda cuanto hacen sus manos, y limpios como
las platas el suelo por *onde* va y el rincón en que se
meta... Que es *ansina* de natural, vamos... Y lo que yo
le digo a Sidora cuando me *empondera* la finura de

cuerpo y la finura de obra del angeluco de Dios... «Esto, Sidora, no es mujer; es una pura *sotileza*...» ¡Toma!, y que así la llamamos ya en casa: Sotileza arriba y Sotileza abajo, y por Sotileza responde ella tan guapamente. Como que no hay agravio en ello, y sí mucha *verdá*... ¡Uva!

Y por eso, y desde aquellos días, se llamó Sotileza la huérfana del náufrago Mules; no solamente en casa de tío Mechelín, sino en todas las demás casas de la calle, y en la calle misma, y en el Cabildo entero, y en el Cabildo de Abajo también, y en todas partes donde fue conocida su afamada belleza, con lo que de ésta se siguió fácilmente y verá el curioso lector, entre otras cosas igualmente vulgares y de todos los días, si se arma de paciencia para acompañarse en el relato otra jornadita más.

MARIPOSAS

Entre las gentes marineras—y no se ofendan los de
acá, porque el oficio que traen no es para otra cosa—,
una persona limpia es punto más raro que las peras
de a tres libras. En Sotileza fue creciendo con los años
el instinto del aseo; y, a mi modo de ver, de la fuerza
del contraste que formaba aquella su inverosímil pulcritud de carnes y de vestido con la basura de lugares
y personas en medio de la cual vivía—y he aquí cómo
el diablo me arrastra por tercera vez a la comparación
del gato con la huérfana de Mules—; a mi modo de
ver, repito, de la fuerza de este contraste, tan singular y llamativo, debió de nacer en el Cabildo de Arriba la fama de la hermosa Sotileza, confundiendo la
torpe percepción de los sucios marineros el atributo
con la esencia, o, mejor dicho, los colores con la forma.
Porque yo recuerdo muy bien que lo primero que se
echaba de ver en aquella garrida muchacha cuando
estaba, a los veinte años, en la flor de su galanura, era
la limpieza extremada de su atavío, en el que domi-
naban siempre las notas claras, como si esto fuera un
alarde más de su pulcritud a prueba de peligros; y no
emperejilada por las fiestas de la calle, o las bodas de
la vecindad, o la misa o el paseo de los domingos, que
esto probaría bien poco, sino todos los días, a la puerta
de la bodega, en lo alto del Paredón, atravesada en la

acera, tejiendo la red en el portal, sacando la barredura a la mitad del arroyo, o remendando los calzones de tío Mechelín; en refajo corto, descubierto
por debajo tres dedos de lienzo más blanco que la nieve; con justillo de mahón rayado de azul; pañuelo de
mil colores sobre el alto, curvo y macizo seno; a medio
brazo las mangas de la camisa, y otro pañolito de
seda, claro también, preciosamente atado, a la cofia,
sobre el nutrido moño de su pelo castaño con ondas
tornasoladas de oro bruñido. La curiosidad que excitaban estos llamativos pormenores movía los ojos del
observador a hacer otras exploraciones; y entonces se
reparaba en los aplomos admirables y en los lineamien-
tos finos y gallardos de la pierna y del pie, desnudos
y blanquísimos, que asomaban por debajo de la tira
de lienzo; en el torneado brazo, desnudo también; en
el cuello redondo y escultural, que se alzaba sobre los
anchos hombros, y, por fin, en la cara saludable, fresca, verdaderamente primaveral, la porción más envi-
diable de la valiente cabeza que el cuello sostenía, y
sobre el cual centelleaban, al bambolearse, los anchos
anillos de oro colgando de las menudas orejas.

Tal era lo que, en el orden señalado, iba saltando a
los ojos de un observador algo adiestrado en los intríngulis del arte, al contemplar a Sotileza por primera
vez en su propio y natural terreno; con los cuales elementos, si hay para construir lo que se llama toda una
buena moza, se puede estar muy lejos de llegar a la
hermosura que atribuyó la fama indocta a la memorable callealtera. Examinándola todavía más al por-
menor, las líneas de su cara distaban mucho de estar
ajustadas a los buenos modelos de belleza clásica: la
frente pecaba de angosta; la boca, aunque pequeña y
fresca, era durísima de expresión; la mirada de sus
rasgados ojos, demasiado cruda; el entrecejo, muy
acentuado, y el contorno general no daba la corrección

de los trazos atenienses. Aunque separadamente fuera
intachable cada porción de su cuerpo, éste, en conjunto, si bien flexible y gracioso, no era un modelo escul-
tórico. En una palabra: Sotileza no era una hermosura
en el sentido artístico de la expresión; pero reunía
todos los atractivos necesarios para ser la admiración
de los mozos de su calle y excitar la curiosidad y luego
hasta el frenesí de los antojos en los hombres cultos,
más esclavos de las malas pasiones que del sentimiento
estético. Su voz era de hermoso timbre, con unas notas
graves que acentuaban poderosamente el vigor de su
frase lacónica, y entonaba muy bien con la expresión
de su semblante. Lejos de corregirse esta su nativa esquivez, había ido afirmándose con los años; y aunque
esta casualidad no la arrastraba jamás a ser choca-
rrera ni provocativa, cuando se le buscaba la lengua
por las envidiosas o por los atrevidos, sus aceradas
sequedades la hacían verdaderamente temible.

Con el poder de su rica naturaleza, y acaso, acaso,
con la conciencia de su hermosura, había adquirido el
valor que no tuvo de niña para arrostrar de frente ciertos peligros, y logrado imponerse, hasta con la mirada, a las hembras de la familia de tío Mocejón, triunfo
de que se ufanaba Sotileza, por ser de los poquísimos
en que había puesto todo su propósito desde que comenzó a comprender que, para conseguir ciertas cosas,
una mujer de su carácter no necesitaba más que empeñarse en ello. Por supuesto que no ignoraba que las
del quinto piso, más que corregidas, estaban domadas
a la fuerza, ni que, por consiguiente, no dejarían de
aprovechar la primera coyuntura que se les presentara
para herirla impunemente; pero, por de pronto, la fiera,
aunque gruñendo, estaba enjaulada, y ella tenía, en el
prestigio de que gozaba en la calle, el arma con que
atormentaba su espíritu envidioso, y en el temple de
su carácter la fuerza necesaria para imponerse.

Cleto la había visto varias veces desde aquello del botón.

—Cuenta conmigo hasta *pa* darles una paliza, si te conviene..., ¡porque son muy malas!

Y Sotileza se había sonreído, por conocer la calidad del motivo que arrastraba a Cleto a proponerle aquella ociosa barbaridad.

Porque Cleto frecuentaba mucho la bodega. El pobre muchacho, que era de un natural candoroso y bonachón, desde que nació no había cultivado otro trato que el de las gentes de su casa, gentes puercas y feroces, sin arte ni gobierno, reñidoras, borrachas y desalmadas; y no sabían que un mozo como él, que no sentía la necesidad de ser malo, ni hallaba placer en vivir como se vivía en el quinto piso, podía encontrar en otra parte algo que echaba de menos, cierto aquel, a modo de entraña, que le escarbaba allá adentro, muy adentro de sí mismo, como lloroso y desconsolado. Y este algo pareció en la bodega, en la jovialidad de tío Mechelín, en la bondadosa sencillez de tía Sidora y hasta en la limpieza y el buen orden de toda la habitación. Allí se hablaba mucho sin maldecir a nadie; se comían cosas sazonadas, a horas regulares; se rezaban oportunamente oraciones que él jamás había oído, y si se quejaba de algún dolor, se le recomendaba con cariño algún remedio y hasta se lo preparaba la misma tía Sidora... En fin, daba gusto estar allí, donde se hallaban tantas cosas de que él no tenía la menor idea: muchas cosas que le alegraban aquella entraña de allá adentro, que antes siempre estaba engurruñada y triste, y le hacían coger apego a la vida, y distinguir los días nublados de los días de sol y los ruidos ásperos de los sonidos dulces, y hablar, hablar mucho sobre todo lo que le hablaran, y recordar lo que había sido antes para recrearse un poco en lo que iba siendo.

Porque, al mismo tiempo, crecía Sotileza; y según iba creciendo, reparaba él cómo se transformaban las líneas de su cuerpo y se acentuaban la redondez y tersura de sus carnes, el poder y la luz de su mirada y las armonías de su voz; y cómo iba llenando ella sola la bodega con todas estas cosas y su remango de mujer hacendosa, y hasta con su luz; porque hubiera jurado el pobretón de Cleto que de ella, y no del sol de los cielos, eran aquellos resplandores que se esparcían por la casa... Después se volvía a la suya, donde no hallaba qué cenar ni cama en que acostarse, y oía maldiciones y blasfemias, y le querían devorar aquellas mujeres infernales porque tomaba tanta ley a los pícaros de abajo. Y estas cotidianas escenas le hacían acordarse con nuevas ansias de la bodega, y en cuanto hallaba un rato desocupado, tornábase a ella; y más de una vez, considerando lo que arriba le esperaba, tuvo los labios entreabiertos para decir a tío Mechelín, puesto de rodillas delante de él:

—¡Déjeme vivir aquí para siempre!... No quiero cama ni comida. ¡Yo dormiré sobre los ladrillos de la cocina y comeré un mendrugo en la taberna, de lo que gane trabajando para *usté!*

Y es de advertir que el matrimonio de la bodega no miraba con malos ojos la bien notoria afición que iba tomando Cleto a Sotileza. Cleto era trabajador, honradote, sano y robusto como una encina, y hasta sería guapo y buen mozo el día en que cayera en manos que cuidaran de él y le asearan con cariño. Además de esto, estaba abocado a una herencia de media *barquía,* si Mocejón no malvendía la suya antes de morirse. ¿Qué mejor acomodo para Sotileza, si Sotileza llegara a aceptarle un día sin repugnancia? ¡Repugnancia! ¿Y por qué había de sentirla la desvalida huérfana? Cierto que, en opinión de los cariñosos viejos, puesta Sotileza a valer, no había oro con qué

pagarla ni marqués que la mereciera; pero la pasión
no los cegaba hasta el punto de desconocer que los
marqueses cargados de oro no habían de llamar jamás, con buen fin, a la puerta de la bodega. Y no contando ni debiendo contar con una ganga semejante,
¿las había mucho mejores que Cleto para Sotileza en
el Cabildo de Arriba? Por supuesto que ellos no pe-
llizcarían la lengua de Cleto para que rompiera a cantar lo que el mozo sentía, ni hurgarían el oído de la
muchacha con alabanzas de su pretendiente, para
conquistarle la voluntad; pero se guardarían muy bien
de ponerle estorbos en la puerta, y mucho más de írsela
cerrando poco a poco.

De modo que si aquella súplica reverente, que tantas veces tuvo Cleto entre los labios, llega a salir de
su boca, tal vez no hubiera sido desairada por tío
Mechelín, ni quizá por su mujer, dejándose arrastrar
éstos solamente del impulso de sus propios corazones.
Pero había otros miramientos a que atender, y uno
de ellos, no el de menor importancia, era el haberse
negado tenazmente a la misma pretensión insinuada
por Sotileza más de dos veces a favor de Muergo, desde
que éste, apenas matriculado en el gremio, y ya ra-
yando en los dieciséis años, perdió a su madre de re-
sultas de una caída en la Rampa Larga, subiendo
cargada de sardinas... y de aguardiente. Sotileza, pues,
perseveraba en los mismos propósitos de Silda de amparar al hijo de la Chumacera, tan necesitado, en opinión de la caritativa muchacha, de una voluntad que
le rigiera y le apartara del mal camino adonde podían
llevarle los resabios que heredara de su madre, y la
soledad y el abandono en que últimamente vivía.

Y el bruto de Muergo explotaba bien estas explica-
bles blanduras de la antigua víctima de sus barbaridades en el muelle de las Naos y en la Maruca. Particularmente desde que era huérfano de padre y ma-

dre, no se pasaba día sin hacer una visita, bien larga
y aprovechada, a la bodega de su tío. Como pudiera
remediarlo, la visita era a las horas de comer o de
cenar, porque en estas ocasiones siempre sacaba mendrugo para su estómago insaciable. Vivía en la calle
del Medio, arrimado a una familia que le daba un jergón y la comida por poco menos de lo que él ganaba de
compañero en una lancha del Cabildo de Abajo; la
tercera que había conocido desde que fue colocado de
muchacho, como ya se dijo, en la de tío Reñales.

En sus visitas a la bodega de la calle Alta se encontraba muy a menudo con Cleto. Se aborrecían de muerte, y estaban ambos allí como dos mastines delante de
una sola tajada. Para Muergo, la tajada era todo cuanto encerraba la casa, por el temor de que el otro sacara de ella, aunque fuera en buenas palabras. lo que
no alcanzaba para satisfacerle a él. Para Cleto, la
tajada parecía ser la grosera monstruosidad del hijo
de la Chumacera, que le hacía aborrecible, y mucho
más en aquel sitio. Cierto que le consolaba un poco la
no disimulada complacencia con que el viejo matrimonio le ayudaba a contradecir el menor conato de
dictamen que apuntara, entre guiños, el estúpido marinero; mas este consuelo se le amargaba el decidido
tesón de Sotileza en amparar a Muergo siempre, con
razón o sin ella, y ésta era la verdadera causa de la
aversión que sentía hacia el hijo de la Chumacera el
mozo del quinto piso.

Porque por sí solas la grosería y la monstruosidad
de Muergo... ¡Oh la monstruosidad de Muergo! ¡Había que considerarle bien a la edad de diecinueve años,
época en que vuelve a aparecer Sotileza tal y como
se ha presentado al comienzo de este capítulo! Desde
que le perdimos de vista, todo había crecido en él a
un mismo tiempo: la gordura de sus labios; el estra-
bismo de su mirada; la anchura y arremangamiento

de su nariz; la espesura de sus crines; el vuelo de sus
orejas; la blancura de sus dientes ralos; la bóveda de
sus espaldas; la intensidad del color cobrizo de su
piel; su natural obesidad adiposa, que había llegado a
relucir como cuero de etíope; la aspereza salvaje de
su voz; su estupidez...; todo, en suma, tanto físico como moral, se había agrandado y robustecido en su
persona; y para que nada faltase a la armonía de este
conjunto de monstruosidades, todo él iba envuelto, de
ordinario, en una flotante camisa de bayeta verde
muy peluda, unos calzones pardos y un gorro catalán,
verde también, con la vuelta encarnada. Con este atavío lanudo y tieso y su andar lento y oscilante, parecía un oso polar, suponiendo que en el Polo hubiera
osos verdes de medio arriba y pardos de medio abajo.
No había cosa más decente a que compararle.

Sotileza le había predicado mucho que ahorrase para
echarse un vestido bueno de día de fiesta, y ya tenía
parte de él; pero no quería estrenarlo sin la chaqueta
y la boina, que le faltaban, y contaba tener dentro
de mes y medio, allá por la fiesta de los Mártires, patronos de su Cabildo. Antes pudo haberlo estrenado,
pero le tiraba mucho la Zanguina, famosa taberna de
los Arcos de Hacha, y en la Zanguina quedaban casi
todos los ahorros de Muergo; y no todos, porque no se
le cobraba su deuda entera de repente. Muergo era
bebedor; pero con el miedo de perder el amparo de
las gentes de la bodega, dominaba bastante el vicio.
Aguardaba sereno medio barril de aguardiente; pero
cuando se emborrachaba era una fiera. Por eso los
mismos camaradas, que cuando estaba en sus cabales le acribillaban a burlas impunemente, en cuanto
le veían borracho huían de él. Entonces era capaz de
las mayores barbaridades, por sangrientas que fueran.

Por lo demás, era alegrote, fuerte en el trabajo, bastante placentero y duro de salud.

¡Y qué lejos estaba de maltratar a Sotileza como había maltratado de muchacho a la niña Silda! La poca razón que cabía en su mollera, algo de vil interés y mucho del influjo necesario de la naturaleza misma, que iba hablando a sus carnazas a medida que la huérfana de Mules crecía y se hermoseaba y le ofrecía con incansable perseverancia los únicos testimonios de cariño que había gustado en su vida, le habían ido amansando y abatiendo poco a poco, hasta sentirse esclavo de la voluntad de la garrida muchacha, como se rinde fascinada una bestia bravía a las caricias de la gentil domadora.

Con este símil, y no de otro modo, hay que explicar el mutuo afecto de estos dos seres tan distintos entre sí. En él obraban, como causa, el interés egoísta y el poder incontrarrestable de una ley misteriosa; en ella, la fuerza de un propósito temerario, primero, y después, la satisfacción o la vanidad del triunfo conseguido.

—¡Mira, hijuca—le dijo un día tía Sidora—, que ese mimo con que tratas a esa bestia te ha de costar caro..., porque la cabra siempre tira al monte, y de jugar con lobos no se saca más que arañazos y mordiscos!... No lo digo por el pan que me come, porque tú lo deseas y eso me basta... Pero ¿por qué no me mandas que se lo dé a otra boca que más lo merezca?

—Muergo lo merece—contestó la muchacha.

—¡Merecerlo ese *móstrico* de Satanás!... ¿Por qué? —exclamó la marinera.

—Porque sí—respondió secamente la otra.

—Mejor razón que ésa deseara yo; pero aunque valga lo que tú quieras, mejores las hay en contrario, y ciego será quien no las vea... Sólo que hay que nacer con suerte, y ese animal la tuvo contigo *dende* que debiste aborrecerle... ¡Mal año *pa* las *enjusticias* contra la ley de Dios! Y mira que no me llegara la tuya tan al alma si no te viera negar hasta los buenos días al *venturao* de arriba, que es un *peazo* de pan, de pies a cabeza, cuando *na* te *paece* bastante para el cerdo de mi sobrino.

—Cleto es de mala casta.

—¡Pués mira que el hijo de la Chumacera!...

—Cada uno tiene sus gustos.

—Y los viejos mucha experiencia, hijuca, y hasta la obligación de aconsejar a los mozos, cuando los mozos no van por el camino derecho.

—¿Y qué mal hago yo en mirar con *caridá* por quien es aborrecible a todos?

—El mal de dar alas a quien no debe volar con ellas.

—¡Porque es feo!

—Porque no es bueno.

—No roba ni mata.

—No le ha dado por ahí; que si le da, no será el entendimiento quien se lo estorbe. Y ten entendido que a Muergo, más que feo, se le aborrece por burro con zunas.

—Otros las tienen y son bien vistos.

—Porque *tamién* tienen prendas de estima. Y mira, hijuca: no te ofendas ni te me enfades; pero más te dijera sin el temor de que pienses que lo que ese animal nos come, por tus blanduras, es lo que a mí me duele para hablar como hablo.

Y tras estas palabras, como Sotileza callara, sentáronse ambas, por mandato de tía Sidora, a concluir de pegar un paño a una saya vieja de ésta, porque al día siguiente era domingo, a la luz del candil, colgado de un clavo en la pared, junto a la alcoba matrimonial.

En esto bajaba Cleto de su casa, y tropezó con Muergo, que entraba en el portal; y como si el primero hubiera estado oyendo las amonestaciones de tía Sidora a Sotileza y ellas le inspiraran tan súbita resolución, dijo a Muergo muy callandito, pero con suma ve-

hemencia, mientras le agarraba con ambas manos por
la pechera del elástico peludo:

—¡Quiero que no *güelvas* por aquí más!

—¡Puño!—respondió Muergo, también por lo bajo—.
¿Y quién eres tú *pa* mandar esas cosas?

—¿Te *güelves* o no te *güelves* por *onde* has *venío*?
—insistió Cleto sin soltar al otro.

—¡No, puño!—respondió el del Cabildo de Abajo.

—*Pus* te voy a dar dos *morrás*... Pero no grites aunque te salte las muelas... Tampoco yo gritaré.

Y como lo dijo lo hizo. Sonaron dos golpes secos, y
después otros dos por el estilo, entre un rumor confuso
de interjecciones groseras y de jadeos de la respiración; luego, otro golpe más recio y sonoro, como el de
una cabeza contra el portón de la calle; casi al mismo
tiempo, una blasfemia de Muergo, medio en falsete...,
y todo volvió a quedar silencioso en las tinieblas del
portal, entre las cuales escupía Muergo más sangre que
saliva, y se palpaba los dientes uno a uno, para ver si
los conservaba enteros; mientras Cleto, después de
haber desahogado un poco su veneno, se largaba calle
abajo, temeroso de lo que pudiera ocurrirle en la bodega si entraba en ella a la vez que el otro, y el otro contaba lo sucedido, o lo adivinaban las de adentro sin
que lo contara nadie.

Pero Muergo no estaba de humor de referir cosa alguna de esa especie; y como en una cara como la suya
significaban muy poco unos cuantos flemones de más o
de menos, nada le preguntaron las mujeres por los tres
que se alzaban bien altos alrededor de la bocaza. Dio
las buenas noches en un gruñido, y preguntó por su tío.

—Salió *a* por tanzas *pa* la sereña—respondió su
mujer.

—¿Hay *ujana*? [126]

—Se sacó, por si acaso.

---

[126] *ujana:* gusana, lombriz de la basa. *(N. del A.)*

—Pues que apareje temprano la *barquía,* porque mañana iremos a barbos *dempués* de la primera misa, antes que apunte la marea. Si él no puede, que se quede en la cama, porque *tamién* vamos yo y Cole. Ese *recáu* traigo..., ¡ju, ju, ju!

Llegó en esto tío Mechelín. Andaba más perezoso y abatido que años atrás. Faltábale también en el rostro aquella expresión de regocijo con que le conocimos. Repitiéronle el recado que había traído Muergo, y añadió su mujer:

—Si no estás para ello, quédate en la cama. Muergo y Cole han de ir de *toas* maneras.

—Estoy *pa* ello—respondió el pescador mirando a Sotileza, que parecía animarle con los ojos—. Lo que siento es, dicho sea sin agravio de *naide,* que *pa* estas cosas se *alcuerde* más don Andrés de los de Abajo que de las *mesmas* gentes de acá que andan con uno en la *barquía...* Los hombres lo sienten, la *verdá* sea dicha. Pero son *fantesías* de aprecio a otros, que hay que respetar.

—Pues si a respetos no fuéramos, Miguel—repuso la marinera—, y a respetos de otra clase, ¿quién mejor, para *ayudavos* en tales días, que ese *venturao* de Cleto?

—¡Uva!—respondió tío Mechelín.

Al oír el nombre de Cleto se revolvió Muergo sobre el escabel, como un oso hurgado por el espinazo.

—¿Qué tienes, burro?—le preguntó su tío.

—*Na* que te importe—respondió Muergo.

Cole era un pescador valiente y entendido, que años atrás fue un pillete que el lector conoció, con el mismo nombre, en casa del padre Apolinar. No son raros tales casos entre los mareantes santanderinos. Díganlo, sin salirnos del término de nuestro relato, Guarín. Toletes y Surbia, otros tres *raqueros* transformados con los años en pescadores de empuje y de vergüenza. También salió cosa buena para el oficio Colo, el de la calle Alta, después que dejó el latín y fue recogido en la Casa de Caridad el energúmeno de su tío.

Entre tanto, Cafetera, Pipa y Michero estaban en la Carraca, purgando la *equivocación* de tomar por objeto de lícito *raqueo* un cronómetro de bolsillo perteneciente a un barco atracado al Paredón de la Dársena, e imperaba en el Muelle-Anaos otra generación de *raqueros,* capitaneada por cierto Runflas y un tal Cambrios, fatalmente destinado a recoger las llaves de aquel memorable holgadero; porque ya algún trozo de la escollera de Maliaño comenzaba a asomar el lomo por encima de las más altas mareas, con espanto de las bogas, que huían de aquellas playas, sabe Dios adónde, para no volver más a colmar con sus rebaños las *barquías* de los pescadores santanderinos; los terraplenes del ferrocarril llegaban ya al mismo muelle de las Naos por la casa de baños de Calderón, desde cuyos balcones, los que esperaban turno para zambullirse en las marmóreas pilas entretenían sus impaciencias escupiendo por última vez sobre el agua del mar que lamía las paredes del edificio por aquella fachada y la del Nordeste, y golpeaba a menudo las repisas; porque se barruntaba la locomotora asomando por la peña del Cuervo, tendidas al aire sus largas, serpenteantes y blanquecinas guedejas, conduciendo en sus entrañas de fuego los gérmenes de una nueva vida y barriendo al pasar los usos y costumbres que habían imperado aquí durante tantos, tantísimos años de un no interrumpido y patriarcal sosiego, y al Cabildo de Arriba sólo le quedaba una charca para fondear sus embarcaciones, y un boquete en el terraplén para sacarlas a bahía.

En la misma calle Alta se habían sustituido más de tres de sus edificios vetustos con otros tantos flamantes de balcones de hierro y paredes blancas; y allí se estaban, opresos y reventando, y haciendo tan triste papel como los dientes de porcelana en una dentadura podrida. Para el castizo gremio de pescadores. todas estas cosas eran motivo de serias cavilaciones y barruntos de un temporal deshecho que se les iba encima; pero se anticipaban a capearlo, dando la cara a otro viento y haciendo como que no veían el peligro; no hablando una palabra de él, y extremando su añeja costumbre de vivir encerrados en sus conchas, sin tratos con los terrestres y sin ver ni saber más de positivo del centro de la población que de la cueva de Ojáncano o de las Serenitas del Mar.

Y de todo ello y mucho más tenían la culpa aquellas aventuras de loco de que nos hablara don Venancio Liencres, incrédulo y asombrado, y en las cuales se había ido metiendo hasta el cogote el comercio santanderino. ¡Mayor pobre hombre!...

XIII

LA ORBITA DE SAN ANDRES

Bastó con que le buscaran con arte las cosquillas de sus debilidades para ser el primero en acudir a las juntas preparatorias, y el primero en hablar en ellas para ponderar las ventajas incalculables de la atrevida empresa, y no de los últimos entre los principales accionistas, y de los más apasionados en la memorable batalla que se libró más tarde sobre si el camino había de ir por la derecha o por la izquierda, y hasta se presume que metió una vez la pluma en *El Despertador Montañés* para contestar a ciertas agresiones embozadas que creyó ver en *El Espíritu del Siglo,* cuando estos dos periódicos, órganos respectivos de los dos bandos beligerantes, andaban tirándose los trastos a la cabeza. Aplaudió el establecimiento de las líneas de vapores entre este puerto y otros franceses del Atlántico..., y, en fin, hasta mordió el cebo de las primeras sociedades de crédito que se colocaron en la Montaña detrás del ferrocarril. Perdió bastante el apego al viejo sillón de su escritorio, y se dio con entusiasmo al negocio ilustrado con peroraciones elocuentes y escollos luminosos en las aceras del Muelle y en el senado del Círculo de Recreo.

Su hijo y Andrés le reemplazaban en el barco de la paciencia —así llamaba él al escritorio a la antigua—. Tolín había salido muy dispuesto para lo que pudiera llamarse gerencia del departamento: los corredores, la correspondencia, el buen orden y la disciplina de arriba y de abajo; es decir, del escritorio y del almacén. Tenía una excelente nariz, delicado paladar y admirable sutileza de tacto en las yemas de sus dedos para examinar muestras de harina, azúcar y cacao, y, sobre todo, afición, que es el misterio de todos estos tiquismiquis. Andrés le ayudaba muy poco, y tenía a su cuidado la caja. Carecía de verdadera vocación de comerciante. El pundonor, una gran fuerza de voluntad, primero, y ya, últimamente, la costumbre, hicieron que se acomodara sin disgusto a aquellas tareas tan ingratas para quien no las penetre con verdadero amor a los fines a que se enderezan. Bastaba ver a los dos amigos para comprender sin esfuerzo esta diversidad de gustos y de aptitudes entre ambos. Tolín era un jovenzuelo de pobre naturaleza, de serena fisonomía, reparón y hasta minucioso en la mirada; escogido, o más bien preciso en la frase, metódico en su labor, y muy ordenado en los accesorios de ella; su letra era clara, de la mejor ralea española; aprovechaba las tiras sobrantes de papel, por diminutas que fueran, para hacer sus cálculos numéricos, en guarismos que parecían de molde; sabía repartir la atención convenientemente, y sin embarullarse, entre varios asuntos a la vez, y aunque era ágil en sus movimientos y poco dengoso, no había en su vestido correcto ni una mancha ni una arruga. En fin: que caía en el escritorio como santo en su peana.

Andrés era un mocetón sanguíneo, frescote, de mirada voraz, pero rápida y versátil; esbelto, varonilmente hermoso en cualquiera de sus actitudes. Sentado a media nalga, delante del atril, crujía la banqueta a cada rasgo de su pluma, y mientras los rizos brillantes de su pelo negro se le bamboleaban delante de los ojos, su boca no cesaba de murmurar alguna palabra, o de silbar muy bajito los aires más corrientes. Una equivocación de pluma le hacía prorrumpir en las más lamentosas exclamaciones, y por un borrón insignificante se decía a sí propio las mayores atrocidades, olvidado de que había gentes que le escuchaban; y, sin embargo, el volar de una mosca le distraía, y al menor ruido de la calle se plantaba de un salto a la ventana del entresuelo. En los cobros y pagos que tenía a su cargo, como cajero de la casa, armaba un estruendo de dos mil demonios al contar las monedas que le entregaban, o al derramar encima del mostrador los talegos de napoleones, o al probar la ley de los sospechosos haciéndolos rebotar sobre el tablero. Por lo demás, era puntual asistente a las horas de trabajo, y placentero y servicial para todo y para todos; pero no le cabía la vida en el pellejo, y necesitaba todas aquellas inquietudes y los otros estruendos para no ahogarse dentro de la envoltura. Como se ve, no podían darse dos naturalezas más distintas entre sí que las de Andrés y Tolín. Lo único en que se parecían los dos mozos era en el cordialísimo cariño que mutuamente se profesaban.

A los pocos meses de ingresar en el escritorio enfermó Tolín. La fiebre duró muchos días, y la convalecencia fue larga. Andrés, como ya se ha dicho, sabía pintar barcos con tinta, añil y *botabomba* [127]. Tolín salió algo mañoso de la enfermedad, y quiso que su amigo le entretuviera de día y de noche pintando barcos y muñecos a su lado, y Andrés tuvo la santa paciencia de estar cerca de quince días pinta que te pinta sobre un velador que se arrimaba a la cama de su amigo, mientras éste no pudo levantarse, y luego en la mesa del comedor. A todas estas sesiones de arte casero asistía Luisilla cuando no estaba

---

[127] *botabomba:* droga muy barata que, desleída en agua, da el color amarillo claro. *(N. del A.)*

en el colegio, siguiendo sin pestañear los rumbos del pincel y de la pluma de Andresillo, que ya sabían trazar, respectivamente, sin que la mano los moviera, una mar borrascosa con cuatro descargas de añil, un velamen de polacra con una inundación de *botabomba,* y un casco y su aparejo con dos docenas de rayas hechas en un decir Jesús.

—Pinta ahora el capitán—le decía Tolín alguna vez.

Y Andresillo pintaba un muñeco, que daba en las vergas con la gorra.

—Ahora, el piloto—añadía Luisa.

Y el piloto se pintaba junto al capitán, y luego, todos los tripulantes, y el perro de a bordo, y el gallinero, y la rueda del timón, y un lechoncillo, y media docena de gallinas..., hasta que decía Andrés:

—Ya no caben más cosas.

Tolín quiso, al cabo de los días, echar también su cuarto a espadas, y como en sus buenos tiempos de granuja había cultivado algo el dibujo franco en las paredes de los portales, y era, por naturaleza, bastante dispuesto para las obras de imitación que no exigieran otras virtudes que la paciencia, en fuerza de disolver terrones de añil y de *botabomba,* y de pringarse los dedos y los labios, llegó a pintar tan a la perfección como su maestro, aunque éste no lo creía así, y se lo decía por lo bajo y a la disimulada a la niña cada vez que ésta, dando con el codo a Andrés, le señalaba, con el asombro en los ojos, lo que iba pintando su hermano.

El cual se aficionó tanto al arte, que después de volver a sus tareas de escritorio continuó pintando por su cuenta en los ratos desocupados; y como su padre le comprara una caja de pinturas de las mejores—cinco reales y medio, o seis a lo más, valían—, de las mejores, repito, que se vendían en los almacenes de la calle de San Francisco—negras con tapa carmesí, barnizada—, se dio a pintar cuanto Dios crió y se le metía por los ojos. Entonces pintó a don Venancio Liencres, de perfil, con saco negro, sombrero de copa y bastón; a su madre—a la del pintor—, con manteleta flecuda, gorra con plumajes y vestido rayado, de perfil también; a Luisilla, en adecuado atelaje, igualmente de perfil, y a la cocinera, y a la doncella, y al tenedor de libros..., a todos de perfil y encarados a la izquierda, por no saber arreglárselas por el otro lado, y mucho menos con las figuras de frente. Después pintó sillas, y bancos, y mesas, y el gato, y copió las figuras de la baraja; hasta que, viéndole su padre con vocación tan decidida, trató de ponerle a aprender el dibujo, por principios, con Cardona, que daba lecciones en su taller del teatro; pero Tolín no estaba por retroceder a los enojosos y lentos preliminares de escuela, después de llegar hasta donde él había llegado en el arte, y quiso continuar cultivándolo sin más guía que su pertinaz inspiración. Proveyóse de papel de marquilla, que nunca había tenido, y se lanzó al paisaje. Entonces copió, a trozos y en detalles, cuanto se alcanzaba a ver desde su casa por delante y por detrás. Esta obra duró años; porque al mismo tiempo trabajaba con afición y aprovechamiento en el escritorio de su padre, y el panorama es enorme, y sus detalles infinitos. Solamente la casa de Botín, con los sillares de sus arcos, uno a uno, y con las tabletas de sus persianas verdes, una a una, le llevó cerca de tres meses; háganme ustedes el Muelle, losa a losa, y la Catedral, canto a canto y teja a teja, y así la bahía, con sus barcos y sus montañas del fondo; y el Alta, con su Atalaya y sus árboles; y la Maruca, y San Martín, y a ver quién es el guapo que se compromete a pintarlo en menos tiempo.

Cuando volvemos a hallarle sustituyendo a su pa-

dre en el escritorio, ya la manía iba cesando; solamente pintaba algunas cosillas de tarde en tarde;
pero el fuego de su amor al arte adentro le ardía
aún, puesto que para recreo de su espíritu, quebrantado por el peso de las tareas del entresuelo, se encerraba en su cuarto tan pronto como entraba en
casa, y se pasaba media hora en la contemplación
extática de dos docenas largas de obras de su pincel,
que, puestas en cuadro, como lo mejorcito de la co-
lección, adornaban las paredes. Allí estaban, años hacía, siendo la admiración de todos los que en la casa
moraban y a la casa concurrían, con el respectivo
rótulo al pie, en letras como cerojas, que decía así:
*Lo hizo Antolín Liencres (de afición) el año de mil
ochocientos y tantos.* Y por si no era bastante el pa-
réntesis del rótulo para ponderar el mérito de la
obra, don Venancio, su señora, su hija, la doncella...,
cualquier persona que con cualquier pretexto—y entonces abundaban—introdujera a un visitante en
aquel cuarto, tenía muy buen cuidado de decir, señalando cuadro por cuadro:

—Esta es la Capitanía del puerto; ésta es la casa
de Botín; éste es el castillo de San Felipe, con su
catedral detrás; ésta es la lancha del Astillero, cargada de pasaje, a remo y a vela a un mismo tiempo...
¡Qué propio está todo!, ¿eh? ¡Parece que está hablando cada cosa de por sí!

Y de añadir en seguida:

—Pues mire usted: todo lo pinta de afición. Jamás
ha tenido maestro ni lo ha querido... ¿Para qué, haciendo lo que él hace y sabiendo lo que sabe?

Andrés se dio muy pronto por vencido. Verdad que
no le hurgaba mucho las entrañas el pundonor artístico. Cuando Luisilla vio a su hermano pintar barcos por debajo de la pata, y hasta despilfarrarlos

como detalles decorativos de sus paisajes, dijo una
noche a Andrés:

—Aprende, aprende, hijo. ¡Esto se llama pintar
barcos... y botes!

—Mejor es manejar bien los de verdad, como yo
los manejo—respondió Andrés.

—Y andar con marinerotes... ¡y con marinera-
zas!—replicó Luisa con mucho retintín.

Andrés se puso muy colorado, porque era la verdad
que se alampaba por la compañía de esas gentes
y por aquellas diversiones.

Las que le absorbían el seso a Tolín, juntamente
con el cambio operado en sus costumbres públicas,
por obra del tiempo que iba corriendo y de las condiciones enclenques de su naturaleza, fueron ape-
gándole de tal modo al rincón de la casa, que aquellas tertulias nocturnas del tiempo de su convalecencia llegaron a ser para él una verdadera necesidad.
Ni con agua hervida se le podía echar a la calle en
cuanto se encendían los faroles públicos.

El núcleo de su tertulia lo componían Luisa y Andrés. Algunas veces se arrimaban allá tres o cuatro
amiguitos y amiguitas de la vecindad; pero esto ocurría pocas veces, sin pena alguna de los otros, que
se encontraban muy a su gusto estando solos. Por
lo común, mientras Tolín pintaba, Andrés refería lo
referible de sus aventuras marítimas, y Luisa aten-
día a la pintura y a los relatos, sin perder una pin-
celada ni una frase.

Algunas veces metía su cuchara en las dos ca-
zuelas, y decía, por ejemplo, a su hermano:

—Me parece que ese verde es más de lechuga que
de mar.

O interrumpía a Andrés con estas palabras:

—Pues eso no le cae bien a un muchacho decente
como tú. A lo mejor hueles a esas pringues de lan-

cha..., y puede que tú también digas cosas feas cuando nosotros no te oímos...

Andrés, porque quería de veras a Tolín, concurría con asiduidad a aquella tertulia, en la cual se complacía mucho su madre—la capitana—y don Venancio Liencres, a quien el hijo de Bitadura estaba más obligado cada día. Porque si le hubiera dicho quien tenía autoridad para ello: «Pásate esas dos o tres horas que se te conceden de libertad por la noche donde más te agrade.» ¡Oh, entonces!..., entonces, sin abandonar por completo a Tolín, no frecuentara tanto su casa, con la pejiguera de mudarse la camisa un día sí y otro no, y el riesgo, entre otros, siempre gravísimo para él, de tropezarse, a lo mejor, con la señora de don Venancio, tan seria y estirada, y tener que saludarla muy atento y cortés, en la seguridad de no ser respondido más que con una palabra; y ésa, corta y seca. Bastante más le consideraban y se divertía en la bodega de la calle Alta, y junto a la Capitanía del puerto, o en la punta del Muelle, o en los Arcos de Hacha; dondequiera que hubiera marineros y desocupados y en corrillo. ¡Conocía y trataba a tantos de ellos!...

Según fue creciendo, las llamadas conveniencias sociales le obligaron a guardar un poco más la distancia; pero no por eso perdieron una pizca de fuerza sus inclinaciones; antes bien, se afirmaban y crecían con él, lo cual era crecer mucho, porque Andrés crecía y ensanchaba que era una bendición de Dios. A los diecisiete años rebasaba de la talla más de dos dedos, y alzaba en el almacén una quintalera en cada mano hasta más arriba de las caderas. Remando, daba torno al marinero más forzudo, y gobernaba el aparejo de un bote o de una lancha con singular destreza. Ni sures ni vendavales le imponían; y contra vientos y mareas bregaba triunfante, y no sólo impávido, sino gozoso. Yo no sé qué demonio tenía la mar para aquel muchacho; parecía de la naturaleza de los perros de lanas: en cuanto la veía, ya estaba buscando un pretexto para arrojarse a ella. Conocía las corrientes, las puntas de arena y todos los misterios de la bahía como el mejor práctico, y había corrido en ella cuantos riesgos y temporales pueden correrse por nieblas, varaduras y vientos desencadenados... En fin, que se lo sabía de memoria. Entróle comezón de ir aprendiendo algo de mar afuera, y para lograrlo no desperdiciaba ocasión. La primera se la ofreció la casualidad.

Las lanchas de práctico no tienen tripulantes fijos, y se echa mano de los primeros que se presentan. La remuneración es tal cual. Por un *limonaje* [128] a un barco que pase de ciento cincuenta toneladas se le cobran doscientos veinte reales, de los cuales ciento son para el práctico; soldada y media para la lancha, y el resto para repartir entre los marineros. Cada día entran dos prácticos de servicio, los cuales deben estar una hora antes de amanecer en la boca del puerto, y no pueden retirarse hasta otra hora después de ano-

---

[128] *limonaje:* lemanaje, el derecho que se paga al piloto práctico por la dirección de entrada de un buque en el puerto o salida de él; también la operación misma. Es curiosa la etimología de esta palabra, según Larousse en su *Gran Diccionario,* y debe consignarse traducida aquí:

«LAMANAGE.—Profesión de los pilotos, *lamaneurs. Lamaneur* (del antiguo francés *laman* literalmente, el *hombre del plomo*—de *lot,* plomo, y *mann,* hombre—, en flamenco; *lotman,* en alemán *lothsman,* porque los *lamaneurs* se sirven ordinariamente de sondas de plomo). *Mar.—Piloto que conoce particularmente un sitio de desembarco y está encargado de dirigir a él los buques.»* En algunos puertos de costa se llama todavía *leman* el piloto práctico, de donde procede directamente la palabra *lemanaje;* y Company, en su *Glos.* al *Cód. de las costum. marit. de Barcelona,* dice que «asimismo se denomina (el práctico) *locman,* del latín *locomanens,* que es como decir *habitante del lugar».* *(N. del A.)*

checido. Si el servicio de estas dos lanchas no alcanza, avisa el práctico mayor, para los casos extraordinarios, al patrón o a los patronos que se necesiten, por riguroso turno.

Al ocurrir un caso de éstos, una tarde de día festivo, se hallaba Andrés echando un párrafo con algunos mareantes a la puerta de la Zanguina. Faltaban dos hombres para completar la tripulación de la lancha, que debía salir a tomar el barco en el Sardinero; el caso era de urgencia y el práctico se impacientaba. «Esta es la mía para ver algo de eso», pensó Andrés. Y se brindó generosamente a tener por un lado. Considerábanle allí mucho por ser hijo de quien era y por la veta que sacaba, y con todos los miramientos y salvedades de rigor y de cortesía, se aceptó la proposición con entusiasmo. Como si al mozo le hubiera tocado la lotería, corrió al muelle delante de los que corrían más; saltó a la lancha el primero, armó su remo en la banda más floja, largó la tuína debajo del banco, afirmó los pies en el delantero..., y ya estaba en sus glorias. La lancha, boga que boga, salió del puerto; tomó el barco al oeste de la Peña de Mouro, y después de quedar amarrada al costado, Andrés subió a bordo con el práctico. ¡Otro cachito de gloria, enteramente nueva, para el animoso muchacho! ¡Abocar al puerto sobre el puente de un bergantín con toda su lona al viento y presenciar las maniobras de a bordo y las ansiedades del capitán, con el ánimo esclavo de los mandatos y las señales del práctico, y oír el áspero rechinar de la garrucha, y el cántico triste y cadencioso de los hombres que cobran la escota, y el ruido de los que corren, y la voz que los manda, y el rumor de la estela, y sentir en la cara el aire que mueve una vela al ser braceada, y en los pies el efecto engañoso del lento cabeceo del bergantín al deslizar su quilla entre las ondas que él mismo agita siguiendo el rumbo que

le traza el diestro timonel; y saborear, en la misma
colmena, las dulzuras de la inexplicable, misteriosa
armonía que llega a producir este conjunto de ruidos,
colores y movimientos!

El lance le engolosinó de tal modo, que lo repitió en
adelante muchas veces, siempre que tuvo ocasión de
ello, ya que no remando en la lancha del práctico, como curioso agregado a su tripulación.

He vuelto a citar la Zanguina, la famosa taberna
marinera del Cabildo de Abajo, cuya procedencia ig-
noran hasta los mismos viejos que la frecuentan todavía, y no llegaron a conocerla en los Arcos de Dóriga, donde se dice que la estableció por vez primera,
y con el mismo nombre, un capitán negrero que con
los relatos de sus aventuras crispaba las greñas de
los rudos mareantes que le escuchaban. Pues para
asistir a la Zanguina, siquiera dos veces por semana,
a las horas de sesión, cercenaba Andrés el tiempo necesario a la tertulia de Tolín, al fin o al comienzo de
ella, según las estaciones y las costeras. Tolín lo sabía; su hermana, no. Pero a ésta le engañaban entre
los dos con una mentirilla cualquiera, a fin de que
don Venancio ignorase el suceso. Porque el demonio
de la muchacha, que ya iba pasando de niña, había
dado en la flor de meterse en las cosas de Andrés, como si le importaran mucho, y con unos reparos y unos
aspavientos y unas advertencias tan escrupulosas y
tan encarecidas, que solamente podía explicárselo el
hijo del capitán Bitadura por la razón de ser Luisa
hija de su madre, tan celosa del lustre de su casa y
del bien parecer de los que andaban en ella.

A la Zanguina iba Andrés porque en la Zanguina
vivían, más que en sus propios domicilios, los mareantes del Cabildo de Abajo. Por allí pasaban para ir a
todas partes y por allí volvían, y allí descansaban y
allí departían; allí tomaban la mañana, y las nueve,

y las diez, y las once, y la sosiega, y torcían sus aparejos y compraban la *parrocha,* y levantaban empréstitos y dejaban sus ahorros; y allí, al volver de la mar, cargadas con las artes y la ropa de agua [129], aguardaban las mujeres a sus maridos: las de los malos, para llenarlos de improperios a cambio de algunos bofetones; las de los buenos, con la comida en la cesta y el hijo más chiquitín en el otro brazo, porque estos marinerotes, aunque no tan finos de piel ni tan pulidos de palabra como los pescadores de poema, también gustan de tener sobre las rodillas el retoño más menudo y darle el bocadillo más sabroso, a la vez que ellos se zampan, aunque en lugar extraño, la *puchera* doméstica, sobre todo cuando cuentan con no cruzar las puertas de su casa en dos o tres días, lo cual acontece durante las campañas de mucha brega, como las del besugo. Allí preparaban entonces sus artes para la madrugada siguiente, y allí, por tanto, encarnaban los sinnúmeros anzuelos de sus cordeles besugueros, y allí se embobalicaba Andrés viendo con qué primor iban los pescadores colocando en el fondo de la copa los anzuelos encarnados, contra las paredes los *reñales* y sobre los bordes el cordel. Ya había estudiado esta materia en la calle Alta; pero no es lo mismo vérselo hacer a un hombre solo, en el silencio de su hogar, que a muchos hombres a la vez, entre el ruido de las conversaciones, el interés de los relatos, el tufillo de la taberna y a la luz de los reverberos.

¡Cuánta gente conoció allí; cuántos caracteres estudió; cómo fue aprendiendo el nombre y la aplicación y el manejo de cada cosa; las zunas y las virtudes de cada mareante; la constitución del gremio, su tesoro, sus deudas, los intríngulis de cada familia, sus alegrías, sus pesadumbres!... ¡Porque aqué-

---

129 *ropa de agua:* se compone de calzones, chaquetón y sombrero (sueste), todo ello de lona encerada. *(N. del A.)*

llas sí que eran casas de cristal y no las que habitaban y nos encarecen esos señores públicos, a pesar
de la imaginada transparencia de sus conchas! Aquello era propia y materialmente vivir y pensar a gritos, en mitad del arroyo.

Allí conoció también al Falagán reinante a la sazón
de la tradicional dinastía de los Falaganes, de Cueto,
en la cual venía vinculado, y aun viene en estos tiempos, el servicio de vigías de Cabo Mayor, servicio que
se reduce a encender en él hogueras cuando hay
sur en bahía o rompe la mar en la costa, para advertírselo con el humo, si es de día, y con la luz, si
es de noche, a las lanchas que están pescando afuera.

Aunque no con todos estos pormenores que se van
narrando, Bitadura y su mujer conocían las geniales
aficiones de Andrés y estaba muy distante el capitán
de condenarlas. Pero la capitana las tenía entre ceja
y ceja a todas las horas de Dios.

—Ya lo ves—le decía su marido—. La veta de ese
muchacho es de la casta: pez de la mar desde los
pies a la cabeza. ¡Mira si tenía yo razón cuando quería enseñarle a navegar!

—Cierto—respondió la capitana—. Pero, por de
pronto, le tengo a salvo de borrascas y tiburones, y
eso vamos ganando.

—Ni siquiera eso..., ¡ni tanto como ello!—replicaba Bitadura—. Que puede el mejor día ponérselo el
bote por montera... ¡Y mira que es gloria el acabar
ahogado en una palangana, cuando se pudo morir
entre los huracanes del mar! Pero, en fin, lo quisiste,
y ya que te saliste con la tuya, no me pesa verle como
le veo. Es fuerte, es guapo, tiene corazón..., y para
eso son los hombres, mejor que para zarandear las
arrastraderas, con las manos enguantadas y el pescuezo entre dos foques almidonados, en salones y
paseos. No falte él a sus deberes, como no falta, y, te

lo repito, me gusta la hebra que va sacando. Lo que siento es que, por andar a escondidas para muchas cosas, las haga de prisa y mal; y hacerlas mal y de prisa donde él lo hace es muy peligroso, porque puede irle en ello la vida... ¡Sobre esto hay que hablar, Andrea!

—Y sobre lo otro también—replicó la capitana con ahinco.

—¿Y cuál es lo otro?

—Lo otro es que no hay quien le despegue de esa condenada bodega de la calle Alta.

—¿La de Mechelín?... ¡La casa más honrada y pacífica de todo el Cabildo de Arriba! Allí bien está..., mejor que en la Zanguina, donde le he visto yo una noche al pasar por delante de la taberna.

—¡También a la Zanguina!... ¡Y por la noche! Pues ¿no va a casa de don Venancio?

—Por lo visto, hace a todo el ángel de Dios. ¡Si te digo que saca una filástica!... Pero no te apures por lo de la Zanguina, porque eso corre de mi cuenta.

—Pero ¿qué dirán en casa de ese señor?

—No saben nada del caso... Y si lo supieran, ¡qué demonio!... ¿Les he entregado yo el hijo para que les haga la corte a todas horas? Pues mírate: entre los dos extremos, más le quiero con resabios de Zanguina que plagando la casa y la ciudad de mascarones pintados con añil y yema de huevo, como hace el otro.

—Y yo me entiendo, Pedro.

—También me entiendo yo, Andrea... Y también te entiendo a ti; sólo que tampoco en eso vamos conformes. Lo que esté de Dios, a la mano ha de venirse; y lo que no venga de ese modo, ni debe buscarlo él ni debes forzarle tú para que lo busque, porque ni lo necesita ni, si me apuras un poco, le conviene... Y basta de conversación.

porque.

cualquiera.

XIV

EL DIABLO, EN ESCENA

Precisamente muy pocas horas después de ella fue
cuando Andrés se decidió a manifestar a su padre
uno de los deseos, de los pocos deseos más voraces
que sentía: tener un bote suyo, o la mitad siquiera,
como muchos jovenzuelos de su edad. Porque entonces había una escuadrilla de elegantísimos esquifes
particulares que se fondeaban enfrente del café Suizo, como ahora hay caballos de regalo y coches de
fantasía. Procuró suavizar las asperezas que pudiera llevar consigo la pretensión, declarando a su padre
que arrimaría a la compra todos los ahorros que había hecho de los sueldos y gratificaciones ganadas
en el escritorio. Sonrióse el capitán y le ofreció el
regalo de un esquife nuevo, a condición de que no
volviera a la Zanguina más que de tránsito y en los
casos de necesidad; porque necesidad de darse una
vuelta por la Zanguina la tenían cuantas personas
de abajo eran dueñas de bote o aficionadas siquiera
a los placeres de bahía. Andrés aceptó de buena gana
la condición, y con las instrucciones del mismo Bitadura, le construyó Lencho un esquife, aparejado de
balandro, tan esbelto y sutil, que navegaba solo.

Por entonces empezó tío Mechelín a adolecer de
muchos achaques que a menudo le impedían salir a la
mar y aun le postraban en la cama. Los míseros aho-

rros se agotaron, y en la bodega comenzaron a sentirse varias necesidades, porque la labor de las mujeres no daba para cubrirlas todas. Andrés lo observó con mucha pena, sobre todo cuando se convenció de que los achaques del honrado pescador eran lacras del oficio, enconadas por el peso de los años; es decir, de las que no tienen cura y piden grandísimos cuidados para ir pasando el enfermo poco a poco el último y breve tramo de la vida.

—Yo no sé—decía una tarde tía Sidora a Andrés, con los ojos empañados, mientras su marido se quejaba, tendido en la cama—cómo, mirándose en este espejo, hay hombre tan *dejao* de la mano de Dios que se mete en este oficio. *¡Enfeliz!* ¡Cincuenta años largos de bregar en esos mares, con fríos que *aterecen*, con soles que abrasan, con vientos, con lluvias, con nieves; poco descanso, una pizca de sueño y vuelta a la lancha antes de romper el día, y cierre *usté* los ojos para no ver la estampa de la muerte, que se embarca primero que *naide* y va siempre allí, allí, con los *enfelices*, *pa* acabar con *toos* ellos cuando menos lo esperan y *onde* no hay otro amparo que la misericordia de Dios! Mire *usté*, don Andrés: yo no sé qué me pasa cuando me regatean cuarto a cuarto una libra de merluza en la plaza gentes que tiran un duro por un pingajo que no necesitan. ¡Si supieran lo que cuesta sacar aquel pescado de la mar! ¡Qué peligros! ¡Qué trabajos!... ¿Y *pa* qué, Señor? Para que el primer día que el *enfeliz* mareante se quede en la cama, no tenga su familia qué comer..., por *honrao* y trabajador que sea, como este *venturao*, que no tiene un mal vicio... ¡Si hubiera habido ahorros *pa* una *barquía* tan siquiera!... Ya ve *usté:* dos mil reales en cincuenta y más años de brega no es mucho pedir... Si hoy tuviéramos esa *barquía*, si no le era posible salir más *ajuera;* y cuando no, el

marco *mesmo* la ganara pescando otro en él, y de
ese quiñón comeríamos en casa. ¡Pero ni eso, don
Andrés, ni eso! Y yo no tengo jornal todos los días;
me faltan ojos ya *pa* la costura, y la poca que dan
en la calle a esta *desgraciá,* que es mi consuelo y mi
ayuda, la pagan mal y cuando les *paece*...

Sotileza, que se hallaba presente, no apartaba los
ojos de tía Sidora sino para ponerlos en los humedecidos de Andrés.

El cual, tan pronto como salió de allí, habló larga
y elocuentemente con su padre, que conocía mucho a
tío Mechelín y estimaba de veras sus honrosas cualidades.

Por conclusión de lo que trataron padre e hijo, dijo
al segundo el primero:

—Que no lo sepa tu madre, porque no mira esas
cosas por el lado que nosotros; pero hay que propor-
cionarle a Mechelín la *barquía* que necesita.

Y tío Mechelín la tuvo muy pronto, y desde aquel
día reverdecieron las mustias alegrías de la bodega
de la calle Alta, y fueron en ella Andrés y el nombre
de su padre hasta venerados. Por entonces dijo a Sotileza tía Sidora:

—Mira, hijuca: haz por ser desde hoy un poco pla-
centera de semblante y de palabra con esa persona,
que es una onza de oro de por sí, siquiera porque no
piense que somos ingratos. No es que tú le quieras
mal, que bien sé yo que no hay *na* de ello; pero la
cara no debe tapar nunca lo que pasa por adentro,
ni aunque lo de adentro sea malo, cuanto más siendo
bueno.

Porque es de saberse que aunque entre Andrés y
Sotileza había grande intimidad, era ésta casi toda
a expensas del carácter franco y comunicativo del
primero. Sotileza no era mucho más expresiva con
él que con las demás personas que la trataban, con

la monstruosa excepción de Muergo; pero como, con
respecto a Andrés, ningún malquerer tenía que disi-
mular la arisca rapaza que ya iba tocando en los límites de la belleza a que llegó poco después, se prestó de buena gana a hacer el esfuerzo que le reclama-
ba la más agradecida que experta marinera. Cuyo
asombro no tuvo medida cuando reparó que, según
iba subiendo la afabilidad de Sotileza con Andrés,
bajaba la de Andrés con Sotileza, y hasta iba cerce-
nando poco a poco sus visitas a la bodega. ¿Qué demonios pasaba allí? ¿De qué se había resentido un
mozo tan caballero y tan campechano, en quien todos adoraban? ¿No los juzgaría ya merecedores del
bien que les había hecho? ¿Pues no veía cómo lo
saboreaban y se nutrían de él y a su amparo conlle-
vaba alegre todo el peso de sus plagas el achacoso
marinero, sin que le robara el sueño la visión del
hospital para remate de sus días, y cómo aprovechaba la menor tregua en sus dolores para ganar un
quiñón más con el trabajo de su persona, porque ése
era su deber? ¿No iba a menudo, desde la humilde
bodega a la casa del capitán, poco, pero lo mejor de
lo escogido entre lo mejor de la pesca del día, no en
pago del beneficio recibido, pues éste ño tenía precio,
ni el bienhechor lo hubiera cobrado jamás, sino en
testimonio de que el pedazo de pan no había caído
en estómagos ingratos? Y si no era esto o algo que
pudiera parecérsele, ¿qué era? Y en vano se consumía y se devanaba los sesos tía Sidora, y entre tanto,
cuanto más reparaba en Andrés, más cambiado le
encontraba.

Llegó a consultar el caso con su marido y luego
con Sotileza; mas como el primero la echó enhora-
mala, jurando y perjurando que él no había visto
señales de semejante cambio, y la segunda, encogiéndose de hombros, opinó lo propio que tío Meche-

lín, la buena mujer, comenzando a dudar si había visto visiones, fue, ya que no olvidándolas, acostumbrándose a ellas, que era todo cuanto podía hacer con el clavo que tenía allá dentro.

Y el caso es que tía Sidora estaba en lo firme; lo que ignoraba, por fortuna suya, era la causa del retraimiento de Andrés, y esta causa va a conocerla el lector.

El mismo día en que tío Mechelín se halló en posesión de la *barquía,* subió a su casa Mocejón, que ya estaba hecho un carcamal, vomitando por aquella bocaza las mayores tempestades entre vahos de veneno.

—¡Ñules..., ñules!—exclamaba mientras, dando bandazos y cabezadas, iba desde la puerta de la escalera con rumbo a la sala donde destorcían chicotes viejos la Sargüeta y Carpia, y fumaba Cleto, silencioso, mustio y arruinado, a la pared—. ¡Lo que se corría salió! Pero, ¡ñules!, ¿*ónde* está la vergüenza de las gentes? ¿Con qué cara tomo eso? ¿Hay ley de Dios, *u* no hay ley de Dios? Esta casa, ¿es casa... *u* qué es? Si de la mía se la sacó porque la maltrataban..., ¿cómo se consiente, ¡ñules!, que se la tenga en ésa... para esos *timinejes?*... Porque, ¡reñules!, la cosa es clara, y en *cuanti* me la apuntó al oído *endenantes* quien las pesca al vuelo..., la pesqué yo también. ¡Reñules, qué sinvergüenzas!

Se le pidieron explicaciones y comenzó a enlazar, a su brutal manera, el donativo de la *barquía* con el apego de Andrés a la bodega y con la fresca juventud de su inquilina. Y digo que comenzó tío Mocejón a hacer este enlace porque a medio camino de su tarea le salieron al encuentro las mujeres de su casa y llevaron los supuestos apuntados a los extremos más escandalosos. Cleto tardó en enterarse, por lo perezoso que era de comprensión; pero en cuanto vio de qué se trataba, saltó como un tigre y exclamó indignado:

—¡Paño! ¡*To* eso es una pura mentira! ¡*Tos ustés* mienten aquí! ¡Y tú más que *denguno*, bribona! ¡Yo conozco a ese c...tintas! ¡Yo sé bien quién es *ca* uno de los de abajo..., y sé también quién es *ca* uno de los de aquí!... Y digo que eso es mentira, ¡paño!, y *güelvo* a decir que miente *usté*, porque chochea...; *usté*, porque nunca juntó boca con *verdá*..., y tú, por envidiosa y *cancaneá*... ¡Repaño!

Según iba Cleto vociferando así, su madre le tiraba a la cara el escabel; Carpia, los chicotes embreados, y Mocejón, sin fuerza para arrojarle cosa alguna ni para darle dos bofetones, lanzaba la interjección y el improperio que retinglaban. Entre golpe y golpe, la Sargüeta y su hija tampoco cerraban boca ni se cedían el turno.

—¡Anda, bragazas!... ¡Mal hijo!...

—¡Toma, indecente..., *pa* que le lleves el regalo!

—¡La han *vendío*, sí!

—¡Y se ha *dejao* vender!

—¡Y no por la *barquía*, que por menos se vendió primero!

—¡Así se echan ropajes de lo mejor!

—¡Y se vive a la sombra, sin trabajar!

—¡Vete a buscarla ahora!... ¡Carga con ella, *linchón!*

—¡Pero mira bien *ónde* la metes, porque si aquí la asomas, arde la casa! ¡Puaf!

Esto, sin contar lo de Mocejón, que no puede contarse, es una compendiadísima muestra de lo que se gritó en el quinto piso en menos de medio minuto, entre feroces manoteos y gestos espantables. Cleto echaba espumarajos por la boca, y no pudiendo tomar el desquite de su padre ni de su madre, arremetió a Carpia y le dio la tunda más soberana que había llevado en todos los días de su vida. Después salió de casa como un cohete; pero las hembras de ella no le injuriaron desde el balcón como solían, porque, como reñidoras de oficio, sabían muy bien que el asunto era peligroso para echarlo a la calle desde tan alto. Sabían igualmente que Sotileza no tenía el aguante de la atemorizada Silda, y tampoco ignoraban que el amparo del Cabildo y la estimación de las gentes de la calle, más se arrimaban a la huérfana de Mules que a ellas, hasta en cuestiones de escasa monta. ¿Qué no sucedería en un punto tan escandaloso? Pues si no fuera así, ¿cuánto haría ya que sus lenguas habrían estampado el sello afrentoso en la puerta de la bodega? ¿Para qué se necesitaba el testimonio de lo de la *barquía?* Desde que Andrés y Sotileza habían dejado de ser muchachuelos impúberes, ¿no era cada visita del uno a la casa de la otra fundamento bastante para alzar sobre él una cordillera de infamias dos bocas tan venenosas como las suyas? El sello se estamparía, ¡pues no faltaría otra cosa!... Y a fuego, no solamente en la puerta de la casa, sino en el rostro de todos y cada uno de sus moradores; pero cuando las circunstancias les ofrecieran una ocasión que las eximiera a ellas de toda responsabilidad, cuando la apariencia de los hechos confirmara la justicia de la denuncia. A eso iban caminando con heroica perseverancia, con ojo avizor y trabajando a la sordina.

Cleto, por de pronto, salió henchido de horror de aquel cuadro de abominaciones satánicas; mas, en cuanto el aire de la calle oreó su rostro enardecido, y su pobre razón fue entrando en capa, y latiendo al ordinario compás su corazón honradote, observó que en lo más hondo de él había una espina que le punzaba, al mismo tiempo que en su cabeza andaba aporreándole las paredes, como moscardón encerrado entre los cristales, una terrible sospecha. ¡Ah!, si la calumnia deja siempre alguna señal de su paso, aun en las inteligencias más sutiles y en los corazones más aguerridos..., ¿cómo habían de librarse la rudimentaria razón y el pecho desapercibido de Cleto del veneno que destilaron allí las palabras de toda su familia?... ¿Por qué no había de ser verdad lo que él rechazó como calumnioso, por oírlo de tales bocas? Andrés, pudiente y guapo mozo; Sotileza, huérfana y menesterosa, robaba los ojos de la cara; tío Mechelín y su mujer, dos *venturaos* de Dios y muy agradecidos al otro. Y si el otro se empeñaba, ¿qué había de resultar de todo esto? Y si no era para empeñarse, ¿a qué iba allí tan a menudo el otro?

¡Qué días y qué noches pasó el infeliz entre este batallar de sus cavilaciones! Todo se le volvió observar a Andrés cuando le encontraba en la bodega, y vigilar la calle para sorprenderle en ella a horas desusadas, y reparar en Sotileza cuando estaba al lado de Andrés... Y peor la ponía así, porque las miradas más inocentes y las palabras más sencillas le parecían testimonios irrecusables de la causa de sus recelos, y el menor ruido por la noche, en la escalera o en el portal, le hacía saltar del empedernido lecho y salir a escuchar por una rendijilla de la puerta. Por fortuna para todos, no se atrevió a decir palabra, aunque muchas veces las tuvo entre los labios, al matrimonio de abajo, siquiera por vía de desahogo, ya que no sirvieran a nadie de escarmiento. Pero, en cambio, detuvo una noche a Andrés en mitad de la acera, y llevándole, previa su venia, hacia el Paredón, cuya explanada estaba solitaria en aquel momento, le expresó, muy bajito y a su modo, cuanto le escocía y atormentaba adentro, robándole el apetito y el descanso.

Andrés se quedó espantado, porque ignoraba los

verdaderos motivos de las alarmas de Cleto. Cleto le
había asegurado que sólo la buena fama de aquella
honrada familia le movía a contarle lo que le contaba, y para que un mozo tan rudo como Cleto se
parara en pequeñeces tales, mucho debían de haber
trascendido los supuestos. Indagó sobre este punto,
y aunque Cleto le aseguró que solamente se lo había
oído a las gentes de su casa, como éstas se sobraban
para propagarlo por todo el pueblo, no le tranquilizó
cosa mayor. Pero negó con solemne entereza, y es-
trechando la diestra de Cleto con la suya, le juró,
delante de la casa de Dios, que en su vida le había
cruzado por las mientes un pensamiento tan infame
como el que la calumnia le atribuía. El hijo de Mocejón, ante una sinceridad como aquélla, vio rasgarse
la bóveda celeste y asomar por allí el sol y la luna
y legiones de ángeles con alas de oro. Ni rastros le
quedaron en el alma de aquella sospecha que tan
bárbaramente le había atormentado.

Andrés comprendió que le era preciso hacer algo
para atajar en su camino los calumniosos supuestos,
y, por de pronto, aquella noche ya no fue de tertulia
a la bodega.

Pero ¡qué frágil y concupiscente, como diría el padre Apolinar, es la condición humana! Aquel Andrés tan escrupuloso, tan hidalgote, tan precavido,
tan prudente y abnegado, al oír las negras confidencias de Cleto en la explanada del Paredón, en las
angosturas de su cuarto, en el silencio y oscuridad
de la noche, escrupulizando en el laboratorio de su
razón las que él había tenido para proceder como
procedía en su trato con la familia de tío Mechelín,
ya comenzó a ser muy otra cosa, aunque, en honor a
la verdad, sin darse la menor cuenta de ello. La conciencia más recta adolece de cierta elasticidad, que
si no se le pone coto con la fuerza de una voluntad

de hierro y de una razón bien maciza, llega a los extremos más peligrosos. Esto, en general. Pues si a favor de la ingénita flaqueza conspira la inexperiencia de los pocos años, el ímpetu de las veleidades de una naturaleza virginal y poderosa, la ignorancia, la pasión, el entusiasmo, como acontecía en el caso de Andrés, ayúdenme ustedes a sentir. Andrés había visto crecer a Sotileza y transformarse poco a poco, de niña vagabunda y medio encanijada, en apuesta y garrida moza; pero jamás le había pasado por las mientes una idea que tuviera la conexión más lejana con los propósitos que le atribuían las maldicientes sardineras de la calle Alta. De aquí su sincera indignación al enterarse de la confidencia de Cleto y su propósito instantáneo de irse retirando paso a paso de la humilde casa, donde su presencia comprometía el honor de una doncella. Pero, disipada la luz de este relámpago y examinando luego las cosas a la débil claridad de su razón, lo primero que ésta le presentó delante de los ojos fue el cuerpo mismo de la supuesta delincuencia; no en los atavíos insustanciales de la inocente compañera de juegos infantiles, o de la buena amiga de su incipiente mocedad, sino con todos los incentivos que puede ir acumulando una fantasía soñadora sobre un lujo de formas juveniles como el de la hermosa callealtera. En seguida, recordando otra vez los supuestos calumniosos de las hembras de tío Mocejón, se dijo en sus adentros: «Luego esto era posible.» Y por un contrasentido bien usual y corriente en todos los aprietos del humano discurso, volvió a indignarse de que se le hiciera capaz de cometer un delito cuya hipótesis estaba saboreando rato hacía.

Después volvió sobre su propósito de ir alejándose poco a poco de la bodega, y sin echar un punto de la memoria la huérfana amparada allí, pensó en

lo que juzgarían de su conducta tío Mechelín y su
mujer, tan bondadosos, tan campechanos. Declararles
el motivo era darles una puñalada en el corazón;
ocultárselo, era hacerse reo de una falta, cuando menos, de consecuencia en su cariño y buena amistad. Y
todo ello, ¿por qué?...

Porque a dos sinvergüenzas del quinto piso se les
había ocurrido dar a un acto noble y generoso una
interpretación inicua. ¿Y había de estar la tranquilidad de una conciencia limpia a merced de los juicios de dos mujeres desenfrenadas? ¿Y había de subor-
dinar él sus gustos lícitos, sus placeres honrados, a
los dictámenes de dos calumniadoras? ¡Jamás! Por
consiguiente, tomaría el aviso en cuenta, eso sí; pero
no daría a la hedionda familia de Mocejón el placer
imperdonable de someterse a sus deseos. Tomaría ciertas precauciones decorosas para alejar de los suspi-
caces todo pretexto a la murmuración; frecuentaría
menos que antes la bodega, pero volvería a ella, ¡vaya
si volvería! ¡Y que se atreviera nadie a preguntarle
para qué! ¡Que intentara algún deslenguado poner
en duda su honradez, su lealtad, la nobleza de sus
propósitos! ¡Sería capaz de hacer y de acontecer!
¡Consumar él un atentado semejante contra el honor y el sosiego de una familia honrada!...

Y si le hubieran puesto un Cristo delante para jurar
que en todo esto que afirmaba de sí propio no había
un atisbo de mentira, lo hubiera jurado hasta con entusiasmo. Y habría jurado verdad.

Y, sin embargo, escarbando bien en su corazón, ¡qué
pronto se hubiera hallado escondido en el fondo de él
algo que acreditara la inconsciente falsedad del jura-
mento! Porque lo cierto es que desde la primera vez
que volvió a la bodega después de haberse entregado
a aquellas meditaciones, aunque resuelto a combatir
heroicamente contra todo mal pensamiento que el de-

monio pudiera sugerirle, y contra las facilidades tentadoras de inesperada ocasión, si sus ojos se apartaban muy a menudo de Sotileza, en cambio, cuando la miraban, ¡de qué distinto modo que antes la veían!

Lo cual demuestra, por de pronto, tres cosas:

Que Andrés, pensando y obrando así, sentía menos honrosa e hidalgamente que en la explanada del Paredón al escuchar las confidencias de Cleto—tesis de estos últimos párrafos.

Que en el conflicto en que estas confidencias le habían colocado, lo más discreto y menos peligroso para él y para las gentes de la bodega hubiera sido retirarse de ella poco a poco y para siempre.

Y, por último, que tía Sidora tenía mucha razón al afirmar que en Andrés había habido un cambio repentino.

¡Si la mujer de tío Mechelín hubiera sabido qué esfuerzos de voluntad costaba este cambio al resuelto muchacho, precisamente cuando a Sotileza le daba por atenderle y agasajarle como nunca lo había hecho!

Y así fue pasando más tiempo, y con él llegando Sotileza a la plenitud de su desarrollo, y Andrés haciéndose un mozo cabal, fornido y gallardo; diestro, valiente y forzudo en la mar, donde consumía todas las horas de huelga, ya voltejeando con su *Céfiro*—nombre del esquife de su propiedad—, ayudado de Cole y de Muergo, que ordinariamente se lo cuidaban, ya pescando por todo lo alto en la *barquía* de Mechelín, cuyo flete pagaba escrupulosamente, con notorio disgusto del achacoso mareante, que tenía a cargo de conciencia recibir aquellos dineros de tales manos. Gozaba de gran prestigio en los dos Cabildos; en ambos eran muy escuchados sus pareceres, y el mejor patrón de lancha le hubiera cedido gustoso el gobierno de ella en momentos apurados.

De cuanto pescaba iba lo mejor a casa de don Ve-

nancio Liencres, y de propio intento lo mandaba a
menudo por Sotileza, que también llevaba a la capitana
lo que le regalaba Mechelín a cada instante, y aun al
mismo don Venancio, por insinuación de Andrés. Porque es de advertir que, cabalmente desde que se propuso tomar en la bodega de la calle Alta aquellas
precauciones decorosas, le entró la comezón, que jamás
había sentido, de que en su casa y en la de don Venancio Liencres se conocieran y se admiraran las prendas
excepcionales de la rozagante muchacha.

Y sucedió que la capitana llegó a decir a Andrés un
día que si aquella tal y cual volvía a poner los pies en
su casa, haría con ella esto y lo de más allá; y que
la distinguida hermana de Tolín le dijo una noche
más de otro tanto con igual motivo. Y Andrés se quedó
como quien ve visiones, porque no atinaba con la razón
de tales aspavientos.

Porque Andrés, a pesar de estas y otras cosas, por
las cuales se perecía, levantaba muy holgadamente todo
el peso de sus obligaciones en el escritorio y el de sus
deberes de amistad y cortesía al lado de su compañero
Tolín. Para entonces era Luisa lo que prometió ser de
pequeña: una señorita fina, muy compuesta y muy
escrupulosa en el ceremonial de su mundo Era bastante sosa de palabra; pero no tanto en el mirar de
sus ojos, negros y grandes, ni en el caer de sus labios
húmedos sobre la dentadura blanca y apretada. Se
pagaba mucho de guardar las distancias de clase, como
su augusta madre; pero hacía una excepción con Andrés, con cuyo trato se había ido familiarizando desde
niña. Continuaba siendo incansable fisgona de la vida
y milagros de este mozo, y como aquélla era tan con-
traria a sus gustos e inclinaciones, rara vez estaban
juntos sin que ella le calentara las orejas. Andrés solía
amoscarse de tarde en tarde con estas libertades;

Luisa se ponía nerviosa de ira al ver que se le negaba derecho para decir lo que decía; pero Tolín terciaba en la contienda y los ponía en paz; es decir, conseguía que se hablara de otro asunto, porque lo que es paz, verdaderamente, no se lograba, puesto que, al deshacerse la tertulia, Luisa se encerraba en su cuarto con un humor de todos los diablos, y Andrés salía renegando de la impertinente y entremetida, que al fin había de ser causa de que él no volviera más por allí.

Y éstos eran los únicos malos ratos que pasaba el hermoso mocetón, que en todo lo demás era un cascabel de oro que tintineaba alegrías en cuanto se le agitaba un poco..., y aunque no se le agitara.

Particularmente a Cleto le tenía sorbido el seso desde aquel apretón de manos. Todo lo creía posible en el mundo, menos que pudiera llegar a ser verdad el supuesto injurioso de su familia. Al padre Apolinar se le caía la baba viéndole y escuchándole; y como Andrés era dueño de algunos dineros, porque ganaba en el escritorio más de lo preciso para cubrir sus necesidades y sabía el destino que daba el caritativo fraile a las limosnas que recibía, y era además creyente a puño cerrado, no se hartaba de entregarle misas a San Pedro, y a los Mártires, y a la Virgen: hoy, para que saliera tío Mechelín de la cama; mañana, para que su padre llegara felizmente del viaje en que estaba empeñado; otro día, para librarse él de un contratiempo en la expedición de pesca que proyectaba mar afuera..., y así, pero misas hasta de a duro. ¡Misas de a duro! ¡Y a *pae* Polinar, que estaba cansado de decirlas a peseta..., y a dos reales; y tan agradecido y contento!

¡Pensar que él gastara sus ahorros en atavíos de sociedad y de paseo!... Si le fueron insufribles estos lugares cuando había clases y categorías, ¿qué habían de parecerle cuando, desde la introducción de los va-

pores y de la legión de ingleses traída por Mould a
Santander para acometer las obras del ferrocarril, ya
podía un mozuelo imberbe salir a la plaza con sombrero de copa alta sin temor de que se lo derribaran
de la cabeza a tronchazos; andaban por la calle, vestidos de señores, los marinos de la *Berrona,* sin la menor señal externa de lo que habían sido todos ellos cinco años antes, y Ligo, y Sama, y Madruga, y otros tales,
si bien marinos todavía por dentro, y violentándose
mucho para no descubrir la hilaza al hablar, mientras
andaban por acá iban al Suizo a tomar sorbete, después de haber paseado en la Alameda con levita ceñida
y sombrero de copa, y chapurreaban el inglés los chicos de la calle para jugar a las canicas con los rubi-
cundos rapaces de la soberbia Albión; y habían caído
los paraderos de Becedo, y estaba denunciada la casa
de Isidro Cortés, entre las dos Alamedas, y en capilla,
para ser terraplenada, la dársena chica, y a medio
rellenar la Maruca...; y, en fin, que toda carne había
corrompido ya su camino, y estaba la población, de
punta a cabo, hecha una indignidad de mezcolanzas
descoloridas y de confusiones intraducibles.

Quedárase todo ello para su amigo Tolín, que no
perdía paseo en las Alamedas, muy soplado de sombrero alto, guantes de cabritilla y bastón de retorcida ballena, y miraba tierno a todas las hijas de los
comerciantes ricos; y aun para su mismo padre, don
Venancio Liencres, y otros tales, que desde aquellas
juntas de pudientes padecían tales pujos de publicidad
y de elocuencia mercantil que ni paraban en casa ni
cerraban boca en todo el santo día de Dios.

¡Sí, bien apurado el asunto, Andrés y otra media
docena escasa de valientes, tan apegados como él al
tufillo alquitranado y a los placeres marítimos, eran
los únicos ejemplares que sobrevivirían de aquella raza

de anfibios que pocos años antes lo rellenaba todo en el pueblo e imprimía carácter a su juventud!...

Así estaban las personas, las cosas y los lugares de esta puntual historia cuando Muergo y el hijo de Mocejón se dieron aquella mano de *morrás* en el portal de Sotileza.

XV

EL PAÑO DE LAGRIMAS

El pobre Cleto andaba, andaba, calle arriba y calle abajo; del Paredón al portal, del portal al Paredón, diciéndose al comienzo de cada subida: «De esta vez, entro»; y llegaba junto a la puerta y no entraba..., y vuelta hacia el Paredón, y siempre con aquel clavo roñoso adentro, que se le hundía en lo más dolorido del pecho a cada paso que daba. Y aquel clavo era Muergo, y el considerar que si había de echarle de la bodega para siempre a fuerza de bofetadas, con lo necio y forzudo que el monstruo era, ya tenía campaña para rato; y si, al fin de ella, suponiendo que la campaña tuviera fin, resultaba que le cerraba la puerta a él por lo mismo que había tratado de barrerla de aquel modo, ¡lucida era la recompensa que obtenía por su empeño! ¡Si él tuviera amigos a quienes pedir un consejo! ¡Personas de formalidad y de palabra, que le creyeran todo lo que sentía despierto y soñando, a modo de *jirvor* [130] que le salía de la entraña, y rompía como un mar del Noroeste, tan pronto contra la tapa de los sesos como contra las paredes del arca, en cuanto ponía los pensamientos en Sotileza...—y no la apartaba un punto de su memoria—; y aquel cosquilleo que le entraba con sólo pensar en lo que él sería, arrimado para siempre a la bodega, y lo que temía llegar

[130] *jirvor:* vulgarismo por *hervor.*

a ser si, después de haber conocido cosa mejor, no le sacaban pronto del quinto piso o no se resolvía a tirarse una noche por el balcón abajo! Bien apurada la materia, él no podía vivir sin lo uno ni con lo otro. Se acordó de Andrés, en cuya influencia entre las gentes de la bodega había pensado también otras veces para salir de sus ahogos; pero Andrés era protector de Muergo, y no se prestaría a ayudarle en un empeño que perjudicaba a aquel animalote. Ir derechamente con sus cuitas a los interesados en ellas era aventurarse demasiado, porque, tras no conocer gentes, él fiaba poco en la torpeza de su palabra y en la cortedad de su genio para pintar a lo vivo las rompientes consabidas de sus *jirvores* y la fuerza y significación de los otros cosquilleos que le atormentaban. Y así discurriendo, andaba ya, sin darse de ello la menor cuenta, calle de Rúa Mayor abajo; y llegó a la Pescadería, desierta a aquella hora, y continuó hacia la Ribera..., y allí se encontró, tope a tope, con el padre Apolinar. ¡Nadie como aquel buen señor para oírle con caridad y apuntarle un buen consejo!

Le detuvo, saludándole gorro en mano, y le suplicó que le escuchara dos palabras que tenía que decirle.

—Si no son más que dos—díjole el fraile, al cabo de un rato que invirtió en recoger con las manos, puestas de canto sobre las cejas, la luz del farol más próximo para conocer con sus ojos enfermos al suplicante—, ya me las estás diciendo. Si son muchas, ve soltándolas según andemos, o dímelas en llegando a casa, porque estoy muy de prisa y no puedo perder el tiempo en la calle...

—Pues le diré en casa lo que tengo que decirle —contestó Cleto, virando de bordo y poniéndose al costado del fraile.

Este vivía a la sazón en una de las casitas bajas de la Alameda de Becedo; de modo que, siguiéndole los pasos, tuvo Cleto que atravesar la ciudad por la cuesta de la Ribera y calle de San Francisco, precisamente la arteria más llena de los jugos vitales del Santander de entonces. Marejadas de señorío y tiendas y más tiendas llenas de cosas y de luz, a babor y a estribor Cleto no recordaba haber pasado por allí en todos los días de su vida, y tanto le sorprendieron el ruido y las maravillas del cuadro, que a pique estuvo de olvidar con ellos sus *jirvores* y hormigueos.

—Hay que hacerse a todo, Cleto; a todo, a todo, hijo, a todo—decíale el padre Apolinar, reparando cómo se embobaba el mozo con lo que iba contemplando y cómo tropezaba con los transeúntes—. Pero sois bonitos de mar, y en cuanto salís a tierra y os veis entre gentes racionales y de mundo, ya os falta la respiración. Y lo peor es que esto se pega, porque has de saberte que si vivo un año más en aquella escalera de la calle del Mar, con ser quien soy y con tratar a tantos terrestres como yo he tratado siempre, salgo, ¡cuerno!, tan tonina[131] como vosotros. ¡Mira que solamente con aquellas crías que me mandaban a casa para escamarlas siquiera lo mayor había para perder el modo de hablar! No es decir esto que yo los haya abandonado, que a mi casa van algunos todavía, y no van más porque les parece largo el camino, si es que no los espanta como a ti. Pero siquiera se ventilan un poco en él, y cuando llegan a mí, ya no huelen tan mal. También los tengo terrestres, que hijos de Dios son como cualquiera y tan necesitados están como los más perdidos del pan de la inteligencia y de la palabra divina. ¡Cuerno, qué peces hay entre ellos! Pero con todo, hombre, yo no he tenido discípulo, ni espero tenerlo, por mucho que viva, tan sucio, ni tan feo, ni tan torpe como ese Muergo...

131 *tonina:* sinónimo de *atún.*

Esta palabra sacó instantáneamente al hijo de Mocejón del atolondramiento en que iba sumido. Estremecióse todo, echó un terno de los más redondos, y, sintiéndose poseído, repleto, de todos los resquemores que de ordinario le consumían, dijo con nerviosa vehemencia:

—Vamos a rema ligera, *pae* Polinar, *pa* que *alleguemos cuanti más* antes.

—¿Qué te ha dado tan pronto?, ¡recuerno!

—Esas pampurrias, ¡paño!, que me *anadan* en la bodega.

Poco después, alumbrados malamente por la luz de una cerilla que echó *pae* Polinar, subían ambos la escalera de la casa de éste, les abría la puerta la vieja ama de gobierno del exclaustrado y, por último, se encerraban en un mezquino gabinete, sobre cuya mesa, bien conocida del lector, comenzaba a lucir, ensanchándose y alzándose poco a poco, la llama perezosa de un cabo de vela, embutido en una palmatoria también inventariada más atrás.

Al hallarnos nuevamente con el padre Apolinar, y después de examinarle un instante de pies a cabeza, bien pudiéramos decir que no pasaba día por él. La misma cara y los propios hábitos: ni una arruga ni una costra más, ni un lamparón ni un recosido menos. El mismo *pae* Polinar de siempre, con sus párpados en carne viva, su cabeza gacha y sus talares transparentes y resobados.

—Mira, hijo, mira, ¡mira si tienes ojos para ver! —exclamó de pronto el fraile, apuntándole con el gesto unos libracos y unos papelotes que había sobre una mesa, por tener ocupadas las manos en quitarse la teja y el manteo—. Míralo y dime si *pae* Polinar, con esa tarea entre manos, tendrá tiempo de sobra para andarse de pingo por las calles.

Y como Cleto le miraba en demanda de una explicación más comprensible, añadió el exclaustrado:

—Eso es canela, hijo...; digo, canela, no; mejor es rescoldo que me consume el discurso y la salud y la poca vista que me queda. Porque has de saberte ahora que esto es un sermón que se me ha encargado para el día de los Santos Mártires en la capilla de Miranda... ¡El día de la fiesta del Cabildo de Abajo!... ¡Como quien no dice nada!... ¡Echame allí señores de Ayuntamiento, todos los mareantes y medio Santander, con la boca abierta, escuchando al padre Apolinar! ¿Te parece que es esto para que uno se duerma y se vaya a aquella cátedra con lo que salga a la buena de Dios?

Ocurriósele a Cleto contar por los dedos el tiempo que faltaba hasta el 30 de agosto; vio que era mes y medio bien cumplido, y así se lo dijo al fraile.

El cual se volvió rápidamente hacia el sencillote mozo—pues andaba pasando la manga de su chaqueta al pelo del sombrero, para atusarlo un poco antes de ponerlo sobre la mesa—y le habló así:

—Echa tres..., que más de otro tanto de lo que falta lleva sobre esta mesa, dale que le das a libros y tintero... Echa cuatro, que bien pueden echarse. ¿Y qué? ¿Te parece a ti que escribir un sermón para los Mártires es añadir un *pernal* [132] a un aparejo? ¡Aquí se ven los hombres, Cleto! ¡Aquí sudan el quilo los guapos..., los guapos, rejinojo! Y si algún predicador te dice otra cosa distinta, no te dice la verdad, ¡cuerno! ¡Buen chanfaina de predicador estaría él! ¡Bueno, bueno, bueno de veras! En fin, ya lo verás tú ese día si vas por la ermita.

---

[132] *pernal:* rainal, cordelillo muy fino y corto, que en un extremo·tiene un anzuelo y por el otro se añade el aparejo de pescar. *(N. del A.)*

—¡Yo!—exclamó Cleto con el más sincero de los asombros—. ¡Como no *vaiga* [133] yo a eso!

—Es verdad, que tú eres del Cabildo de Arriba... Pero otros del de Abajo me oirán, y ya llegarás a saber si aquello que les diga se aprende en un par de meses... ¡Vaya con estos muchachos, que nacen enseñados y con la palabra de Dios, *verbum Dei,* entre los labios!... Y ahora dime: ¿qué tripa se te ha roto? ¿Qué me quieres? ¿Por qué me buscas, *et quare conturbas me?*

Cleto, que estaba de prisa, no hizo esperar mucho la respuesta, si respuesta puede llamarse aquella marejada de sonidos guturales, de frases oscuras y descosidas, de interjecciones fulminantes, restregones de pies, bamboleos de espaldas y cabeza y crujidos de la silla.

—Bueno está todo eso—dijo el padre Apolinar, hombre muy ducho en descifrar tan rara especie de enigmas—. Pero ¿por qué me lo cuentas a mí?

—Pues *pa* que me dé un consejo, y si es caso, arrime el hombro *tamién*—respondió Cleto.

—¡Claro!—repuso el fraile, retorciéndose dentro de sus ropas—. Esa ya me la temía yo aquí..., en cuanto rompiste a hablar..., en cuanto te sentaste en esa silla..., en cuanto me paraste en la Ribera, ¡cuerno!... Además, eso que te pasa tenía que suceder, porque la mano de Dios alcanza a todas partes, y la que se hace se paga, y en teniendo vosotros algo que pagar, ya estoy yo, como el otro que dice, aflojando la peseta. ¡Recuerno con la lotería! Y dime, zoquete del jinojo: ¿por qué asomaste tú la jeta en aquella casa? ¿Qué falta hacías allí?

—Ella me pegó un botón una vez...

—Ya, ya; ya me has enterado de ello, con todo lo que se siguió a esa pegadura; pero después, cuando

133 *vaiga:* vulgarismo por *vaya.*

viste lo que te pasaba por adentro, ¿por qué no hiciste
bota arriba a la banda? [134] Porque yo, al hallarte en
la bodega alguna de las veces que he ido por allá,
siempre entendí que no se trataba más, por tu parte,
que de echar un párrafo y una punta, para pasar
aquel rato de menos en tu casa.

—Así fue al *escomienzo;* pero *endimpués...* ¡Paño!...
¿No le he dicho ya cómo me iba entrando, entrando
ello solo?

—¡Pues entonces, Cleto, entonces debió ser la re-
tirada, sabiendo, como sabes, que entre el quinto piso
y la bodega no puede haber amaños ni conciertos!...
Pero, vamos a ver, ¿sabe ella algo de lo que te pasa
por los adentros?

—Yo no se lo he dicho.

—¿Lo sabe Mechelín?

—Ni jota.

—¿Lo sabe su mujer?

—Lo *mesmo* que el marido.

—¿Qué tal cara te ponen?

—Los viejos, tal cual; ella..., me *paice* que no tan
güena... ¡Paño! Mejor se la pone a Muergo, y esto es
lo que me desguarne [135].

—Y en vista de lo que me dices, ¿qué quieres que
haga yo?

—Darme un consejo.

—¿Para qué?

—*Pa dir endimpués* a decirle, como *usté* sabe decirlo, que me quiero casar con ella.

—¡Baldragazas! Pues si das por sentado que hemos de acabar por ahí, ¿para qué quieres el consejo?

—Creo que *pa na.* Lo otro es lo que va *usté* a hacer,
y en el aire.

[134] *bota arriba a la banda:* volverse a tierra repentinamente;
dícese que tan pronto como estos pescadores descubren un ratón
en la lancha, hacen *bota arriba a la banda. (N. del A.)*
[135] *desguarnir:* desbaratar. *(N. del A.)*

—¡Un galernazo que te barra! ¿Sabes tú lo que me pides? ¿Sabes quién es tu padre?

—Por demás.

—¿Sabes quién es tu madre?

—Mejor *entodía*.

—¿Sabes quién es tu hermana?

—¡Mal rayo la parta!

—¿Sabes lo que hicieron una vez conmigo?

—Sí que lo sé.

—¿Sabes que hoy es el día en que no me atrevo a poner los pies en la calle Alta si las columbro en el balcón, y que en dos ocasiones, por no haberlas distinguido bien, me dieron una corrida en pelo a todo lo largo de la acera?

—Así lo oí *endimpués*.

—¿Sabes que antes de verte casado con esa muchacha serían capaces de prender fuego a la bodega, y a la casa, y a todos los de la vecindad?

—Por falta de mala entraña no quedaría.

—Y sabiendo todas esas cosas, Cleto de los demonios, ¿me quieres meter a mí en la danza? ¿No me ves atenazado, con la saliva en la cara, las hieles en la boca y en tiras la carne y el pellejo? ¡Cuerno! ¡O tú me quieres mal, o no estás en tus cabales!

—¡Paño! Pero si *usté* se cierra a la banda, ¿qué voy a hacer yo?

—¿Y a mí qué me cuentas de eso? ¿Te ha parido el padre Apolinar, por si acaso? ¿Te debe el pan que come? ¿Los hábitos que viste?... ¡Nada, hijo..., lo de siempre! Los jolgorios y los tragos dulces, para vosotros solitos, y en cuanto hay una desazón o una descalabradura, a buscarme a mí para que os quite el hipo u os ponga la venda. Esas canonjías me regaláreis. ¡Suerte de las personas, ¡cuerno!; suerte y no más que suerte! Verdad que ése es mi deber, si bien se mira... Pero también es cierto que los deberes se han de cumplir con su cuenta y razón, y esto que ahora se me pide es mucho más de lo regular; y no lo haré, y no, y no. ¿Lo quieres más claro todavía, Cleto?

Cleto bamboleó la cabeza, se levantó perezosamente de la silla, dio algunas vueltas al gorro entre sus manos y murmuró sordamente palabras incomprensibles. De pronto enderezóse, iracundo, y dijo al padre Apolinar, que se paseaba por la estancia:

—No sé lo que haré por mí solo en lo tocante al caso de ella; pero lo que es él, lo que es Muergo, *pae* Apolinar, si a pura *morrá* no acaba, ha de fenecer de otro modo, *u* se me aparta de allí.

—Hombre—respondió el fraile, cuadrándose delante de Cleto—, si no fuera pecado mortal, te diría que puede que hicieras una obra de caridad... ¡Ave María Purísima! ¡Qué barbaridades se le escapan a uno con estas marimorenas! No hagas caso, Cleto; no hagas caso de estos dichos al tunturuntún... ¡Pero vosotros tenéis la culpa, cuerno!... Conque vete, vete poco a poco; no tomes esas cosas tan a pechos; cálmate, duerme..., si tienes en dónde...; observa por la buena, déjate de ese animal, que ningún daño puede hacerte en lo que temes; perdónale... ¡Y quién sabe hombre, quién sabe! Por lo más oscuro amanece; y, en fin, ya me daré yo unas vueltas por allá; iré palpando el terreno, y, según yo lo vea..., con prudencia, se entiende, ¡con mucha prudencia!, te avisaré cuando deba avisarte. Y tú, entre tanto, la lengua y las manos quietas; mucho ojo a mí, ¡mucho ojo!, y por el cariz que yo presente y el que vayas viendo en la bodega, y algo que yo te apunte cuando deba apuntártelo... ¡Ea!, ya te he dicho bastante. Ahora vete, y déjame trabajar un poco, que bastante tiempo he perdido para lo que vamos ganando, ¡cuerno!

Salió Cleto algo más animado, pero no satisfecho, y

se arrimó el fraile a la mesa. Sentóse, y mientras desdoblaba un manuscrito, después de haberlo sacado de las entrañas de uno de los libros, murmuraba:

—¡Con estos entretenimientos y estas preparaciones, haga usted cosa de sustancia; busque latines al caso y emperejile discursos que aturdan a los oyentes!

Después limpió la pluma de ave en la pechera de la sotana, probó el temple de sus puntos sobre la uña del pulgar de la mano izquierda, hizo una pantalla con los libros puestos de canto, para defender sus ojos de los rayos directos de la luz...

Y se le presentó delante el ama de gobierno para decirle:

—Ahí está la mujer de Capuchín, el de Prado de las Viñas.

—¿Y qué se le pudre a la mujer de Capuchín?—replicó el fraile.

—Que tiene el marido mucho peor.

—Pues que se lo cuente al médico, ¡jinojo!

—Ya se lo ha contado, señor, y por eso viene aquí.

—Mejor hiciera entonces en ir a la botica.

—¡Así tuviera con qué, la *probe!*

—¡Y será capaz de venir a que se lo dé yo!

—Una limosna pide.

—¡Pues a buena parte llama! Pidiérala yo, Ramona, si no fuera por la vergüenza, ¡cuerno!

—Lo peor de todo es que en aquella casa no hay con qué dar una taza de caldo al enfermo... ¡Ni una miga de pan, señor!...

—¡Ave María Purísima! ¡Ave María Purísima! ¡Y tiene tres hijos y la mujer, y se cae de hombre de bien!...

Y mientras exclamaba así, el bueno de *pae* Polinar palpábase los bolsillos y hundía las manos después en el cajón de la mesa.

—Pero ¿qué jinojos ha de haber aquí?—murmuraba, sin dejar de palpar a tientas—. ¡Si por no tener, ni siquiera tiene cerradura muchos años hace!... Nada, Ramona, nada..., ¡nada! Dile a esa infeliz que perdone por Dios, que yo no puedo socorrerla.

—Pues ¿y el duro de esta mañana?—se atrevió a preguntarle la sirvienta.

—¿Qué duro, mujer de Dios?

—El de la misa de don Andrés.

—Sí..., échale un galgo.

—¿Desde esta mañana acá?

—¡Desde esta mañana acá!... ¡Qué cosas tienes! ¡Cuánto tiempo había de durarme!... Pues hasta que me lo pidieran... Me lo pidieron esta tarde en cuanto salí de casa, y me quedé sin él. ¡Cuerno!, me parece que la cosa no puede ser más natural ni más corriente.

Ibase ya la criada con el triste recado para la mujer de Capuchín, y de pronto la llamó el fraile:

—Oye, Ramona—le dijo—: antes que te vayas, y por lo que sea, ¿qué tenemos para cenar?

—Para *usté,* carne con patatas.

—¿Cómo para usted?... ¿Y para ti?

—Para mí hay cuatro sardinas.

—¿Y desde cuándo acá hay manjares distintos para nosotros?

—Es tan poca la carne, que no alcanza para los dos.

—Conque poca... ¿Y qué tal está, qué tal está con esas patatas?

—A medio hacer todavía, señor.

—A medio hacer, a medio hacer... ¡Vea usted, qué jinojo!... Pues mira: tráete ahora mismo esa carne, según esté, con puchero y todo.

—Pero, señor, si...

—Que lo traigas, ¡cuerno!

Salió la vieja Ramona, y volvió en el aire con un pucherete humeante entre las manos envuelto en una rodilla sucia.

Pae Apolinar lo acercó a sus narices; sorbió con ansias aquellos vapores suculentos y olorosos; y apartando en seguida el puchero lejos de sí, como quien huye de una mala tentación, dijo a su criada:

—¡Bueno, bueno, bueno de veras va el guisado este!... Pero como yo no tengo grandes ganas que digamos, dáselo a la mujer de Capuchín para que lo despachen en su casa como Dios les dé a entender.

Tras algunos reparos infructuosos, fuese la criada dispuesta a cumplir el mandato de su amo; el cual, asomando la cabeza fuera del gabinete, le gritó:

—Pero dile que me devuelva la servilleta... si no le hace mucha falta.

Luego se volvió a su sillón y a sus papeles, murmurando mientras los manoseaba:

—Cabalmente he leído yo, no sé dónde, que, para conservar la salud mientras se hacen trabajos de tanto empeño como estos que yo traigo entre manos, no hay nada mejor que meterse en la cama con hambre. Pues lo que toca a la mía de esta noche, es de órdago..., ¡de órdago! ¡Cuerno, si lo es!

XVI

UN DIA DE PESCA

Andrés madrugó al día siguiente más que el sol, y fue a la misa primera que decía en San Francisco el padre Apolinar para los pescadores de la calle Alta. Muergo, que había ido a llamarle, llevaba los aparejos y la cesta con las provisiones de boca para todo el día; provisiones que la capitana había preparado por la noche, según lo tenía por costumbre cada vez que su hijo iba de pesca. ¡Era de oír a la mujer de don Pedro Colindres cuando, delante de su hijo, acomodaba en la cesta cada cosa!

—Dos, cuatro, siete, diez... Una docena justa de huevos duros te he puesto. ¿Tendréis bastantes? En este envoltorio de papel van rajas de merluza fritas: dos libras y media. Por supuesto que si dejas meter las manazas a esa gente, no te queda a ti para probarla... ¡No comieran rejones atravesados! ¡Hijo, yo no sé cuándo has de perder esa condenada afición tan peligrosa! Y todo para venir abrasado del sol y del viento, y apestando la casa a esas inmundicias ..; y lo peor es que el mejor día, si no te quedas allá, coges un tabardillo que te lleva... Vamos, no te amosques, que por tu bien te lo digo... Aquí va una empanada de jamón con pollo... Estas son salchichas...: tres docenas. Procura que se harten con ellas esos hambrones, para que te quede a ti más de lo otro.

Para cinco he puesto. Si son más, porque a ti se te pega siempre medio Cabildo, ¡que coman clavos o que se arreglen con lo que haya! ¡Dará gusto ver a tu amigo Muergo chupándose los dedos y relamerse los hocicos de cerdo!... ¡Buena educación y buenos modales aprenderás a su lado! ¡Hijo, qué gustos más arrastrados tienes, y qué rabia me da no poder arrancártelos de cuajo!... Pero la culpa la tiene tu padre, que te los consiente, si es que no te los aplaude. ¡Sí, sí, Andrés! Te lo digo como lo siento; y tienes que oírmelo, porque eso es lo menos a que estás obligado... Una ración buena de pasta de guayaba para ti solo; medio queso de Flandes y dos libras de galletas dulces, para todos... Seis libras de pan... ¿Cuántas botellas de vino pongo?... ¿Tendréis bastante con cuatro? Vamos, te pondré seis; porque esa gente ¡tiene un saque!... La servilleta fina. ¡Cuidado con que les consientas limpiarse las manazas con ella! Para eso van estas dos rodillas grandes. El vaso para ti... y otro para ellos. Tenedores, cuchillos... Fortuna que la cesta no es chica, que si no... Ya estás avisado de lo principal... Sobre la cama te pondré el vestido de mar y el abrigo, por si el nordeste refresca... ¡Y por el amor de Dios, hijo mío!, no salgas muy afuera ni vuelvas tarde; ¡porque tú no sabes lo que yo me consumo pensando en lo que podrá sucederte! ¡Qué misa de tres se va a cantar en San Francisco el día en que esa condenada afición se te acabe... y vayan las cosas por donde deban ir!

Andrés, al salir de misa, vio que también la habían oído Mechelín y Sotileza, lo cual demostró que los dos iban a ser de la partida. Había acontecido esto en varias ocasiones, porque Sotileza se perecía por ello; y como no gustaba de otras diversiones y en su casa la mimaban en extremo, y Andrés, cuando fue consultado sobre el particular, despachó la pretensión encareciendo mucho lo que le complacía, no puso tía Sidora otro estorbo a los deseos de la hermosa muchacha que la condición de que, por el bien parecer, no fuera nunca a esos holgorios sin la compañía de tío Mechelín. Desde entonces, siempre que la salud de éste le permitía ir en su barco a pescar con Andrés, los acompañó Sotileza.

¡Qué ganas se le pasaban a Cleto de echar un memorial al campechano mozo para que se le diera una plaza en la *barquía,* en la que iban tantas cosas que le arrastraban a él hacia allá! Por de pronto, Sotileza, que era, como quien dice, su propia entraña; después, Muergo, que no merecía ni debía ir solo tan cerca de quien iba, y, por último, aquella pitanza, tan abundante y sabrosa, que llevaba Andrés para regodearse todos al mediodía. Y su memorial hubiera sido bien despachado seguramente; y lo fío yo con los propósitos que tuvo Andrés, en una ocasión, de anticiparse a los deseos de Cleto. Pero a Cleto le detenían las mismas razones que expuso a Andrés tía Sidora para que no intentara llevarle consigo en la *barquía,* lo más odiado en casa de Mocejón de todo lo perteneciente a la bodega, donde había tantas cosas aborrecibles para las mujeres del quinto piso. Cleto no tenía agallas bastantes para arrostrar las tempestades domésticas que le aguardaban, sentándose a remar en la *barquía* de su vecino, ni éste ni la gente de su casa querían tener con los de arriba más pleitos que los pendientes..., ¡que no eran pocos!

Por eso Cleto no acompañaba a Andrés en la *barquía* de tío Mechelín, y se conformaba con ver, desde lejos, embarcarse a los expedicionarios cuando Sotileza iba entre ellos.

«Por suerte, va Andrés con ella», exclamaba para sí en tales casos, si Muergo se embarcaba también.

Y eso mismo hizo y dijo en aquel día de fiesta, encaramado en lo alto del Paredón, mientras se embarcaban el viejo Mechelín, Muergo, Cole y Sotileza, cuando empezaba el sol a dorar los contornos del hermoso panorama de la bahía, y a saltar la luz en manojos de centellas al quebrarse en el terso cristal de las aguas. Reinaba en la Naturaleza una calma absoluta y algo bochornosa, y había nubes purpúreas sobre el horizonte alrededor del astro.

Aunque se izó la vela, fue por entonces inútil, por falta de aire. Muergo y Cole armaron los remos; tío Mechelín, a proa, armó también el suyo, porque no dijeran que ya no servía el pobre hombre para nada; y, buscando la contracorriente, porque la marea empezaba a apuntar en aquel instante, bogaron hacia la punta del puerto.

Andrés y Sotileza, sentados a popa, disponían y encarnaban los aparejos, entre dichos harto inocentes y alegres carcajadas. Porque es de advertirse que Sotileza, tan sobria de frases y de sonrisas en tierra, era animadísima en estos lances de la mar; y como hacía mucho tiempo ya que Andrés no seguía aquel sistema de disimulos a que espontáneamente se condenó, porque fue persuadiéndose poco a poco de que era innecesario, puesto que nadie se acordaría de los motivos que se lo aconsejaron, no desperdiciaba estas y otras prodigalidades que de cuando en cuando brindaba a su genio retozón y alegre el más retraído y seco de su amiga.

Esta, con todos sus andariveles domingueros [136], no valía tanto, aunque ella creía lo contrario, como en sus cortos y escasos trapillos domésticos; pero, no obstante, iba muy guapa en la *barquía,* con su pañuelo de seda encarnado encima del negro y ceñido jubón; su saya azul oscura; bien calzada, y con el profuso

---

[136] *andariveles domingueros:* arrequives, adornos o atavíos vistosos de mujer.

moño y la mitad de su cabeza ocultos por el gracioso pañuelo a la cofia.

Muergo se sentaba dos bancos más a proa que ella, y estribaba en el inmediato con sus piezazos negros y callosos. Cubría su torso hercúleo una ceñida y vieja camiseta blanca con rayas azules, y estos colores daban extraordinario realce al bronceado matiz de su pellejo reluciente. La sonrisa estúpida de siempre se dibujaba entre las dos cordilleras de sus labios, y a través de los mechones de greña que colgaban frente abajo, fulguraban los cruzados rayos de sus ojos bizcos.

Andrés se complacía en cotejar las frescas, finas y juveniles facciones de la linda muchacha con los detalles de la cabezona del remero. Admirado estaba mentalmente del contraste que formaban las dos caras, cuando le dijo Sotileza al oído:

—¡Nunca le he visto más feo que hoy!

—¡Muy feo está!—respondió Andrés, coincidiendo con Sotileza en un mismo pensamiento.

—¡Da gusto mirarle!—añadió la muchacha, con expresión codiciosa, hundiendo al mismo tiempo toda la fuerza de su mirada en las tenebrosas escabrosidades de la cara de Muergo.

Este sintió la puñalada de luz en lo más hondo de sí mismo; conmovióse todo; relinchó como un potro cerril, y cargándose sobre el remo con todos sus bríos bestiales, dio tal *estropada* [137], cogiendo a Cole descuidado, que torció el rumbo de la *barquía*.

En la cara de Sotileza brilló entonces algo como relámpago de vanidad satisfecha, y al mismo tiempo se oyó la voz de Mechelín, que gritaba desde proa, detrás de la vela, desmayada y lacia:

—¿Qué haces, animal?

[137] *estropada:* estrepada, el esfuerzo de todos los remeros a la vez, y también el de uno solo para bogar. *(N. del A.)*

—*Na* que le importe—respondió Muergo, relinchando otra vez.

En esto, Andrés y Sotileza largaron los respectivos aparejos, cada cual por su banda; y cuando la *barquía* llegaba al promontorio de San Martín, ya habían embarcado en ella más de dos libras de pescado, entre panchos, mules y lubinas, trabados a la cacea.

Allí comenzaba verdaderamente la diversión proyectada.

Se bajó la inútil vela, y Andrés y Sotileza, a barco parado, echaron la primera calada debajo del Castillo; porque junto a las rocas y en lo más hondo es donde se pescan los durdos, las jarguetas y otros peces de estimación.

Después pasaron a la isla de la Torre, y luego a la playa de enfrente, porque los barbos prefieren los fondos arenosos; y más tarde, a la Peña Horadada; y así, de peñasco en peñasco, de playa en playa, pescando lo que se trataba, más porredanas, panchos y julias, de manto negro, que los barbos que apetecían los pescadores, llegaron éstos, en virtud de que la mar estaba como un espejo, a la isla de Mouro, no sin que Mechelín, siguiendo la diaria costumbre de los patrones de lancha, dijera, descubriéndose la cabeza en el momento de salir del puerto: «Alabado sea Dios», y rezara y mandara rezar un Credo. Sotileza, que jamás había salido mar afuera, comenzó a sentir los efectos de la casi invisible, pero constante, ondulación de las aguas.

A causa de este percance inesperado volvió la *barquía* a puerto, ante cuya boca exclamó Mechelín, observando también en ella otra costumbre jamás quebrantada por los patrones en casos tales:

—¡Jesús, y adentro!

Después de rebasar el Promontorio, se prepararon

las guadañetas; y, dejándose llevar de la corriente la *barquía*, se dio principio a la pesca, o más bien al robo de los *maganos*. Sotileza, aunque tenía un arte admirable para agitar con la blandura y tacto necesarios dentro del agua aquel manojo de alfileres con las puntas vueltas hacia arriba, carecía de práctica en la manera de embarcar el *magano* trabado sin que el chorro de tinta negra que éste larga en cuanto se siente fuera de su natural elemento se estrelle contra el mismo pescador o los que se hallan cerca de él. Así fue que con el primer *magano* que trabó en su guadañeta puso a Andrés lo mismo que si le hubieran zambullido en un tintero. Mordíase Sotileza los labios por no reírse con el lance, que por de pronto arrancó a Andrés una interjección algo fuerte, y acabó por reír como una loca cuando Andrés, pasada la primera impresión, tomó también el caso a risa. Entonces Muergo, que los miraba sin pestañear, descansando de codos sobre el ocioso remo, exclamó de pronto, al calar otra vez la muchacha su guadañeta:

—¡Puño! ¡Ahora *pa* mí, Sotileza!... ¡Echame *toa* la tinta de ese que pesques en *metá* de la cara!... ¡Ju, ju, ju!...

Sotileza le respondió con una ojeada en que iba escrita la intención de echarle encima lo más que pudiera; y Muergo, dejando el remo, se plantó a su lado, dispuesto a recibirlo. Pero salió el *magano,* soltó la tinta y fue ésta a parar a la pechera de Cole, que no lo deseaba ni en nada se metía.

—¡*Güena* suerte tenéis!—rugió Muergo, contrariado.

Mas no había acabado de decirlo, cuando ya tenía en su cara toda la pringue del *magano* que acababa de sacar Andrés.

—¡No es lo *mesmo* uno que otro, puño!—exclamaba Muergo, escupiendo tinta y echando el busto fuera del *carel* [138] para lavarse la cara, en la cual apenas se distinguían las manchas negras.

En éstas y otras corrió el tiempo hasta más del mediodía; la marea estaba bajando, el calor sofocaba, y venían del Sur unas bocanadas de aire tibio que rizaban apenas la superficie de la bahía, a la vez que iban sus aguas tomando un tinte azul muy intenso.

—A comer—dijo de pronto Andrés.

—¿En *ónde?*—preguntó tío Mechelín.

—Donde siempre, en la arboleda de Ambojo.

—Algo lejos está—replicó el marinero—. ¿Se ha hecho usted cargo de que ya apunta el sur, con trazos de apretar recio?

—¿Y eso qué?—observó Andrés—. ¿Ya no hay agallas para tan poco?

—Por *usté* lo digo, don Andrés, y por esa muchacha, que se puede calar algo los vestidos; que lo que toca a mí, sin *cuidao* me tienen estas chanfainas de *badía*... ¡*Isa,* Cole!

Y Cole, ayudado de Muergo, izó otra vez la vela, que se agitó en el aire hasta que, atesada su escota por Andrés, que también cogió la caña, quedó tersa e inmóvil mientras la *barquía* comenzaba a deslizarse lentamente, porque el viento era escaso, con la proa puesta a los picos de Alisas.

Media hora después llegaba a la costa en cuya demanda iba. El viento había arreciado un poco, y como la playa es llana, la resaca [139] invadía un buen trecho entre el arenal descubierto y el punto en que, de intento, embarrancó la *barquía.* Cuestión de descalzarse para salir a tierra quien no tuviera en sus piernas el brío necesario para salvar el obstáculo de un solo brin-

---

[138] *carel:* lo mismo que *borda. (N. del A.)*

[139] *resaca:* movimiento de las aguas en la orilla después de haber avanzado o chocado en ella. *(N. del A.)*

co, o dejarse sacar los más escrupulosos en brazos del más forzudo y menos aprensivo.

Por de pronto, se convino en que Cole se quedara al cuidado de la *barquía,* para que no llegara a vararse por completo, lo cual acontecía si se tardaba mucho en resolver el punto referente al modo de desembarcar sus tripulantes y pasajeros; y sacó Andrés para él, del cesto de las provisiones, abundante ración de cuanto había. Mechelín, en gracia de sus achaques, consintió en que Muergo cargara con él hasta dejarle en seco; y mientras andaba Andrés empeñado en hacer otro tanto con Sotileza, que prefería descalzarse y ya se disponía a hacerlo, volvió Muergo del arenal, la agarró por la cintura y cargó con ella, que se dejó llevar, muerta de risa, en tanto Andrés saltaba, de un brinco prodigioso, desde el carel de la *barquía* a la parte enjuta de la playa, en cuyas arenas hundió los pies hasta el tobillo.

Y Muergo, que le precedía más de dos brazas, seguía corriendo sin soltar la carga, que antes parecía darle fuerzas que consumírselas; y casi tocaba ya los primeros cantos de las veredas que arrancaban de aquellos límites del arenal, y aún no daba señales de posar a la gentil moza, que, entre risas y denuestos, le machacaba la cara y le tiraba de la greña.

—¡Déjala ya, animal!—le gritó Andrés.

—¡Suéltala, *piazo* [140] de bestia!—repitió tío Mechelín.

Como si callaran, Muergo corría y corría, y parecía dispuesto a no dejarla hasta la arboleda misma, a cuya sombra deseaba Andrés que se comiera.

Viendo trepar aquel monstruo greñudo y cobrizo por los ásperos callejos y entre matas de escajo, oprimiendo entre sus brazos nervudos las ricas formas de la garrida callealtera, había que pensar en Polifemo robando a Galatea, o siquiera en Quasimodo co-

---

[140] *piazo:* vulgarismo por *pedazo.*

rriendo a esconder a Esmeralda en los laberintos de su campanario.

Al fin, volvió solo, echando chispas por los ojos bizcos, y agitándose en derredor de su cabezota, al impulso del viento, los mechones retorcidos de su greña montuna.

Tío Mechelín le maltrató de palabra por aquella acción que tan mal parecía a los que no conocieran el juicio de la honradísima muchacha, y Andrés también le echó un trepe gordo [141]. Muergo no hizo caso maldito de las durezas de su tío; pero a Andrés le soltó al oído estas palabras, mientras se restregaba las manos y escondía en lo más hondo de los respectivos lagrimales todo lo negro de sus ojos:

—¡Puño, qué gusto dan estas cosas!

A lo que respondió el mozo largándole un puntapié por la popa; de tal modo, que le apartó de sí más de dos varas

Muergo recibió el agasajo con un estremecimiento bestial, dos zancadas al aire y un relincho.

Después cogió la cesta de las provisiones y una gran jarra vacía que llevaba tío Mechelín, y siguieron todos hacia la arboleda, a cuya entrada aguardaba Sotileza, mientras Cole, después de haber desatracado la *barquía,* no sin mucho esfuerzo, y de haberse fondeado con el rizón [142] donde no corría peligro de vararse otra vez, daba comienzo a su particular banquete, al suave arrullo de la resaca y al dulce balanceo de la *barquía* sobre los blancos lomos del oleaje que el viento agitaba lentamente.

¡Sabrosísima, y bien glosada además, fue la comida de los cuatro comensales de la arboleda! Y por lo que toca a Muergo, hubo que ponerle a raya, según costumbre, porque no tenía calo, particularmente en el

---

[141] *trepe gordo:* reprensión áspera.
[142] *rizón:* ancla de tres brazos. *(N. del A.)*

beber. Andrés y Sotileza apenas bebían otra cosa que el agua fresca que se habían traído del manantial cercano; y por acuerdo de ambos, se guardó, de todo lo mejor que se comía, una buena ración para tía Sidora, con harta pesadumbre de Muergo, que hubiera devorado también las rebañaduras... Tío Mechelín agradeció en el alma esta cariñosa atención consagrada a su mujer, como en otros lances idénticos; y con este motivo, amén de sentirse él bien confortado y bajo el saludable influjo de la amenidad del sitio y de las caricias del aire, despertósele aquella locuacidad tan suya, que sólo la tiranía de los años y de los achaques había sido capaz de ir adormeciendo poco a poco, y empezó a entonar panegíricos de su vieja compañera. Cantó, una a una, sus virtudes y sus habilidades; después retrocedió con la memoria a los tiempos de su propia mocedad, y pintó sus castos amores y sus alegres bodas; y en seguida su felicidad de casado y sus desventuras de pescador; y luego sus lances de hombre maduro; y, por último, los achaques de su vejez, sin reparar que desde la mitad de su relato, que fue larguísimo, Muergo roncaba tendido boca arriba, y Sotileza y Andrés no le escuchaban, por estar más atentos que a su palabra, a las que a media voz y con mucho disimulo se decían mutuamente los dos mozos. El mismo Mechelín se fue rindiendo a los asaltos del sueño, y acabó por tenderse en el suelo y por roncar tan de firme como su sobrino.

Andrés y Sotileza se miraron entonces, sin saber por qué; y quizá sin conocer tampoco la razón de ello, pasearon después la vista en derredor del sitio que ocupaban, y todo lo vieron desierto y sin otros rumores que los que el viento producía entre las ramas de los árboles.

Sotileza, con el bochorno de la tarde y los vapores de la comida, estaba muy encendida de color; y como ya se ha dicho que a merced de tales jolgorios era más animada y habladora que de costumbre, este exceso de animación se revelaba en la luz de sus ojos valientes y en la sonrisa de su boca fresca. Con esto y el fuego de sus mejillas, Andrés la vio, sobre el fondo solitario y arrullador de aquel cuadro, como nunca la había visto. Se acordó con indignación de la calumnia de marras; y para enmendarlo, comenzó a convertir en frases terminantes las medias palabras que usó mientras tío Mechelín relataba sus aventuras. Y aquellas frases eran requiebros netos. Y Sotileza, que no los había oído jamás en tales labios, entre la sorpresa que le producían y el efecto de otra especie que le causaban, no acertaba a responder lo que quería. Esta lucha interior le saltaba a la cara en una expresión difícil de interpretar para unos ojos serenos, mas no para los de Andrés, que ofuscado en aquel instante por los relámpagos de su interna tempestad, todo lo convertía en sustancia. Alucinado así, tomó con su diestra una mano que Sotileza tenía abandonada sobre su falda, y con el brazo izquierdo le ciñó la cintura, mientras su boca murmuraba frases ponderativas y fogosas. La moza entonces, como si se viera enredada en los anillos de una serpiente, deshizo los blandos con que la sujetaba Andrés con una brusca sacudida, lanzando al mismo tiempo sus ojos tales destellos y transformándose la expresión de su cara de tal modo, que Andrés se apartó un buen trecho de ella, y sintió que se le disipaba el entusiasmo, como si acabaran de echarle un jarro de agua por la cabeza abajo.

—Desde ahí—le dijo fieramente la indignada moza—, todo lo que quieras..., no siendo hablarme como me has hablado... No digo de ti, que estás tan alto; pero ni de los de mi parigual debo oír yo cosa que no pueda decirse delante de ese *venturao*—y señalaba a tío Mechelín.

Andrés sintió en mitad del pecho la fuerza de esta brusca lección, y respondió a Sotileza:

—Tienes razón que te sobra. He hecho una barbaridad, porque... ¡no sé por qué! ¡Perdónamela!

Pero, aunque así se expresaba, otra le quedaba adentro. En descalabros tales es donde más padece la vanidad de los buenos mozos, y la de Andrés había quedado muy herida, tanto por el descalabro en sí cuanto por venir éste de mujer que, aun resuelta a rechazarle a él, estaba obligada a hacerlo de otro modo menos brutal, y porque no se compaginaban fácilmente su cruda esquivez con un mozo tan gallardo y el regocijo con que la esquiva se dejaba llevar poco antes entre los brazos del monstruoso Muergo.

La alusión al pobre y honrado marinero dormido a su lado también le había llegado al alma, no por inmerecida, sino porque la ocurrencia de Sotileza debió haberla tenido él antes, y así se hubiera evitado que le recordaran los labios de una marinera ruda lo que más le estaba ardiendo la conciencia. En fin, que al verse corrido en aquel trance, obra de las circunstancias, pensaba y sentía lo que sintiera y pensara cualquier nieto de Adán, tan honradote, tan mozo, tan sano y tan reflexivo como él, en idéntica situación.

En tanto, Sotileza, sin señales ya de su enojo, se puso a levantar los manteles y a acomodar en la cesta los avíos y las sobras de las comidas. De paso, despertó a los dormidos: al *venturao*, sacudiéndole blandamente, y a Muergo, arrojándole a la cabeza el agua que había quedado en la jarra. Enderezóse éste lanzando un bramido, mientras se incorporaba el otro bostezando y restregándose los ojos, y como los celajes se oscurecían y el sur iba apretando, diéronse prisa todos y volvieron a la playa, bien corrida ya la media tarde.

Nadie se había acordado de Cole, el cual, como si contara con ello, se había tendido a dormir, tan guapamente, sobre la vela plegada en el panel[143] de la *barquía,* en cuyo fondo se zarandeaba, a medio flotar en el agua, de intento vertida allí, la pesca de la mañana. Costó muchas y recias voces desde la playa el trabajo de despertar a Cole; pero al fin despertó: haló el arpón para adentro y atracó la *barquía,* que no fue mucho, pues la resaca era mayor que por la mañana, porque el viento era más fuerte y la marea subía ya. Como no era tan fácil saltar desde el arenal al barco como desde el barco al arenal, Andrés no tuvo otro remedio que dejarse embarcar en brazos de Muergo, y resignarse a ver otra vez entre ellos, sin pizca de protesta, a la que tan duras se las había hecho a él por menos estrujones.

Ya todos en la *barquía,* tío Mechelín reclamó el gobierno de ella para sí, como más viejo en el oficio, y en virtud de «lo que pudiera tronar», porque el viento arreciaba por instantes. Sometióse Andrés, sin réplica, a los mandatos del experto marinero; sentóse éste a popa; agarró la caña, e izada ya la vela, templó la escota a su gusto. Crujió la lona, tersa y sonora como el parche de un pandero, y el barco se puso en rumbo, encabritándose sobre las olas que le batían de proa, como caballo fogoso que encuentra una barrera en su camino. Como era de esperar, la *barquía,* ciñendo el viento[144], tumbó sobre el costado y comenzó a navegar de bolina[145]; pero derivaba[146] mucho por ceñir

[143] *panel:* el suelo lleno de piezas sueltas, pero muy bien avenidas, que tienen las lanchas. *(N. del A.)*
[144] *ceñir el viento:* navegar contra la dirección de éste. *(N. del A.)*
[145] *bolina:* posición inclinada de un buque ciñendo el viento. *(N. del A.)*
[146] *derivar:* declinar a impulso del viento o de las corrientes hacia la parte menos ventajosa. *(N. del A.)*

demasiado, y Mechelín remedió la deriva[147] mandando echar la orza a sotavento—una sencilla tabla colgada del carel—. Andrés y Sotileza se sentaron en el costado opuesto, para repartir mejor la carga de la *barquía,* que volaba sobre la hirviente superficie. Embestía las olas con ímpetu loco, y al estrellarse con ellas embarcaba los chorros de espuma en que las dejaba partidas.

Andrés se había echado su capote impermeable sobre la espalda; pero Sotileza llevaba la suya sin un amparo, porque no había consentido que tío Mechelín, viejo achacoso, le diera el sueste[148] y el chaquetón embreados con que se cubría para no mojarse, y que a prevención había llevado a la pesca. Los dos marineros mozos no tenían más ropa que la puesta al salir de casa. Así es que, para no calarse ni perderse el vestido nuevo, bastante mojado ya, Sotileza no tuvo otro remedio que aceptar el medio capote que con insistencia le ofrecía Andrés.

Vióse, pues, la hermosa pareja guarecida bajo una misma envoltura de pocas varas de paño, y muy arropadita por la cabeza y por los costados; porque contra el agua que sin cesar saltaba por aquella banda, toda prevención era poca. Andrés, recordando lo pasado, procuraba molestar a su compañera lo menos que podía; pero dejar de arrimarse a ella por alguna parte le era imposible, porque el capote no daba para tanto lujo.

Muergo y Cole achicaban a cada momento el agua que iba embarcándose. Tío Mechelín no apartaba la vista del rumbo y del aparejo. Y la *barquía,* volando, atropellaba a las olas, y caía en sus senos, y se alzaba en sus crestas; y, a veces, sólo un punto de su quilla

---

[147] *deriva:* acción y efectos de derivar. *(N. del A.)*
[148] *sueste:* sombrero de lona encerada, con el ala estrecha por delante y muy ancho por detrás.

tocaba el agua espumosa. Chorros de ella corrían por las caras de Cole y de Muergo, y los mechones de la greña de éste goteaban como bardal después de la cellisca.

De pronto, dijo Andrés a Sotileza, y por lo bajo:

—En este mismo sitio zozobró mi bote una tarde, con un viento como el de hoy.

—¡Vaya un consuelo para mí!—respondió la otra, en la misma tesitura.

—Es que me empeñé yo en tomar todo el viento de costado sin mover la escota... Una barbaridad.

—¿Y cómo saliste?

—Me cogió una lancha que venía detrás, y remolcó también el bote.

Volvieron a callar el uno y la otra, hasta que al hallarse la *barquía* enfrente de la Monja y próxima a los primeros barcos, volvió a decir Andrés, bajito, también:

—Aquí me puso el *Céfiro* quilla arriba una racha de vendaval.

—¿Y tú?—preguntó Sotileza.

—Yo me aguanté agarrado al bote, hasta que me cogió uno de un barco. Aquel día me vi mal, porque caí debajo y, además, hacía mucho frío.

—Dos zambullidas... Bastante es para lo mozo que eres.

—Dos, ¿eh? ¡Y también siete llevo ya!... ¡Y ojalá contara hoy la ocho!

—¡Vaya intención, Andrés!

—No es tan mala como tú piensas, Sotileza; porque quisiera hallarme en un lance en que dieras a los brazos míos tanto valor... siquiera, siquiera, como a los de Muergo.

—¡Mira con qué coplas sale!

—¿Te ofendes de ellas también?

—Porque no vienen al caso.

—Pues nunca vendrán mejor.

—Señal de que no están en ley.

En esto, los inundó una cascada que saltó a bordo al entrar la *barquía* en un verdadero callejón de naves fondeadas, donde el viento era más impetuoso y los maretazos más fuertes. Tío Mechelín, en vista de lo que esto prometía para más adelante, propuso a Andrés enmendar el rumbo para desembarcar al socaire del Paredón del Muelle-Anaos, en lugar de seguir hasta la calle Alta, como aquél deseaba.

Y así se hizo, con magistral destreza de Mechelín y beneplácito de todos.

Dijo Andrés qué pescado de lo cogido por la mañana quería para su casa y la de don Venancio Liencres, dejando el resto a beneficio del barco; despidióse de todos muy campechano, y de Sotileza entre cariñoso y resentido, y tomó el rumbo de su casa mientras la gente de la *barquía* la desvalijaba de todo lo movible y manducable, y después de dejarla bien amarrada, cargaba con ello y se encaminaba a la calle Alta por la de Somorrostro arriba..., seguido, a lo lejos del taciturno Cleto, que había presenciado, sin ser visto, la atracada y el desembarco, diciendo para las honduras de su *bodega*: «Mientras Andrés la ampare, no me importa.»

XVII

LA NOCHE DE AQUEL DIA

Andrés durmió mal aquella noche, ¡muy mal! En el paso imprudente que había dado en la arboleda de Ambojo, faltó a muchos deberes y cometió muchas inconveniencias a un tiempo. ¡Tantos años corridos en la intimidad de la pobre familia de la bodega! ¡La honrada vanidad que él fundaba en ser el paño de lágrimas de los dos viejos, que le tenían en las mismas entretelas del corazón! ¡Aquella misma confianza con que la hermosa muchacha, desde que fue niña descuidada, venía amparándose de su sombra benéfica, sin recelar del juicio de las gentes, que podía manchar su buena fama, como la habían manchado ya, como seguirían manchándola las mujeres del quinto piso! ¡Y el matrimonio de abajo, y la misma Sotileza, y hasta el huraño Cleto le querían, le amaban, precisamente por honrado y parcialote; por humilde, por generoso... y porque le creían capaz de partir con ellos el mejor pedazo de pan, y de andar a cachetes en medio de la calle por defender la vida o el buen nombre de todos y cada uno de ellos! ¿Qué diría tía Sidora, qué su marido, si en aquel instante de vértigo le hubieran visto, o si en otros muchos le hubieran leído en la frente ciertos pensamientos que cruzaban rápidos por detrás de ella?... ¿Qué juzgaría el candoroso Cleto si lo sospechara? ¡Cleto, que le había

visto tan indignado y tan noble cuando le descubrió
las calumnias con que le perseguían las mujeres de su
casa!... Y, sobre todo, ¿en qué opinión le tendría Sotileza desde que se vio en la dura necesidad de arrojarle de su lado, altiva, dura, indignada, como se
arroja lo que ofende, lo que mancha, lo que deshonra?
Porque aquellos gestos, aquellos ademanes, aquellas
palabras, significaban todo eso, y en manera alguna
fueran artimañas femeniles, resistencias de artificios
o disfraces de muy distintos propósitos. Aquello había
sido una peña de mármol puesta delante de sus ímpetus, lección terrible. ¡Y se la daba una marinera zafia,
a pesar de deberle tantos favores y tantas preferencias! ¡Cuál no sería la magnitud de su imprudencia,
y hasta qué extremo no estaría desprestigiado en la
consideración de Sotileza!... Y, además, corrido; porque corridos quedan los hombres en esas empresas
cuando les salen tan mal como a él le había salido la
suya. ¡Si ya que el diablo le tentó, le hubiera ayudado
a salir avante, triunfador y airoso!... Pero ¡quedarse
sin el botín y con todos los coscorrones de tan inicua
batalla!...

En fin, que no se podía vivir con sosiego en la situación en que él tenía las cosas desde la tarde anterior, examinadas serenamente al calorcillo de la
almohada. Por tanto, procuraría verse con Sotileza,
mano a mano, tan pronto como la ocasión se le presentara; hablaría con ella de lo acontecido, despacio,
fría y serenamente; echaría la culpa de su desliz a
las tentaciones del sitio, a los arrullos del ábrego, al
tufillo de la mar..., a cualquier cosa...; quizá diera
por motivo de su exabrupto un oculto propósito de poner a prueba las virtudes de la moza... Esto ya lo de-
cidiría él en su hora. Lo importante era quedar como
debía y donde debía quedar... Si hablando, hablando,
resultaba que su prestigio iba creciendo y agigantán-

dose a los ojos de la buena moza, y que ésta llevaba
su admiración hasta el extremo de... ¡Entonces, entonces sería ocasión de que se trocaran los papeles y
recibiera Sotileza la lección que le debía!... A menos
que la fuerza misma del empeño y lo palmario de la
voluntad no le obligaran a ceder. Pero de este modo
ya la cosa era distinta, porque no siendo la culpa suya,
él estaba libre de toda responsabilidad.

Y todo esto, por ser tanto, no era lo único que le robaba el sueño. ¡Si cuando las cavilaciones dan en es-
labonarse unas con otras...!

En cuanto llegó a su casa de vuelta de la mar, sin
responder una palabra a las muchas que le enderezó
su madre, entre amorosa y sulfurada, por los riesgos
que había corrido, el estado en que le veía, las gentes
que le enamoraban, y por otro tanto más, se encerró
en su gabinete, se afeitó, se lavoteó a su gusto y se
mudó de pies a cabeza con el equipo fresco y domin-
guero que se halló preparadito al alcance de su mano.
Previsiones de la capitana, que adoraba en aquel hijo,
tan noble, tan gallardo, tan hermoso..., ¡pero tan
adán!... Si aquella noche no le pasa la revista acostumbrada, se le va a la calle con junquillo y sombrero
de copa, pero sin corbata.

—¡Que con la estampa que tienes no te haya dado
el Señor para ser una persona decente el arte que te
ha dado el demonio para aventajar al marinero más
arlete!

Así le dijo la capitana mientras le hacía el nudo
de la corbata, que ella misma le había pasado bajo
el cuello de la camisa con la necesaria destreza para
no arrugarlo. Después, y mientras le estiraba los faldones del *levisac*, le sentaba los fuelles de la pechera,
le pasaba el cepillo sobre los hombros y arreglaba las
caídas de las perneras sobre las botas de charol con

caña de tafilete encarnado, continuó expresándose de
esta manera:

—Si tú fueras otro, no habría necesidad de que tu
madre te diera, cada vez que te vistes de señor, un mal
rato como este que estás llevando ahora; pero como
eres así tan... Hijo, ¡qué rabia me das algunas veces!...
¡Deseando estoy que tu padre acabe de llegar de su
viaje y comience a cumplir la palabra de no volver a
embarcarse jamás!... ¡A ver si, con mil diablos, te-
niéndote más a la vista, consigue lo que yo no he podido conseguir de ti! Bueno que una vez que otra...;
¡pero tanto, tanto y como si fuera ése tu oficio!...
¿Qué te parece? Mira qué manos... ¡Hasta con callos
en las palmas! ¡Póngase usted guantes ahí!... Hasta
por corresponder a las atenciones que te guardan esos
señores, debieras ser un poco más mirado en ciertas
cosas... ¿A quién se le ocurre, sino a ti, irse todo el día
de pesca, sabiendo que esta noche estás convidado al
teatro con una familia tan distinguida? Pues ya veremos cómo te portas... Y cuidado con largarse a media
función; espérate hasta que concluya, y acompáñalos
a casa. Da el brazo a la señora o a su hija cuando sal-
gáis de casa para ir al teatro, y lo mismo cuando ba-
jéis la escalera de los palcos... Porque desde aquí te
irás en derechura a buscar a Tolín, que te espera en su
cuarto. Así me lo dijo esta mañana saliendo de misa
de once de la Compañía... ¡Ea!, ya estás en regla...,
¡y bien guapetón, caramba! ¿Por qué no ha de decirse, si es cierto?

A Andrés le molestaban mucho estas incesantes chin-
chorrerías de su madre, las cuales, si estaban muy en
su punto por lo referente a las aficiones del mozo, eran
harto inmerecidas por lo tocante a los demás. La capitana le quería elegante y distinguido a fuerza de
perfiles, miramientos, discreciones y finezas; es decir, haciéndole esclavo de su vestido, de su palabra y

de cuatro leyes estúpidas impuestas en salones y paseos por unos cuantos majaderos que no sirven para cosa mejor; y Andrés, con gallardía natural, con su varonil soltura y su ingenuidad noblota, era precisamente de las pocas figuras que encajan bien en todas partes, aunque en ninguna brillen mucho.

Fuese, pues, de punta en blanco a casa de Tolín, y al atravesar el vestíbulo dirigiéndose al cuarto de su amigo, hallóse tope a tope [149] con Luisa, emperejilada ya con todos los perifollos de teatro. Parecióle al fogoso muchacho que le caían muy bien, y así se lo espetó por todo saludo, pues le sobraba confianza para ello.

—¡Vaya, que estás guapa de veras, Luisilla!—le dijo.

—Y a ti, ¿qué te importa?—respondió Luisa, pasando de largo.

Andrés tomaba todos los dichos al pie de la letra, y por eso le dejó muy desconcertado la sequedad de Luisa.

Tanto, y tan sentido, que se quejó de ello a Tolín así que llegó a su cuarto.

—Te digo, hombre, que el mejor día le suelto una fresca. ¡Mira que es mucha tirria la que me va tomando!

—¡Qué ha de ser tirria eso!—le replicó Tolín, mientras se enceraba las desmayadas guías de su bigotejo ralo.

—Pues si no es tirria, ¿qué es?

—Gana de divertirse contigo. ¡Como hay tanta confianza entre vosotros!...

—¡Pues me gusta la diversión!

—Sí, hombre, sí; no es más que eso... o algún resentimiento que podrá tener...

---

[149] *tope a tope:* en marina, frase equivalente a *de cabo a cabo.*

—¿De qué?

—¡Qué sé yo! De todas maneras, no vale un pito la cosa.

—Para ti, no; para mí...

—Y para ti, ¿por qué?

—Me parece, Tolín, que entrar todos los días en una casa donde se le recibe a uno así... Porque, desde algún tiempo acá, todos los días me pasa algo de esto.

—Hombre, eso, si bien se mira, hasta revela cariño y estimación... Pues si quisiera echarte a la calle de una vez..., ¡apenas tiene despabiladeras la niña!

—¡Ya lo voy viendo, ya!

—¡Qué has de ver tú, hombre, qué has de ver tú!... Lo que hay que ver es lo que hace con los que le estorban de verdad. Mira que ya me da hasta compasión de ese pobre Calandrias.

—¡Calandrias!... ¿Quién es Calandrias?

—¿No te acuerdas que llamábamos así a Pachín Regatucos, el hijo de don Juan de los Regatucos? Pues ese elegantón se bebe los vientos por ella, y pasea el Muelle arriba y abajo todo el santo día de Dios; ¡y ella le da cada sofión y cada portazo!..., ¡y le pone unas caras!... En el baile campestre del día de San Juan se negó a bailar con él ¡con unos modos!... Te digo que no sé cómo ese hombre tiene humor... ni vergüenza para seguir todavía paseando la calle a mi hermana. Pues como ése hay varios; porque ella es hija de don Venancio Liencres... ¡ya se ve! Y a todos los trata por igual... ¡Más seca y más...! Y lo peor es que todas sus familias son visita de casa... ¡Como que son de lo mejor!... Mamá está que trina con esas geniadas... Y con muchísima razón... ¡Mira tú, hombre, qué cosa mejor puede apetecer ella, a la edad que tiene, que tantos y tan buenos partidos para escoger el que más le agrade! Pues nada..., como una peña... Te digo que como una peña... Conque ahora quéjate tú... Y por supuesto que todas esas cosas te las cuento yo no más que para gobierno tuyo y en la confianza de la amistad que tenemos. ¿Estás?

En esto se oyeron dos golpes recios a la puerta de la habitación y la voz de Luisa, que decía:

—¡Que nos vamos!

Andrés abrió en seguida; y como ya su amigo había terminado sus faenas de tocador, salieron ambos al pasillo, donde tuvo Andrés que saludar a la señora de don Venancio, que, aunque vieja ya y bastante acartonada, iba tan elegante como su hija, pero mucho más fastidiosa. Don Venancio andaba perorando en el Círculo de Recreo y se daría una vuelta por el teatro a última hora, si otros particulares más interesantes no se lo estorbaban. Tolín se anticipó a dar el brazo a su madre para bajar la escalera, y Andrés ofreció el suyo a Luisa con grandes recelos de recibir un desaire.

Pero no lo recibió, afortunadamente. Eso sí, al precio de una mirada de aire colado [150] y de estas palabras, que dejaron al pobre chico atarugado y sudando:

—Pero no me rompas el vestido, como la otra vez...

De camino, llamaron a la puerta de don Silverio Trigueras, comerciante bien metido en harina, y bajó calzándose los guantes y con la cabeza hecha un borlón de colgajos relucientes, la señorita de la casa, la elegante Angustias, afamada beldad por quien el hijo de don Venancio Liencres suspiraba en sus soledades y se engomaba las puntas del bigote. Despepitóse con ella a fuerza de saludos; recibió la joven los de costumbre de las otras dos señoras, y de Andrés los mejores que supo hacer el pobre mocetón, y continuaron todos juntos hacia el teatro.

[150]   *mirada de aire colado:* mirada furibunda, con propósito de intimidar a una persona.

Y en el palco, Tolín se sentó detrás de la joven por quien suspiraba. Andrés, muy cerquita de Luisa, para dejar mayor espacio a su madre; y como, por haber madrugado más que el sol y bregado tanto durante el día, se pasó durmiendo la mayor parte de cada acto, y en los intermedios se salía a fumar en los pasillos, de todo lo ocurrido allí sólo recordaba después que a mitad de la función había llegado don Venancio Liencres preguntando si aquello estaba en prosa o en verso.

—Creo que en verso—había respondido Andrés—; digo, no, puede que sea en prosa.

—Es igual—había replicado el elocuente don Venancio—. ¡Para lo bien que lo hacen y el jugo que se saca de ello...!

Después, la salida. Vuelta a ofrecer el brazo a Luisa, porque don Venancio había cargado con lo que en justicia le correspondía, y a Tolín no le apartaba nadie, ni con agua hirviendo, de la mujer por quien suspiraba hondo y se enceraba las guías del bigote.

Ya en la calle, la consabida ringlera de farolones de mano en las de las doncellas que aguardaban a sus respectivas señoras. Porque todavía en aquel tiempo, y no obstante haberse estrenado el gas el año anterior, quedaban bastantes restos de aquella antiquísima vanidad de clase, expresada en un gran farol de cuatro cristales, dos de ellos amplísimos y todos muy altos, y tres medias velas, cuando no cuatro, entre arandelas y bajo lambrequines, arcos o laberintos de papel rizado, de veinticinco colores, para andar los pudientes por las calles a las altas horas de la noche. Esta observación acerca de los faroles no fue de Andrés, que ni siquiera reparó en ellos, por estar bien acostumbrado a verlos allí en casos tales; es mía y la apunto aquí porque no estorba, como nota expresiva del cuadro de aquellos tiempos.

Lo que Andres observó entonces fue que el viento, encalmado desde que él había salido de casa para ir a la de don Venancio Liencres, había vuelto a arreciar, y mucho; y como sabía que en las bocacalles del Muelle soplaba con mayor fuerza que en ninguna otra parte de la población, se atrevió a aconsejar a Luisa que continuara apoyada en su brazo hasta llegar a casa. Tampoco esta vez fue desairado; y teniendo los demás por muy cuerdo el parecer, observáronlo al pie de la letra. Quiero decir que don Venancio no soltó a su señora, ni Tolín a la señorita de sus amorosos pensamientos. Luisa y Andrés iban delante de todos, menos del farol empapelado, que les precedía algunas varas, zarandeándose en la diestra de la doncella de la casa.

Al enfilar la calle de los Mártires comenzaron a oírse los silbidos del viento enredado entre la jarcia de la patachería de la dársena, y su rebramar furibundo en las encrucijadas próximas; llegaron algunas ráfagas pasajeras que hicieron crujir la seda del vestido de Luisa, zarandeando los pliegues de su falda, y Luisa entonces, muerta de miedo, se agarró al brazó de Andrés, fuerte e inmoble como la rama de una encina.

—Agárrate de firme y sin miedo—le decía Andrés—, que a mí no me lleva por mucho que sople.

Y Luisa se agarraba a dos manos y con tal ansia se arrimaba a la encina, que Andrés, a no serlo tanto en ciertos casos, hubiera podido sentir en su brazo derecho latidos del corazón de su amiga, especialmente el no muy breve rato que permanecieron en el Muelle, mientras abrían en casa de don Silverio Trigueras y se quedaba Tolín sin el arrimo dulce de su linda acompañada.

Andrés, en cuanto volvió a verse en el relativo so-

siego de la calle trasera, dijo a Luisa, como para tran-
quilizarla y, sobre todo, para hablar algo:

—Si me apuras un poco, más soplaba esta tarde.

A lo que respondió Luisa inmediatamente y sin el
menor dejo de broma:

—Pues si yo llego a ser aire esta tarde, buena zambullida te llevas... Yo te lo aseguro.

Andrés sintió una marejada de fuego que le abra-
saba la cara. Se acordó de que una cosa muy parecida
había dicho él a Sotileza cuando los dos se ampa-
raban contra las olas de la bahía bajo un mismo capote. No temió que Luisa le hubiera oído...; pero
pudo muy bien haberlo visto.

—¡Vaya una entraña, mujer!—respondió, atarugado, a la estocada de su amiga.

—No hay que tener mala entraña para hacer esas
cosas, que son escarmientos necesarios..., y hasta
obras de caridad, si me apuras.

—¡Escarmientos!..., ¡obras de caridad!—exclamó
Andrés más dueño ya de sí mismo, porque le iba llevando Luisa al terreno de las impertinencias que
tanto le molestaban—. Pues ¿qué he hecho yo de
malo esta tarde?

—Hombre—respondió Luisa, muy resuelta—, a punto fijo, no lo sé, porque la vela tapaba la mitad, hacia
allá, de la lancha, y no vi en la de acá más que tres
bultos remojados que daban asco.

—Yo iba gobernando el timón—saltó Andrés, resignado a pasar por uno de los bultos que daban asco,
siempre que Luisa se convenciera de que él no ocupaba la parte invisible de la *barquía,* donde iba el
contrabando.

La desengañada hija de don Venancio Liencres, sin
dar muestras visibles de atención a estas palabras,
añadió:

—Pero si no lo has hecho esta tarde, bastante hiciste por la mañana.

—¡Por la mañana!

—¡Sí, señor, por la mañana! Pues qué, ¿piensas que no te han visto ahí enfrente, arriba y abajo, las horas de Dios, con esos marinerazos... y una mujerona?

—¡Una mujerona!...

—Eso mismo: una mujerona... ¿Te parece que eso está bien? ¿Qué dirán las gentes que lo hayan notado?

—¿Y qué han de decir?

—Pestes, y no será mucho.

—¿Y por qué lo miran, si tan malo es?...

—¿Y por qué te pones tú con esas cosas en el mismo sitio a que está una mirando? Porque una mira allí, porque lo tiene delante de casa y tiene también buenos gemelos para mirar.

—¡Sí, y ganas de meterse en lo que no te importa!

—¡En lo que no me importa!—exclamó Luisa, con un sacudimiento que Andrés no estaba en disposición de apreciar, así por el enojo que ya le cosquilleaba en los nervios, como por los embates y refregones que recibía del viento a cada instante.

—En lo que no te importa, sí—respondió Andrés con entereza—, puesto que en ello no ofendo a nadie, y en lo demás, cumplo con mi deber.

—Pues me importa—remachó Luisa con voz algo alterada y nerviosa—, y me importa mucho, porque eres un amigo de la casa y un compañero de mi hermano, y no me gusta que digan las gentes que Tolín tiene amigos que andan a todas las horas de Dios con hombrones de la Zanguina y con marinerotas puercas y desvergonzadas. Por eso, y no más que por eso. Y si me apuras un poco, se lo contaré a papá para que se lo cuente al tuyo cuando venga, y te saque de esa mala vida. Y ahora, ya no quiero tu brazo... ni que me saludes siquiera.

Y en el acto desprendió el suyo del de Andrés. Verdad es que esto sucedía después de haber pasado a remolque de éste la última bocacalle, y en el momento de arrimarse muy pegadita al vano de la puerta de su casa, mientras la doncella, que se había anticipado algunas varas más, daba por segunda vez dos tremendos aldabonazos que retumbaban en el hueco de la escalera y hacían estremecer el barrote de hierro ajustado por dentro a la puerta, la primera de las tres que guardaban la repleta caja del comerciante don Venancio.

El recuerdo fresquísimo de estos sucesos era el segundo tema de las cavilaciones que le quitaban el sueño a Andrés a las altas horas de la mencionada noche.

Jamás la hermana de Tolín se le había manifestado tan entremetida, tan impertinente y tan dura. Por primera vez había oído de sus labios la amenaza de irle a su mismo padre con el cuento, para que se lo refiriera después al capitán. Y la mimada y consentida joven era muy capaz de cumplir lo que ofrecía. El caso denunciable no era, ciertamente, cosa del otro jueves; pero ¡vaya usted a saber cómo lo contaría ella, y de qué colores lo revestiría, en su afán de salirse con su empeño! Don Venancio era un señor muy pagado de la formalidad y del buen viso de las personas de su trato; los humos de su señora bien a la vista estaban, tanto como el modo de pensar de la capitana, y el capitán no era ya aquel Bitadura impresionable y alegrote, con cuya indulgencia podía contarse siempre sabiendo buscarle las cosquillas de sus flaquezas de muchacho impenitente; últimamente tenía humores, algo más de medio siglo encima de su alma, estaba gordo y era rico. Por todo lo cual se le había agriado bastante el genio. El mismo Andrés no contaba ya con fuerzas suficientes para someterse en silencio a ciertas imposiciones caprichosas, y no sabía hasta qué extremos podría arrastrarle una conspiración así tramada por una chiquilla fisgona, contra sus honrados procederes.

Con elementos tales, ¿qué salsa no podría hacer el diablo, metido por unos cuantos días en el cuerpo de la tesonuda hija de don Venancio Liencres?

Pero, al fin, todo esto era una suposición: estaba por ver, daba tiempo; se vería venir, podía combatirse desde lejos... ¡Lo otro, lo otro era lo grave, lo apremiante, lo apurado para él!...

Y así batallaba, hasta que al cabo de las horas volvióse del otro lado y se quedó dormido.

XVIII

IR POR LANA...

Por primera vez en su vida anduvo Andrés con una perseverancia que a él mismo le repugnaba algo, en acecho de una ocasión para verse a solas con Sotileza, y también por primera vez en su vida, tan pronto como logró sus intentos, engañó a Tolín con un pretexto inventado para faltar dos horas del escritorio.

Aconteció esto a media mañana, en un día en que tío Mechelín estaba a *maganos* con su *barquía* y tía Sidora a la plaza. Sotileza trajinaba en la bodega, en su habitual arreo doméstico, limpio, corto y ligerísimo, según se ha descrito en otra parte, y con el cual se admiraba mejor que con el de los domingos el lujo escultural de la hermosa callealtera. Bien observado lo tenía Andrés. Por eso se alegró mucho de hallarla así, aunque ya contaba con ello.

—Tengo que hablarte—le dijo por entrar, y no muy seguro de voz.

La joven notó el desconcierto de Andrés, y le preguntó sobresaltada:

—¿Y por qué vienes a estas horas y en esta ocasión?

—Porque..., porque lo que tengo que decirte no debe oírlo nadie más que tú. Siéntate y escucha.

Andrés se sentó en una silla, y arrimó otra muy cerca de ella. Pero Sotileza no quiso ocuparla. Permaneció en pie, apoyando el desnudo brazo derecho, redondo y blanco, sobre la cómoda, mientras su seno marcaba la interna agitación que lo movía, y respondió en voz firme y con mirada valiente:

—Acuérdate de lo que te dije el domingo en la arboleda.

—Pues de eso mismo vengo a tratar.

—Pensé que ese punto se había rematado allí.

—No del todo; y por lo que falta, vengo ahora.

—Pues desde entonces acá, más de una vez nos hemos visto. ¿Por qué te has callado hasta hoy?

—Ya te lo he dicho: porque es asunto para tratado a solas entre los dos.

—También yo te he dicho que no quiero oírte cosa alguna que no pueda decirse delante de los hombres de bien.

—Pues precisamente porque me has dicho eso, tengo yo que hablarte. Siéntate aquí, Silda; siéntate, por el amor de Dios, que yo te prometo no propasarme en hechos ni en palabras. No quiero más, con las que te diga, que quitarte el amargor que te dejaron otros, y quitarme yo mismo de encima un peso que me fatiga mucho.

Sotileza, algo anhelante y descolorida, plegó maquinalmente su hermoso cuerpo sobre la silla preparada por Andrés.

El cual, en cuanto la tuvo a su lado, y tan cerca que oía el sonido de su respiración, exclamó así:

—¡Y mira que se necesita toda la fuerza de los propósitos que yo traigo para no faltar a ellos viéndote tan hermosa... y en la soledad en que estamos!

Silda se alzó bruscamente de la silla y volvió a apoyarse contra la cómoda.

—No creas que me espanto—dijo al mismo tiempo—de verme sola contigo; que alma me sobra para meter en la ley al que falte a lo que me debe.

—Entonces—preguntó el atolondrado mozo—, ¿por qué te apartas tan allá?

—Porque no quiero oírte de cerca cosas que te pintan como yo no quisiera verte.

—Pues para que me veas a tu gusto, no más que para eso, he aguardado esta ocasión. Créemelo, Silda; te lo juro por estas que son cruces.

—¡Buen camino tomas para empezar!

—Todo ello no era más que un decir... Empeño de no callarte ni siquiera un pensamiento, para que llegaras a verme el corazón como en la palma de la mano. Pero si esas franquezas te ofenden, no volverás a oírlas de mi boca... Te lo juro, Silda... Y vuelve a sentarte aquí..., y amárrame las manos si piensas que puedo llegar a ofender con ellas... Y si después de oírme te parece que mis palabras te agraviaron, arráncame la lengua con que las diga...; pero siéntate aquí, y escúchame.

Sotileza volvió a sentarse, pero maquinalmente, muy pálida, y entre fiera y conmovida; porque en todo aquello que le estaba pasando había tanta novedad y tan extraño interés para ella, que se imponía a la braveza de su carácter.

Andrés, que siempre la había visto fría e impasible, dueña y señora de sus impenetrables sentimientos, asombróse de aquel trastorno súbito e inesperado de tanta fortaleza, tradújolo a su gusto y vio que la de sus propósitos se conmovía también. ¡Pícara fragilidad humana!... Pero acababa de jurar que su proceder sería honrado, y armándose de voluntad para cumplirlo, comenzó a hablar de esta manera:

—Silda, aquella tarde te dije palabras y me propasé a cosas que me valieron una reprensión tuya, dura, ¡muy dura!... Así, de pronto, la falta que cometí confieso que merecía esa pena. Yo no te había acostumbrado, en tantos años como llevamos de conocernos, a

que sospecharas de mis intenciones por una mala palabra ni por las señales de un mal pensamiento. En esta casa todos, y la primera tú, me hubierais entregado
la honra dormida para que yo la velara. ¿Harías otro
tanto desde esa tarde acá? Dilo francamente, Silda.

—No—respondió ésta sin titubear.

—Pues ése es el clavo que tengo aquí desde entonces,
Sotileza. ¡Ese me punza allá dentro, y me roba el sueño
de noche, y me quita el sosiego de día! Yo no quiero
que nadie se recele de mí en esta casa, donde estoy
acostumbrado a que se me abran todas las puertas
como al sol cuando llega. A eso quiero volver, Silda:
a la estimación tuya y a la confianza de todos.

—Ni la estimación mía ni la confianza de *naide* has
perdido, Andrés. Todos saben lo que te deben, y yo lo
que también te debo; y aquí no hay ingratos.

—Yo no quiero que se me estime por los favores que
haga, sino por mi propio valer, y yo sé que no valgo
a tus ojos hoy lo que valía poco hace.

—Y si en esa cuenta estabas, Andrés—exclamó Silda
con un calor de acento desacostumbrado en ella—,
¿por qué no te la echaste en su día, para no hacer lo
que hiciste?

—En la respuesta a esa pregunta está cabalmente
la disculpa de aquel acto y de aquellos dichos; la única razón que puedo ofrecerte para volver por entero
a tu estimación y a tu confianza. Y ya ves cómo esta
razón no podía dártela con testigos, sin descubrir la
causa de ella; lo que sería un remedio peor que la
misma enfermedad.

—Yo no sé—dijo Sotileza con el acento y la expresión
de la más cruda sinceridad—que pueda haber disculpa
para esas cosas en hombres de tan arriba como tú, con
mujeres de tan abajo como yo.

Andrés sintió en mitad del cráneo el golpe de este
argumento.

—Pues qué—respondió, buscando en los falsos efectos de la voz y de las actitudes el brío que no hallaba en su razón—, ¿eres tú de las que creen que tratándose de esas cosas hay distancias ni jerarquías que valgan? Tu hermosura, envuelta en esos cuatro trapillos, limpios como la plata, ¿no es tan hermosura como la que se adorna con sedas y diamantes? Lo que por ti experimente un mozo rudo y grosero, ¿no puede experimentarlo, y hasta con mayor fuerza, un hombre de mis condiciones?... Lo que la amenidad del campo y el influjo de la Naturaleza, en todo su esplendor, puedan hacerle sentir a él, enfrente de una mujer como tú, ¿no pueden hacérmelo sentir a mí también?... Y ya que de este trance hablamos, ¿qué tendría de extraño que, siendo tan propicia la ocasión y tan placentero el sitio, tratara yo de aprovechar ambas ventajas para poner a prueba tu virtud con un salto de comedia?

Silda respondió a esta parrafada con una sonrisa fría y burlona.

—Es decir, ¿que no me crees?—le dijo Andrés, muy contrariado.

—No—respondió Silda con entereza.

—¿Por qué?

—Porque lo que es mentira se conoce desde lejos, hasta en el modo de venir; y aquello, no te canses, Andrés, aquello era la pura verdad... Por eso hubiera creído hoy mejor en la pena que me pintas viéndote llorarla de todo corazón que amparándote con un embuste.

Andrés se quedó, por un momento, sin saber qué replicar a estas palabras tan crudas y terminantes. Después dijo, por decir algo:

—No basta, Silda, afirmar una cosa; hay que dar razones.

—Yo te daría, de buena gana—respondió la moza,

conteniendo los impulsos de su carácter—. una sola que valiera por muchas.

—¿Y por qué no la das?—preguntó Andrés, no tan valiente como parecía.

—Porque temo que te resientas.

—Te prometo no resentirme... ¿Por qué era verdad aquello?

—Porque conocía yo los malos pensamientos que te lo mandaron...

—¿Que los conocías?... ¿De qué?

—De habértelos leído muchas veces en los ojos.

—¿Cuándo?

—Desde tiempo atrás.

—¡Silda!

—Lo dicho, Andrés. ¿No querías razones? Pues ya las tienes.

Andrés se quedó desarmado y herido en lo más hondo de su conciencia. Sotileza lo conoció y se apresuró a decirle:

—Me prometiste no ofenderte con la razón que te diera. Cúmpleme la palabra.

—Y la cumplo—dijo Andrés, más con los labios que con el corazón—, y ni siquiera he de porfiar sobre el engaño de tus ojos cuando leían en los míos. Pero dime, Sotileza: ¿por qué cuando creíste descubrir en mí esos malos pensamientos no me lo dijiste, siquiera por lo que te ofendían?

—Porque, si no me engañaba el mirar, a ti te tocaba dejarlos fuera de esta casa, no a mí el echarlos de ella.

Otra estocada al pecho. Andrés no sabía ya de qué lado ponerse en aquella lucha sin una sola ventaja para él. Acudió a los consejos del amor propio, que era lo que con mayor fuerza se le iba quejando allá adentro, y dijo a la tenaz agresora:

—Luego ¿no te amedrentaban esos pensamientos míos?

—Yo temía que los descubrieran las personas que los hubieran llorado como una desgracia para todos.

—Pero tú, por ti misma, ¿no los temías?

—¿Y por qué había de temerlos? Sentí mucho verlos donde los vi; pero no más.

—¿Y por qué lo sentiste?

—Porque podía llegar la hora... que ha llegado ya...

—¿La de darme una lección como la que me estás dando?

—Yo no sé tanto como para eso, Andrés, y harto haré con responder al caso para defenderme, como es ley de Dios.

—Pero tú misma me has dicho que, una vez descubiertos mis malos pensamientos, no te tocaba a ti echarlos de esta casa.

—Sí que lo dije.

—Luego debo echarlos yo; es decir, largarme de aquí para siempre, puesto que los llevo conmigo.

—O venir sin ellos, que no es igual.

—¿Y qué he de hacer yo para que creas que no los traigo?

—No traerlos. Con eso basta.

Andrés, por respeto a sí propio, no quería mentir insistiendo en que Sotileza se equivocaba en cuanto decía de sus malas intenciones. Como éstas, por lo que iba oyendo, se le transparentaban demasiado, insistir en negarlas era desmerecer más y más a los ojos de aquella ruda virtud, que más le quería arrepentido pecador que falso virtuoso. Pero consideraba, al mismo tiempo, que aquellas malas ideas, tan aborrecidas en él por Sotileza, quizá en otro cerebro no le espantarían tanto, y hasta se acordaba del regocijo con que la escrupulosa callealtera se dejaba estrujar, en la playa de Ambojo, por los brazos del estúpido Muergo; de Muergo, en cuyos ojos, al mirar a Silda, había leído él torpezas de tal calibre, que no podían haber pasado inadvertidas para ella. Luego lo que en Muergo, sucio y feo, no era ni siquiera una falta, en él, mozo gentil y culto, era un delito que podía llegar a cerrarle las puertas de aquella casa. ¿Valía él menos a los ojos de Sotileza que aquel animal monstruoso? Esto era increíble, y sería una verdadera insensatez manifestar allí dudas siquiera de ello. Pero el hecho de la preferencia existía, lo cual demostraba que Sotileza escrupulizaba, más que en los pensamientos de esa clase, en las personas que eran movidas de ellos. No amenguaba este fenómeno la honradez de Silda a los ojos de Andrés, puesto que no ignoraba lo que influye en la significación de ciertos actos la condición de la persona que los ejecuta o que los consiente; pero en la falsa posición en que se hallaba él en aquellos instantes, el hecho le ofrecía una salida, y tal vez podía aprovecharla para huir siquiera de la que Silda le presentaba con sus tremendas razones. Salir por esta puerta, es decir, ajustarse a las condiciones de Silda. era obligarse a no volver más a la bodega, pues hombre que había jurado lo que él, todo debía sacrificarlo a la buena fama de la mujer que se quejaba de sus malas intenciones; y no volver a la bodega era empresa superior a las fuerzas del ánimo de Andrés, particularmente desde que había dado motivos para ello y acababa de convencerse de que aquel trastorno moral, que tanto le había chocado en Silda al empezar a hablar con ella, no era la realidad de sus tan acariciadas esperanzas de que llegaran a trocarse entre ambos los papeles del paso que pasó en la arboleda de Ambojo... ¡Y fuéranle a preguntar, sin embargo, qué tal andaba en aquel instante de alteza y fidalguía de pensamientos! Ni los de Amadís en su peñasco, que pudieran igualárseles. ¡Poder del amor propio resentido!

Todo esto, que tan largo es de contar aquí—¡y ojalá no haya resultado ocioso!—, se lo barajó Andrés en la mollera en los pocos instantes de silencio que siguieron a las últimas palabras de Sotileza.

Tomando, pues, el punto de soslayo en virtud de sus mentales razonamientos, Andrés comenzó a evocar, en tono quejumbroso, los mejores años de su infancia y de la mocedad, corridos para él en la dulce intimidad de la inocente huérfana y de sus honrados protectores. Cariño, abnegación, sosiego, paz y noble confianza: todo se cantó en aquel idilio que hubiera hecho palidecer, salvo el estilo, al que inspiró a Don Quijote un puñado de bellotas en la choza de los cabreros. De pronto asoma una mancha leve en el fondo risueño de aquel cuadro; sopla el aire de la sospecha; la mancha se hace nube; la nube se va extendiendo..., y ¡adiós luz, y confianza, y regocijos! El amigo de siempre, el paño de lágrimas de todos, es ya el hombre malo de quien hay que apartar las muchachas honradas, la amiga de su infancia y de su mocedad...

—Y yo no puedo resignarme a esto, Sotileza—exclamó Andrés, por remate de sus lamentaciones—. Yo no puedo salir de esta casa por ese recelo, después de haber entrado en ella como yo entré.

—Pero ¿quién te echa, Andrés?—dijo Sotileza, con asombro, después de haber oído, impasible, sus declamaciones.

—Tú—respondió Andrés—, puesto que me dices...

—Yo no he dicho eso—replicó Silda con entereza—; yo te he dicho que no vuelvas con esos pensamientos, que han salido a relucir aquí porque tú lo has querido. ¿Es esto echarte de casa? ¿Ni quién soy yo para tanto?

—¡Siempre esos dichosos pensamientos!—exclamó el fogoso muchacho, irritado al considerar el afán con que se los ponían por delante para que se estrellara con ellos. Y luego, dejándose llevar de los impulsos de la vanidad resentida, añadió con gran vehemencia—: Y si por casualidad acertaras, Silda; si esos malos pensamientos se hubieran apoderado de mí, ¿qué habría en ello de particular? ¿No te has mirado al espejo?... ¿No sabes que eres hermosa?... ¿Y soy yo de piedra, por si acaso?

Sotileza, mientras Andrés hablaba así, volvió a inmutarse; y apartando su silla media vara de la otra, dijo, en un acento y con una expresión imposibles de pintar:

—¡Andrés!... ¡Mira que, por enmendarlo, vas a ponerlo peor!

—No sé cómo lo pongo, Silda—exclamó Andrés fuera de sí—; lo que sé es que tengo que decirte esto que te digo porque me abrasa allá dentro si lo callo.

—¡Virgen! ¡Y con todo esto te atreverás a negar...!

—¡Yo no niego ni afirmo, Silda! Me pongo en todos los casos. ¡Ponte tú también!

—¡Pues porque me pongo en el que debo..., me matas de pesadumbre, Andrés!

Y Andrés vio entonces en los ojos de Sotileza una expresión y como un velo de rocío que jamás había notado en ellos.

—¿Que te mato de pesadumbre?—exclamó, deslumbrado—. ¿Por qué?

—Porque no es así como yo quiero que seas para que yo te estime, sino como eras antes.

—¿Y por qué no has de estimarme siendo como soy ahora?—preguntó Andrés, ciego por el despecho y la vehemencia.

—Porque, porque...—y Silda, que no apartaba sus ojos de los de Andrés, se alzó rápidamente de la silla. Retrocedió dos pasos sin soltarla de la mano y continuó así en una actitud que se imponía por la extraña mez-

cla de altivez y de súplica que había en ella—. ¡Por la
Virgen de los Dolores, Andrés, no me preguntes más
de eso... y escúchame lo que me obligas a decirte! Tú
sabes tan bien como yo que desde que me recogiste
en la calle me dan en esta casa, por *caridá,* mucho
más de lo que yo merezco. Desvalida y sola me vi, y
aquí tengo padres y amparo... Morirme puedo, como
la más moza; pero ellos son ya viejos, y en ley está
que yo vuelva a verme sola otra vez en el mundo. Para
valerme en él no tengo otro caudal que la honra...
¡Por el amor de Dios, Andrés! Tú, que sabes lo que
vale; tú, que me amparaste de inocente, ¡mira por
ella más que ninguno!

—¿Robarte yo ese tesoro?—exclamó Andrés, since-
ramente asombrado de la sospecha.

—Robármelo, no—respondió al punto la callealtera
con gallardo brío—; eso, ni tú ni nadie. Pero la apariencia basta, porque bien sabes lo que son lenguas.

Andrés estaba ya aturdido. Su vehemente irrefle-
xión le llevaba de descalabro en descalabro; pero su
veta era noble y siempre respondía su corazón a las
llamadas de lo más hondo. Además, era de todo punto
inútil el empeño de imponerse con las fuerzas del despecho a una entereza tan indomable como la de aquella
mujer, nunca bien conocida de él hasta entonces.

—En todo me vences hoy, Sotileza—le dijo en una
actitud que se acomodaba bien al tono dulce y sentido de sus palabras—, y tales cosas me dices y tales
razones das, que voy cayendo en la cuenta de que, con
el mejor de los deseos, he echado en esta porfía algunas veces por caminos que no usan los hombres de
bien. Acuérdate de lo que te juré al entrar aquí un
rato hace; eso es lo cierto, a eso venía; lo demás ha
ido saliendo porque..., porque el diablo enreda las ideas
y tira luego de las palabras a su gusto para perdición

de las gentes. Olvídate de ello, Silda... ¡Olvídalo y perdóname!

¡Entonces sí que hablaba Andrés con el corazón en los labios! ¡Muchacho más impresionable...!

Conociéndolo bien Sotileza, le dijo acercándose más a él:

—Eso es hablar en *verdá*... ¡Eso es ponerse en justicia, Andrés! Y mira: ahora que eres amo y señor de ti mismo; ahora que Dios te corre la venda de los ojos, no esperes a que el demonio te la vuelva a poner... Vete y déjame sola como estaba..., que con ello y no más te perdonaré esas cosas con todo mi corazón.

Andrés se levantó de la silla, resuelto a marcharse. Los escozores del amor propio, nuevamente irritado con las últimas palabras de la callealtera, no le impidieron conocer el peso de la razón con que ésta deseaba alejarle de allí.

—Voy a darte gusto—le dijo—. Pero ¿llega tu intención hasta cerrarme la puerta para siempre en cuanto yo salga por ella?... Porque a eso no me allano, Silda; y ahora que te he conocido, menos que nunca

—¡No te amontones de nuevo, Andrés, por la Virgen del Carmen!... Yo no quiero cerrarte estas puertas para siempre ni, aunque quisiera, podría, porque no mando en ellas... Lo que quiero, por demás lo sabes. No está todo el mal en entrar, sino en la ocasión que se busca para ello, porque hay ojos y lenguas que no viven más que de hacer daño. Y si yo, por quien soy, no te parezco bastante para que te mires un poco en ese particular, hazlo por esos pobres viejos, que el día en que yo pierda la buena fama se morirán ellos de vergüenza.

—Silda—exclamó entonces Andrés en medio de uno de aquellos entusiasmos que le acometían tan a menudo—, ¡no valgo yo lo que tú mereces!

Y, sin atreverse a mirarla, porque verdaderamente estaba tentadora en aquel instante la huérfana de Mules, salió como disparado de la bodega.

¡El, que había entrado aquí creyendo que iban a trocarse los papeles del paso aquel de la arboleda de Ambojo! Pero ¿de dónde mil demonios había sacado la arisca y taciturna moza aquella sensibilidad y aquellos bríos con los cuales acababa de darle tan soberana lección? ¿Cómo era posible que una mujer tan equilibrada de juicio y de tan altos pensamientos fuera una zarza montuna con él y con las gentes que mejor la querían y copo dulce de algodón cardado con una bestia como el horrible Muergo? ¿A qué fenomenales inclinaciones obedecían aquellas notorias preferencias? ¿De qué barro estaba formada aquella mujer, que no tenía una amiga de intimidad en toda la calle, que no echaba de menos la compañía de ninguno, que parecía no conmoverse por nada y que, sin embargo, era sensible e inteligente, y honrada, y agradecida, y animosa y, al propio tiempo, solamente en un ser hediondo y abominable había depositado las únicas dulzuras destiladas voluntariamente de su corazón?

Así iba discurriendo Andrés desde que puso la planta fuera de la bodega, y tan abstraído le llevaba su discurso, que sus ojos no vieron a la sardinera Carpia, que se cruzó con él diez pasos más abajo de la puerta, ni la mirada que le enderezó, de medio lado, parándose un momento, ni a sus oídos llegaron estas palabras que aquella furia soltó de su boca, con el santo propósito de que en la calle se oyeran las que debían oírse:

—¡Caraspia!... ¡Si va que *ajuma!*... [151] ¡Ya lo creo!... El uno en la mar... La otra en la plaza... La señorona

---

[151] *ajuma:* lo mismo que *emborracha.*

en su palacio... ¡Y vengan *barquías!*... ¡Y allá va la
vergüenza por esas barreduras!... ¡Puaf! ¡*Pa* ella, la
grandísima puerca!... ¡Ah, caraspia! ¡Si *allego* a estar en casa yo! Pero otra vez será, que al cebo que te
engorda has de *golver*... ¡En una así quería yo *coger-
vos*, a la *mesma* luz del sol, *pa* que *vos* alumbre en la
cara la vergüenza, por poca que tengáis! ¡Puaf!...
¡Indecenteeee!

XIX

EL PEREJIL EN LA FRENTE

A todo esto, el pobre Cleto no salía de sus ahogos. *Pae* Polinar había intentado en tres ocasiones cumplir la palabra que le dio de ir a sondear las voluntades del matrimonio de la bodega; pero nunca vio el camino libre de los estorbos que tanto miedo le infundían. ¡Siempre aquellos demonios de mujeres al balcón, o atravesados en la acera, o vociferando en la mitad de la calle! ¡Y gracias que no le adivinaron las intenciones cuando, para mayor disimulo, bajaba o subía a todo andar, como si sus quehaceres estuvieran muy lejos de allí. Cleto llamaba casi todos los días, al anochecer, a la puerta del exclaustrado, que bregaba allí dentro hasta sudar el quilo en la tarea en que andaba empeñado, para preguntarle:

—¿Hay algo de eso?

Y padre Apolinar le contaba lo ocurrido, alentándole con buenas esperanzas para otro día. Después, Cleto, cabizbajo y tristón, se iba a pasar un rato a la bodega, donde hallaba a Sotileza algo pasmada, y a los viejos, tan cariñosos como siempre. Nada se había oído allí, por las trazas, de aquellas *morrás* que se dieron él y Muergo en la oscuridad del portal. Desde entonces no habían vuelto a encontrarse más que en una ocasión, y ésa dentro de la bodega y delante de la gente. Gruñeron por lo bajo y se espeluznaron al verse, pero esto no llamó la atención de nadie, porque no era nuevo en ellos.

La última vez que vio a *pae* Polinar, le dijo éste:

—Quisiera, Cleto del jinojo, que tomaras esas cosas con menos entusiasmo, porque no van tus ahogos a la conveniencia de los quehaceres míos..., ¡que te digo que son de órdago!... ¡De órdago, cuerno!... Conque, o templa la fragua o vete aguantando por la buena, porque es lo que más falta va a hacerte... Mira, Cleto, que o mucho me engaña a mí el ojo, o ese bocado tan fino no es para ti. ¡Jinojo, si picaste alto! Y con ésta, y con el réspice de toda tu casta... Te digo, Cleto, te digo que ni de propio intento hubiera amontonado el mismo demonio tantos inconvenientes delante del hipo que te consume...; y déjame que me vuelva a mis libros y a mis papeles, que el tiempo corre que vuela, y el sermón es de lo que hay que ver... ¡Si te digo que es de los de tres gavias, cuerno!

Todas estas reflexiones eran leña para el fuego en que se abrasaban las impaciencias de Cleto, y salió decidido a hacer por sí solo cuanto cupiera en sus fuerzas y en su discurso.

Andando hacia la bodega, encontróse al abocar a la calle Alta con el bueno de Colo. A Colo le consideraba él, por ser mozo de buena entraña y mejor conducta, y también por aquel poco de latín que había estudiado años atrás. Eran muy buenos amigos, y, por serlo, Colo se había entretenido muchas veces con el relato de sus amores con Pachuca, la hija menor de las tres que tenía su vecino Chumbao, patrón de la lancha en que andaba él. Si la primera leva no le alcanzaba, se casarían en seguida que se sacara. Todo estaba arreglado ya para eso. Cleto oía estas aleluyas muy a menudo, y con ellas se le hacía un agua la boca. ¿Quién mejor que aquel amigo, tan formal y

tan extraño en esas cosas, para oírle con cariño y ayudarle con un consejo?

Le abordó muy ufano; pero tal empeño puso para
encarecerle su mal en tomarlo de muy largo, que el
otro, pensando que le hablaba de cosas harto viejas
y sabidas, atajóle en el relato para preguntarle, con
acento del más vivo interés:

—¿Tú sabes lo que pasa, Cleto?

—¿Qué pasa?—preguntó éste, a su vez, con viva curiosidad, temeroso de que lo que pasaba tuviese alguna relación con lo que él iba refiriendo a su amigo.

—Pues pasa—dijo Colo—que los de Abajo van a
provocar con una regata *pa* el día de los *Mártiles*.

—¡Pues que provoquen, paño!—exclamó Cleto, dando con ira una patada en el suelo—. ¡Pensé que era
otra cosa!... *Dimpués* hablaremos de eso, hombre.
Déjame antes finiquitar el *relate*.

Colo no se prestó a ello porque iba muy de prisa,
según afirmó a su amigo.

—Vengo—le dijo—de la Zanguina, *onde* se estaba
tratando del caso. *Pa* ellos es ya hecho si *nusotros* no
ciamos [152]. Una onza se ha de regatear por cuenta de
los Cabildos. *Paece* ser. que el Ayuntamiento da un
quiñón *güeno pa* una cucaña *ensebá*..., y *too* junto
va a ser a modo de fiesta *pa* animar al señorío fo-
rastero que anda por ahí y a las gentes de acá. *Pa*
mi ver, quieren sacar el desquite de la que perdieron
dos años hace, el día de San Pedro. ¡Como no saquen!
Ahora voy corriendo a coger al Sobano en casa *pa* decirle lo que hay... Mira que en su día se contará contigo, como la otra vez... Conque, ojo, Cleto..., y no hay
más que hablar.

Y no habló más el animoso Colo, que picó calle

---

[152] *ciar:* bogar al revés; es decir, como si se intentara hacer
andar la embarcación hacia atrás. *(N. del A.)*

arriba dejando a su amigo con las hieles de sus penas entre los labios.

En seguida pensó en Andrés, resuelto a confiarle el secreto de su corazón, porque, bien examinado el escrúpulo que le había impedido hacerlo antes, no era cosa de reparar en él. Pero Andrés no fue aquella noche a la bodega.

Al día siguiente se plantó en el portal de su escritorio y allí se estuvo a pie firme hasta que le vio bajar.

Andrés parecía otro desde aquella conversación que tuvo con Sotileza, mano a mano y a solas en la bodega; quiere decir que era menos estrepitoso en sus movimientos, no tan cascabel de palabra y mucho más distraído en el mirar. A veces lanzaba el aire de sus pulmones con la fuerza de una racha del Sur, haciendo trémolos feroces y escalas atrevidísimas con los labios al darle la salida, como si intentara quitar con esta música inverniza el dejillo amargo que para él tenían los pensamientos de los cuales eran obra las infladuras de su pecho.

Cleto, que bastante tenía que hacer con los *jirvores* del suyo, sin reparar cosa alguna en el nuevo cariz de su pudiente amigo, no bien le tuvo a su lado, acordándose de lo mal que le había salido la cuenta relatando por largo a Colo sus pensamientos, espetóselos en cuatro palabras y en brevísimos instantes.

Un estacazo en la espinilla no le hubiera producido a Andrés tan viva, tan honda y tan repentina impresión como las declaraciones de Cleto. Le acometieron ganas de llenarle de improperios y hasta de darle dos bofetadas. ¡Atreverse un animal semejante a poner sus ambiciones en prenda de tan alto valor! ¡Y pretender, además, que le ayudara él a salirse con su descomedido empeño!... ¡El, con lo que le había pasado!... ¡Con lo que le estaba pasando!... ¿No parecía una burla de la pícara suerte que le andaba persiguiendo?

Pero se dominó, porque muchas razones le obligaban a ello, hasta el punto de que de su interna tempestad sólo notara Cleto algún que otro relámpago que chisporroteó en sus ojos. El atribulado mareante pensó que este chisporroteo era la señal de lo grande que parecía su empresa a la consideración desinteresada de un amigo tan bueno y tan rico como aquél. El cual amigo le confirmó sus sospechas bien pronto, pintándole tan enormes obstáculos, diciéndole tales cosas y con palabras tan secas y tan duras; cerrándole, en fin, todos los caminos tan a cal y canto, y confundiéndose de tal modo con la amenaza muchos de sus razonamientos, que, comparada con el de Andrés, de rosas y mejorana le pareció al desdichado el dictamen del *pae* Polinar sobre el mismo pleito.

Apartóse de Andrés sin despedirse, y tan cargado de brumas el ánimo que, viéndolo todo negro y sin salida, se dio a barloventear [153] por aquellos aborrecidos mares de Abajo, para distraer un poco la carga de su pesadumbre, discurriendo, de paso, el modo de echar cuanto antes un ancla siquiera en el codiciado puerto.

Y acertadísimo estuvo el pobre mozo al tomar aquella resolución, porque mientras él andaba voltejeando por el muelle, y por detrás del muelle, y junto a la Zanguina, y por la calle de la Mar, y los Arcos de Dóriga, y calle de los Santos Mártires, y la Ribera, y la Pescadería, de la cual acababa de marcharse tía Sidora, Muergo y Sotileza estaban solos en la bodega, mientras tío Mechelín, de vuelta del estanco. echaba una pipada a la puerta de la calle.

Muergo había aparecido allí más temprano que de

---

[153] *barloventear:* navegar de bolina en vueltas continuadas. *(N. del A.)*

costumbre, porque la noticia dada por Colo a Cleto era cierta en todas sus partes, y quiso, tan pronto como llegó a sus oídos con señales de formalidad, ponerla en conocimiento de su tío.

Preguntó por él a Sotileza en cuanto entró en la bodega.

—Salió a comprar tabaco—dijo la moza.

—*Pus* me alegro, ¡puño!—repuso Muergo— ¿Y mi tía?

—En la plaza. En seguida vendrá.

—*Pus* me alegro también. ¡Ju, ju!

—¿Por qué, animal?

—¡Puño!, porque así estás tú sola, que es lo que me gusta a mí... ¡Ju, ju! ¿Sabes que va a haber regateo?

—¿Cuándo?

—El día de los *Mártiles,* si no aflojan los de acá... ¡Puño!, ya verás lo que es jalear del remo y zamparse la onza... ¡Una onza, Sotileza! ¡Puño, si *juera* mía! ¡Bien sabría yo qué comprarte con ella! ¡Ju, ju! ¡Puño, qué día ese! A más de ello y la *junción* de Miranda, con *pedrique* [154] de *pae* Polinar, estrenaré yo *too* el *vestío,* de pies a cabeza; hasta con zapatos y *too,* ¡puño!

—¿Ya tienes la gorra y la chaqueta que te faltaban, Muergo?—preguntóle la moza con el interés de una madre que se desvela por ataviar a su hijo.

—¿No te lo digo? Tanto te empeñaste, que en *juerza* de *agorrar,* y *agorra* que *agorra...*

—¿Y por eso sólo, Muergo? ¿Por eso sólo *agorraste?*

—¿Por cuál, tú?

—¿Porque yo te lo mandé?

—*Pus* ¿por qué hago yo las cosas, puño?—exclamó el monstruo, estremeciéndose de pies a cabeza—. ¿Por

154 *pedrique:* vulgarismo por *predique.*

qué no pesco yo una *cafetera* [155] *ca* día? ¿Por qué le
aguanto al Mordaguero lo que le aguanto?... ¡Puño!...
Pus por darte gusto, Sotileza... Y porque tú lo quisiste,
tengo *vestío* de paño fino... No más que por eso, ¡ju,
ju!... Esta noche no cenaré con vosotros. Pero me
darás el pan, ¿eh? ¡Tengo una gazuza, puño!

¡Cosa más rara que aquella muchacha! En el
mismo sitio en que había domado los ímpetus apasionados de Andrés con su palabra desengañada y
su continente esquivo, escuchaba las brutalidades de
Muergo con la sonrisa en los labios y el regocijo en
la mirada.

—Pues oye—dijo al animalote aquel, sobre cuyas
greñas y ropas brillaban todavía las escamas de la
sardina que acababa de desenmallar en la lancha,
de vuelta de la mar—, en cuanto te pongas el vestido,
el día que lo estrenes, vente acá de una carreruca,
pa que yo te lo amañe encima, antes que la gente *arrepare* en él. Porque tú no sabes de esos primores. ¡Vaya, que tendrás que ver, Muergo!

—¡Puño!—exclamó éste al contemplar la expresión
regocijada de Sotileza—. ¡Más que la *portisión* [156] de
los Santos *Mártiles,* con Cabildo y *too!*... Pero no
tanto como tú, Sotileza... ¡Puño!... Porque tú tienes
que ver más que *toa* la *cristiandá* con *empavesaúra*...
Si tuvieras a mano algo de *torrendo tamién*...

Cuando Muergo bramaba así, clavados los desnudos
y anchos pies en el suelo, los brazos caídos, con los
codos hacia afuera; el gorro sobre el cogote y las greñas encima de los ojos, comenzaba a anochecer en la
bodega. Con este motivo, si es que no lo tomó por pretexto, Sotileza dejó a Muergo en aquella actitud, con
la palabra atascada en la caverna de su boca, y fue
a encender el candil de la cocina.

155 *cafetera:* borrachera. *(N. del A.)*
156 *portisión:* vulgarismo por *procesión.*

Al salir de ella miró hacia el portal y vio a tío Mechelín arrimado a la puerta de la calle. Le llamó para decirle que le buscaba su sobrino.

En la cara de Muergo y en cierta sacudida de sus hombros abovedados pudo notarse que le contrariaba mucho la vuelta de Sotileza acompañada de su tío.

En otros tiempos hubiera alborotado al alegre marinero la noticia que le dio Muergo en cuanto le tuvo delante; pero ya sin bríos para luchar personalmente en aquellas nobles batallas entre los dos Cabildos rivales, y cargado de dolencias que le robaban el entusiasmo y hasta la curiosidad, dio escasa importancia al suceso anunciado por su sobrino, aunque no dejó por eso de aconsejarle que no fuera él al regateo si estimaba en algo su vanidad de remador, porque era cosa corriente que habían de ganar los callealteros. Muergo se las tuvo tiesas a favor de los de Abajo, sin importarle un bledo el daño que con sus brutales dichos causaba a aquel veterano de los de Arriba; pero intervino Sotileza, y con dos sacudidas de apóstrofes y de reconvenciones puso al salvaje compañero de la lancha del Mordaguero más blando que una badana. Convino sin dificultad con su tío—muy vigorizado con el valiente apoyo de aquella gentil criatura, que era el calor de su espíritu—en que eran unos tumbones los mareantes de Abajo, y comenzando a roer el zoquete de pan que le había dado Sotileza, salió de la bodega con rumbo a la Zanguina, para ver cómo se iba armando aquello.

Después entró tía Sidora, que ya estaba en autos por lo que se había corrido en la plaza, y más entusiasta que su marido, o aparentándolo al menos quizá con el noble propósito de entretenerle, pudo conseguir que se fuera un rato a la taberna del tío Sevilla, donde ella sabía que iba a ventilarse el punto a Cabildo pleno.

Poco después de salir de la bodega tío Mechelín,
entró en ella Cleto, que no se encontró a Muergo en el
camino porque, después de subir por la calle de Somorrostro, tomó por las escaleras de la Catedral, mientras el otro bajaba por Rúa Menor. Pero si no con
Cleto, Muergo se encontró con Andrés; y no sé yo si,
en la necesidad de encontrarse con uno de los dos,
salió perdiendo o ganando en el encuentro que tuvo.

Andrés, tan pronto como se apartó de él Cleto, necesitó mayor espacio que éste para entretener y dominar la tempestad desencadenada en su pecho y en
su cabeza. Porque la tempestad de Cleto era sorda
de fondo, relativamente mansa, y podía aguantarse a
la vela, dejándose llevar de aquí para allí sin otro
cuidado que el de huir de los escollos de la costa;
pero la de Andrés era de huracanes furiosos que le
batían en redondo y le llevaban en vilo, flagelándole
con sus azotes de espumas, amargas como las hieles.
Huyendo a la desesperada, anduvo durante una hora
sin saber por dónde ni conocer a nadie...

Y todo ello, ¿por qué? Porque dio en antojársele que
Cleto era, en rigor de justicia, un buen acomodo para
Sotileza; que Sotileza, o las personas que la ampara-
ban, podrían muy bien caer en la cuenta de ello cuando Cleto, o quien les fuera con la amorosa embajada,
manifestara en la bodega sus intenciones o deseos; y
que, por conclusión de todo, Cleto y Sotileza... ¡Sotileza, tan pulcra, tan linda, tan gallarda; la que le
había hecho faltar a él a sus deberes de amigo... y
hasta de hombre honrado, y, con dureza de empedernido desdén, machacando los pensamientos en el hervidero mismo donde brotaban a escondidas de la voluntad! Cierto que oponerse a los planes de Cleto por
los motivos que le zumbaban a él en la mollera; trabajar para que Sotileza llegara a verse en el mundo
sola y desamparada de todos, era una completa villa-

nía; pero ¿estaba él seguro de que, escarbándose un poco en sus adentros, no se hallaran, por causa de aquellas desazones que le consumían, más que torpes deseos contrariados? Apretándole un poco más las ansias que le atormentaban, ¿no sería él capaz de llegar con sus intentos hasta donde la licitud de ellos le pusiera para siempre al abrigo de ese linaje de contingencias? ¡Y pensar que, sobrándole generosidad en el corazón, con haberle recibido ella mansa y cariñosa, con haber dejado a su noble arbitrio el resultado de sus inexplicables arrebatos, él mismo hubiera sido capaz de entregar a Sotileza, limpia de toda mancha, al primer hombre de bien que la mereciera!

Pero ¿merecería Sotileza este sacrificio? ¿Merecería siempre el que se había impuesto él al jurarle lo que le juró en su casa viéndose a solas con ella?

Cleto le afirmó que no se había cruzado todavía entre ambos una sola palabra ni una mala señal de inteligencia en sus intentos amorosos; pero Muergo..., ¡aquel estúpido y horroroso Muergo, en cuyos brazos se dejaba ella conducir, muerta de risa, en la playa de Ambojo...!

¡Y vuelta otra vez al tema que tan a menudo examinaba y exprimía desde que había prometido a Sotileza no volver a su lado con un mal pensamiento entre los cascos! No había malicia, quizá, en aquellos abandonos de la callealtera; pero no le estaban bien a una muchacha honrada que, por faltas mucho menores, le había plantado a él a la puerta de la calle. De esto habría que hablarle, siquiera una vez, a solas y pronto, y a Muergo también.

Y en tal ocasión fue cuando Muergo se le puso delante, al salir de una de las bocacalles inmediatas a la Zanguina.

—¿De dónde vienes?—le preguntó Andrés

—De allá arriba—respondió Muergo.

18

—¿De la calle Alta?

—Sí.

—¿De la bodega de tu tío?

—Sí. Fui a ponerle en los casos del regateo, por si no lo sabía.

—¿Y quién estaba allí?

—¡Puño!—exclamó Muergo, rascándose la cabezota a dos manos—. Cuando entré, hágase la cuenta de que la *mesma* gloria... ¡Ella soluca, hombre!

—¿Quién?—volvió a preguntar Andrés, muy anhelante.

—Sotileza, ¡puño!

—Conque... Sotileza sola—dijo Andrés, disimulando de mala manera el escozor que le atormentaba—. Vamos, ¿y qué le dijiste? ¿Qué te dijo ella?

—*Pos aticuenta*[157] que *na*—respondió Muergo, estremeciéndose—; porque a lo mejor se *jue* a encender el candil, y después *allegó* mi tío.

—Conque a lo mejor—recalcó Andrés, con un acento que sacaba lumbres—. Eso es decir que algo bueno te había pasado ya. ¿No es cierto, Muergo? Vamos, hombre, dilo con franqueza.

Muergo se rascó otra vez la greña, y, después de reírse a su modo, dijo al impaciente Andrés:

—*Güeno,* por decir *güeno,* no fue tanto como pudo ser; pero *güeno jue* con *too,* ¡puño!, aquel ratuco entre los dos... Yo, *dijiéndola* cosas, y cosas..., y cosas... ¡Ni la *metá* siquiera de lo que yo diría, puño, si *sabiera* decirlo!...

—¿Y ella?—apuntó Andrés, casi con un rugido.

—*Pos* ella—respondió Muergo, restregándose las manazas y haciéndose todo él casi un ovillo—, *pos* ella, don Andrés, ¡ju, ju!... La gloria *mesma*..., ¡las puras mieles por mí!

—¡Mentira, estúpido!—rugió la voz de Andrés al

---

[157] *aticuenta:* lo mismo que *hazte cuenta.*

dicho del marinero—. Las mieles de una mujer como ésa no están para bestias como tú. Yo te prohibo que digas eso a nadie, y que tú mismo lo creas...

—¡Puño!—exclamó rudamente el apostrofado así—. ¿Y por qué no he de creer yo lo que es verdad? ¿Y quién es *naide pa* mandar que no me relama con ello, si me gusta?

—Yo te lo mando—repuso Andrés, temiendo haberse descubierto demasiado—, porque tengo obligación de velar por la buena fama de Sotileza, y su buena fama se mancha con alabanzas de supuestos como los tuyos. ¿Me entiendes, bárbaro? Por eso te prohibo que te alabes delante de nadie de lo que te has alabado delante de mí, y que es una pura mentira.

—Es la pura *verdá*, ¡puño!

—Digo que mientes, ¡cerdo! Y ahora te añado que, si para curarte ese vicio de calumniar a una muchacha honrada no basta lo que te digo, yo haré que te cierre la puerta de aquella casa quien tenga más autoridad que yo para hacerlo.

Según iba desahogando Andrés sus iras de este modo, en voz baja, pero fiera y desconcertada, a Muergo le subía un cosquilleo pecho arriba; se le encrespaba la greña, y los bizcos ojos se le revolvían en sus cuencas.

—¡Ah, puño!—saltó de repente, apretándose los suyos y rugiendo también—. ¡Lo que a *usté* le pica no es que mienta yo, sino que diga la *verdá!*

Andrés se quedó helado de vergüenza al considerar que una bestia como aquélla le hubiera descubierto el misterio de su berrinche imprudente.

Muergo añadió todavía:

—Sí, ¡puño!; esto que aquí me pasa, y lo otro que se corría y pensé que eran malos quereres, y algo que he visto yo..., ¡puño, la cuenta sale!...

—¡Otra impostura, animal!

—¡No, no, puño!, que *enestonces* me *jurgara* a mí
por acá *entro* esta cosa que nunca me *jurgó*. ¡Puño!
¡Cómo *resquema!*... Don Andrés, por *usté* me echo
yo de cabeza a la mar en otros particulares...; pero
en éste, ¡puño!, en éste, no se me cruce por la proa...,
porque le doy la *troncá pa* echarlo a pique...

La única respuesta que se le ocurrió a Andrés de
pronto a esta inesperada y hasta elocuente exaltación de Muergo fue un bofetón de los tremendos que
él sabía dar en lances muy apurados; pero no estaba
la calle solitaria, y, no estándolo, el golpe iba a tener
más resonancia de la que a él le convenía.

Advirtióle algo de ello al monstruo mareante para
que se diera por respondido, es decir, por abofeteado,
y temeroso de que la réplica del insubordinado animal
le obligara a cumplir la amenaza, apartóse de él precipitadamente.

Cada paso que daba en aquella desdichada aventura era una torpeza que le costaba un nuevo descalabro.

Así es que el pobre chico iba ahumando hacia la
calle de la Blanca, mientras su monstruoso rival entraba en la Zanguina.

XX

EL IDILIO DE CLETO

Al día siguiente entró en el puerto la *Montañesa,* de retorno de su viaje a la Habana, y se desembarcó el capitán, resuelto a dejar el oficio por todos los días de su vida.

—¡Ya es hora, Pedro, ya es hora!—le decía la capitana, estrechándole en sus brazos, después de oírle jurar que no quebrantaría aquellos buenos propósitos—. ¡Qué lástima que no lo hubieras hecho unos años antes! ¡Nos quedan ya tan pocos para pasar la vida juntos, sin las penas que me han llenado de canas!...

—¡Vamos, no te quejes, ingratona!—respondía su marido, examinándola con los ojos de pies a cabeza, después de desprenderse de sus brazos—, que más tengo yo, y menos lucido me veo de pellejo y con más averías en el casco. Ahora, que trabaje otro mientras yo descanso. Veremos cómo engorda Sama con el oficio que le dejo por herencia. El camino bien lo sabe. Lo peor es el barco, que no está ya para muchas borrascas; lo mismo que su capitán. Fortuna que, al cabo de tanta brega, se ha sacado para la vasallona y darse uno la última carena en puerto seguro.

A la sazón era don Pedro Colindres un señor grueso, atezado, de patillas y pelo blancos, y su mujer, una hermosa matrona, de cabeza gris y majestuoso porte.

La cual, continuando la conversación con su marido, que la miraba embelesado, llegó a decirle:

—¡Mucha, muchísima falta estabas haciendo ya para eso, Pedro!

—Pues ¿qué le pasa, Andrea?

—No lo sé; pero desde hace quince días no es el que era, y en los ocho últimos le desconozco tanto, que me da pesadumbre. Ni come de traza, ni duerme con sosiego, ni creo que sabe por dónde va. Anoche se metió en casa muy temprano, hecho un palomino atontado, y, por más que le tiré de la lengua, no le pude arrancar una palabra. ¡Con lo alegre que él era y lo...!

—Aprensiones tuyas, Andrea; aprensiones tuyas, porque las mujeres ¡tenéis un modo de querer!...

—¡Te digo que no son aprensiones, Pedro!

—Pues yo bien sereno le he visto esta mañana, y maldito si he notado en él cambio ninguno.

—Porque delante de ti disimula... Mira, Pedro: apostaría la cabeza a que le han trastornado la suya en esa maldita casa, de donde no sale muerto ni vivo.

—¿De qué casa, mujer?

—La de la calle Alta.

—¡Bah!

—¡Cuando yo te lo digo!

El capitán no quiso que se hablara más del asunto; y, creyéndolo o no, afirmó a su mujer que por ese lado no había nada que recelar.

Al mismo tiempo que esto acontecía en casa de Andrés, Pachuca, la novia de Colo, apremiaba a Sotileza para que le acabara aquel mismo día, que era sábado, la saya nueva que le estaba cosiendo allí. Pero Sotileza, por más que se afanaba en la costura, dudaba mucho de que saliera Pachuca con el empeño.

Esta, sentada junto a su amiga y ayudándola con los ojos y hasta con ciertos movimientos involuntarios de sus manos, obra de la impaciencia que la consumía, hablaba y hablaba sin cerrar la boca.

Y, hablando, hablando, habló de Colo, para ponerle, como era de esperar, en los cuernos de la luna.

—¿Y cuándo os casáis?—le preguntó Sotileza.

—No sé qué decirte a eso, hija—respondió Pachuca, suspirando—. Lo que es por casar, ya nos hubiéramos *casao* rato hace, que él buenas ganas tiene, y yo *tamién;* pero córrese que va a sacarse una leva muy luego. Y yo, ya ves tú: casarse hoy *pa* enviudar mañana...

—Razón tienes, Pachuca. Es mejor esperar a que vuelvan.

—¡Si *güelven,* los *enfelices!*

—¡Que han de hacer sino volver!

—Quedarse allá los *probes*... ¡Ay *venturaos!*... ¡Por esos mares!... Si Dios quisiera que no *allegara* el número... ¡Pero lo tiene ya tan bajo!... Milagro será que no le llegue, por chica que la leva sea. Una misa de a peseta tengo ofrecía a San Pedro si no le toca.

—Pues mira, Pachuca—dijo Sotileza con aquel tono dominante que era natural en ella—: sobre que más tarde o más temprano le han de llevar al servicio, yo ofrecería esa misa porque te lo llevaran ahora.

—¿Por qué?

—Porque vuelven de allá muy otros. Siquiera aprenden a andar derechos y a lavarse la cara todos los días. Esa ventaja saldrías ganando al casarte con él de vuelta del servicio.

—Y tú, mujer—preguntó Pachuca en crudo—, ¿cuándo te casas?

—¡Yo!—respondió Sotileza, mirando con asombro a su amiga—. ¿Con quién?

—*Pus* con el que tú quieras—dijo Pachuca sin ti-

tubear—. ¿No es tuya la calle de arriba abajo? ¿Hay
moza en ella más *cubiciá* que tú?

—*Pa* poca *salú*, morirse es mejor, Pachuca.

—¡*Cubiciosona!* [158] *Pus* ¿qué quieres? ¿Comerciantes de allá abajo?

—¿Quién ha dicho eso?—exclamó Sotileza al punto,
en voz dura y con más duro entrecejo.

—Dígolo yo por decir, mujer—respondió Pachuca,
temerosa de que su amiga hubiera echado la broma a
mala parte.

—Es que hay dichos, Pachuca—replicó Sotileza con
ira mal disimulada—, que son más de temer que los
bofetones..., porque hay lenguas que los esparcen como la peste; y bien sabes tú que las hay en esta calle
peores que la sarna, y con qué honras buscan el
arrimo.

La pobre Pachuca, que no había pensado en semejantes rumores para decir lo que había dicho a Sotileza, no se hartaba de jurárselo para que no se ofendiera.

—Si no me ofendo de ti, Pachuca—le dijo la hermosa huérfana, esforzándose por dar a su cara y a
su voz toda la blandura que podía—. Bien sé que tú
no me quieres mal; pero otros no me pueden ver y
tiran a matarme, y de esos golpes, que me duelen,
salen estos quejidos que no puedo remediar. Otra, en
mi caso, te lo callara; yo te lo canto así, porque en
ese particular no debo al demonio ni una mala idea.

Hablando Sotileza de este modo, entró en la bodega
la vieja tía Ramona, el ama de gobierno del padre
Apolinar, preguntando por el tío Mechelín.

—Está a porredanas, [159] y no vendrá hasta más tarde—respondió Sotileza.

---

[158] *cubiciosona:* lo mismo que *codiciosona.*

[159] *a porredanas:* expresión vulgar equivalente a *pescado de
la bahía.*

—¿Y tía Sidora?—volvió a preguntar la vieja.

—En la plaza.

—Pues yo los buscaba para decirles que *pae* Polinar quiere que vayan los dos a verse con él en su casa, sin falta ninguna, al anochecer. Ya ellos saben por qué no puede venir acá él mismo. ¿Conque se lo dirás así en cuanto los veas, guapa moza?

—Se lo diré—respondió la aludida sin dejar de coser.

—¡Bendito sea Dios!—dijo tía Ramona por despedida—. ¡Qué repolluda y qué maja te hizo Su *Devina Majestá,* y qué *agradecía* debes estarle!

Y salió, arrastrando sus chancletas, mientras Pachuca, mirando a Sotileza, se reía de las exclamaciones del ama del fraile, bien conocida en aquel barrio.

Sotileza, tan pronto como Pachuca la dejó sola y sin la obligación de hablar, aunque fuera poco, empleó todas las fuerzas de su discurso en adivinar la razón del recado traído por el ama del fraile. Nunca había pretendido éste cosa semejante; y desde algún tiempo atrás le estaban pasando a ella cosas bien desusadas.

Corrieron las horas, y el matrimonio de la bodega, vestido de media gala, porque, al cabo, tenía que atravesar una parte de las más concurridas de la población, y carcomido por la curiosidad más devoradora, acudió a la cita del padre Apolinar.

Cleto, a la escasa luz del crepúsculo, los vio salir a la calle, desde la taberna del tío Sevilla, donde estaba sentado, con las manos en los bolsillos, las espaldas mal embutidas entre el mostrador y la pared, y la cara a medio zambullir en la pechera de su elástico. No había pegado los ojos en toda la noche última, y había vuelto de la mar sin acordarse de lo que le había ocurrido en ella. *Pae* Polinar no hacía nada por él,

y Andrés le cerraba todas las puertas. No tenía más
remedio, para abrirlas, que valerse de su propio esfuerzo. Estaba dispuesto a hacerlo como Dios y sus
ahogos le dieran a entender, y en esto pensaba cuando vio a los viejos de la bodega salir a la calle juntos.

Alzóse súbitamente de su banco; esperó a que aquéllos doblaran la esquina de la cuesta del Hospital;
miró después al balcón de su casa y a lo ancho y a
lo largo de la calle, y, viéndolo todo libre del enemigo
que le espantaba en la empresa que iba a acometer,
llegó en dos zancadas al portal y se coló, resuelto, en
la bodega.

Sotileza continuaba cosiendo la saya de Pachuca a
la luz del candil que acababa de colgar en la pared.
Por verse Cleto delante de ella, palpó la dificultad con
que ya contaba él, no obstante la firmeza de su resolución. ¡La palabra, la condenada palabra, que se le
negaba siempre que más falta le hacía!

—Pasaba—balbució, temblando de cortedad—, pasaba... por ahí delante..., y pensando así, dije: «Voy a
entrar un rato en la bodega.» Y por eso entré. ¡Paño!
¡Güena saya coses! ¿Es *pa* ti, Sotileza?

Sotileza le dijo que no; y, por cortesía, mandóle
que se sentara.

Sentóse Cleto muy separado de ella, y mirándola,
mirándola en silencio largo rato, como si tratara de
emborracharse por los ojos para romper así las trabas de su lengua, acertó a decir:

—Sotileza, una vez me pegaste un botón... allí afuera... ¿Te acuerdas?

Sotileza se sonrió un poco, sin levantar la vista de
su labor, y respondió a Cleto:

—¡Pues mira que ha llovido de entonces acá!

—*Pos pa* mí—dijo Cleto, más animado—*aticuenta*
que *jue* ayer.

—Bueno—repuso Sotileza—, ¿y qué hay con eso?

—*Pos* con eso hay—continuó Cleto—que *dimpués*
de aquel botón, que era de asa, y *entodía* le tengo en
estos otros calzones... ¡míale aquí!... *Dimpués* de aquel
botón, *jui* entrando, entrando en esta casa..., porque
no se *pué* parar en la mía, Sotileza. Bien lo sabes tú,
¡paño! ¡Aquello no es casa, ni aquéllas son mujeres,
ni aquel hombre es hombre! *Pos güeno:* yo no sabía
de cosa mejor que ello..., y por no *saerlo,* una vez te
pegué una *patá...* ¿Te *alcuerdas?* ¡Paño! ¡Si vieras lo
que ese golpe me ha *dolío* a mí *dimpués* acá!

Sotileza, comenzando a asombrarse de aquello que
oía, porque nunca cosa igual ni parecida había oído
de tales labios, clavó sus ojos en los de Cleto, con lo
cual cortó no solamente la palabra, sino hasta la respiración del pobre mozo. En seguida le dijo:

—Pero ¿por qué me cuentas esas cosas?

—Porque hay que contarlas, Sotileza—atrevióse Cleto a responder—; por eso mesmo, y porque *naide* ha
querío venir a contártelas por mí..., ¡paño! Me parece
que en ello no ofendo a *naide...* Porque verás tú, Sotileza; verás tú lo que me pasa. De *plonto* no caía yo
en la cuenta de ello, y me dejaba hinchar, hinchar
de aquellas *marejás* que iba embarcando según entraba yo aquí; y tú, crece que te crece... ¡Paño, qué
arbolaúra ibas echando de día en día, Sotileza! Yo
no ofendía a *nenguno* con mirar eso..., me *paece* a
mí; ni tampoco por alegrar la entraña con el recreo
de esta bodega una vez que otra. Arriba, *na* de ello;
mucha negrura..., la honra de las gentes por el balcón abajo; sin ley unos a otros... ¡Paño, esto hace
mala sangre..., aunque uno la tenga de *azúcara!...* Y
por eso te di aquella *patá,* Sotileza; que si no, no te la
diera; y lo sé, porque si aquí se me dice: «Cleto, écha-
te de cabeza por el Paredón», por el Paredón me echo,
Sotileza, si con ello te das por bien *servía,* aunque
otra cosa no me valga que el despeñarme... *Pos güe-*

no: de estos sentires no sabía *endenantes*, Sotileza;
aprendílos aquí, sin preguntar por ellos y sin agravio de *naide*... Ya ves tú, no *jue* culpa mía... Me gustaban, ¡paño!, me gustaban mucho, me sabía a las
puras mieles; ¡como que nunca me había visto en
otra, Sotileza!... Y me hartaba, me hartaba de ellos...
hasta que me cogieron en el arca... Y *dimpués*, tumba
de acá, tumba de allá, a modo de maretazos por *aen-
tro;* poco dormir y un ñudo en el pasapán... Mira, Sotileza: pensaba yo que no había mal como las *pesaúmbres* de mi casa... *Pus* mejor dormía con ellas
que con estos sentires de acá abajo... ¡Pa que lo veas,
paño! Me *paece* que tampoco en esto ofendía yo a
naide, ¿verdad, Sotileza?... Porque al *mesmo* tiempo
que esto me pasaba, mejor y mejor vos iba *quisiendo
ca* día, y con más respeto te miraba a ti, y más deseos
me entraban de verte la *voluntá* en los ojos, *pa ser-
vítela* sin que me lo mandaras con la lengua. ¡Y
anda, anda así meses y meses, y un año y otro, con
el *ajogo* en el arca y sin saber cómo salir a flote! Porque ya ves tú, Sotileza: una cosa es el sentir del hombre, y otra el relatarle, sin palabra, como yo. *Dimpués*, lo que tú eres..., lo que yo soy: ¡la mesma *barreúra, acomparao* contigo!... Pero no podía más, Sotileza, y acudí a hombres que lo entienden *pa* que hablaran por mí; pero como a ellos no les dolía, ¡paño!,
me dieron con la puerta en los hocicos. ¡Mira tú qué
falta de *caridá!* Porque en esto tampoco había mal
pa naide, ni se injuriaba a *denguno*... ¿Te haces tú
bien el cargo, Sotileza, de esto que te digo?... *Pus*
porque *naide* ha *querío* decírtelo de mi parte, vengo
a decírtelo yo, ¡paño!

Sotileza, para quien no era noticia el amoroso sentir de Cleto, que bien claro se lo tenía leído ella, no
se asombró de este descosido relato, por lo que des-

cubría; pero sí del inesperado atrevimiento del rela-
tante. Miró a éste muy serena, y le dijo:

—*Verdá* es que no hay agravio en todo lo que me
cuentas, Cleto; pero ¿a santo de qué me lo cuentas
ahora?

—¡Paño!—respondió Cleto, muy admirado—. *Pus*
¿a santo de qué se cuentan siempre esas cosas? *Pa*
que se sepan.

—Pues ya las sé, Cleto, ya las sé.

—¡Que las sabes!... ¡Podías *no!* Pero no es bastante eso, Sotileza.

—¿Y qué más quieres?

—¡Que qué más quiero! ¡Paño!... Quiero ser un
hombre como tantos que conozco yo; quiero buscarme
otra vida que la que traigo, con esta luz que tú *mesma*
me has encendío acá adentro; quiero vivir como se
vive en esta bodega, quiero trabajar *pa* ti, y ser limpio y curioso, y bien *hablao,* como tú; quiero barrerte
el suelo por *onde vaigas,* y, cuando me las pidas, traer-
te hasta las *serenitas* del mar, que *naide* ha visto. ¿Te
parece poco, Sotileza?

Cleto estaba en este momento verdaderamente
transfigurado, y Sotileza admirada de ello.

—Nunca te vi tan animoso como ahora, Cleto—le
dijo—, ni de tanta palabra.

—Es que reventó la ola, Sotileza—respondió Cleto,
más enardecido—, y yo *mesmo* creo que no soy lo que
antes era. ¡Hasta por tonto me tuve!, y, ¡paño!, ahora juro que no lo soy con esto que siento acá y me
hace hablar a la fuerza... Y si este milagro es tuyo
sin empeñarte en ello, ¿qué milagros no harías conmigo cuando te empeñaras? Mira, Sotileza: yo no
tengo vicios; soy *arrimao* al trabajo; no sé querer mal
a *naide;* estoy hecho a poco; no conocí, en lo mejor
de mi vida, más que tristezas y *pesaúmbres*...; viendo
aquí cosa muy diferente, ya sabes cómo la estimo y

quién tiene la culpa de ello; en esta casa hace falta
un hombre..., ¿te vas enterando, Sotileza?

Sotileza se enteraba demasiado; y por eso respondió a Cleto con cierta sequedad:

—Sí; pero ¿qué adelantas con que me entere?

—¡Otra vez, paño!—dijo Cleto, exasperado—. ¿O
es eso darme el no con cortesía?

—Mira, Cleto—respondió fríamente Sotileza—: yo
no tengo obligación de responder a todas las preguntas que se me hagan sobre esos particulares; por eso
vivo metida en casa, sin tirar de la lengua a *naide*.
Yo no te quiero mal, y sé muy bien lo que vales; pero
tengo acá mi modo de sentir y quiero guardarle por
ahora.

—Lo dicho, Sotileza—exclamo Cleto, desalentado—:
eso es un barreno *pa* que me *vaiga* a pique.

—No es tanto como eso—respondió Sotileza—. Pero
ponte en un caso, Cleto: si en lugar del no que temes,
te diera el sí que vas buscando, ¿qué adelantarías
con ello? Si *pa* entrar en esta casa, no más que por
pasar el rato, tienes que esconderte de las gentes de
la tuya, ¿qué sería sucediendo lo que tú quieres?

—¡Justo!... ¡Lo *mesmo* que me dijeron los otros!...
¡Paño! ¡Eso no está en ley!... ¡Yo no escogí la familia que tengo!...

—Pero ¿quién te lo dijo lo *mesmo* que yo, Cleto?
—preguntó Sotileza, sin reparar en las exclamaciones
del pobre mozo.

—*Pae* Polinar, *en* primeramente.

—¡*Pae* Polinar!... ¿Y quién más?

—Don Andrés.

—¿A esa persona le fuiste con el cuento, animal?...
¿Y qué te dijo?

—Las mil *indinidades*, Sotileza... ¡Muerto me dejó!

—¿Lo ves?... ¡Y cuándo fue ello?

—Ayer, por la tarde.

—¡Bien merecido lo tienes! ¿A qué vas tú a *naide* con esas coplas?

—¡Paño, ya te lo dije! Me *ajuegaba* el hipo... Faltábame arrojo *pa* hablarte de ello..., y buscaba gentes que lo hicieran por mí... ¡No las buscara hoy, paño, ya que he roto a hablar!... Pero no es éste el caso, Sotileza.

—¿Cuál es, si no?

—Que porque arriba sean malos, lleve yo las triscas.

—Yo no te las doy, Cleto.

—Harto me las das, ¡paño!, si me cierras la puerta por los de mi casa.

—No fui tan allá siquiera, Cleto. ¡No querías correr poco! Te puse en un caso. ¿Lo entiendes ahora?

—¡Témome que sí! ¡Por vida de mi suerte!... Pero ¡dímelo claro, que a eso vine aquí!... No te encoja el miedo, Sotileza.

—¡No me hagas hablar!...

—¡*Pior* es que lo calles, mira..., *pa* según estoy yo! Vamos, Sotileza..., ¿te *paezco* poco?... *Pos* di cómo me quieres; yo *allegaré* a serlo, por caro que cueste. ¿Vale más otro, por si acaso? Yo seré más que él, si tú te empeñas.

—¡Vaya que es porfía, hombre!

—¡Si me va la vida en ello, Sotileza!... ¿Pues me arriesgara si no, paño?... Mira: *too* es tener un poco de terneza en la entraña, y *dimpués* el caso va *de* por sí solo... Tú me dirás: «Por aquí se ha de ir», y por allí iré tan contento... Poco te estorbaré: con un rinconuco me basta, en lo más *apartao*... ¡*Pior* que el que tengo yo ahora...! Comeré lo que tú me dejes de lo que yo te gane *pa* que vivas a la sombra... ¡Si yo vivo de *na,* Sotileza! Mira: lo *mesmo* que Dios está en los cielos, lo que a mí me engorda es un poco de ley, una miajuca de *caridá* y algo de alegría *alreguedor*... ¡Paño, qué gusto dará eso!... Conque ya ves

tú lo que pido... No es *pa* ofenderse *naide, ¿verdá?*...
Porque no se piden los imposibles.

Sotileza acabó por sonreír oyendo al pobre muchacho. Este insistió en vano para arrancarla una respuesta terminante. La porfía volvió a incomodarla;
y Cleto, desasosegado y fosco, llegó a hablar así:

—*Pos* dime siquiera que esto que te cuento no te
da más oírlo en boca de otro.

—Y a ti ¿qué te importa, animal?—saltó aquí Sotileza, con un dejillo rasgado e iracundo, que heló la
sangre en las venas de Cleto—. ¿Quién eres tú *pa*
pedirme esas cuentas?

—¡*Naide,* Sotileza, *naide!* La basura *mesma*..., ¡y
ni siquiera tanto!—clamó el pobre mozo, conociendo
la torpeza que había cometido—. Me cegó la pena,
y hablé sin pensarlo. Mira: no *jue* más..., por éstas
lo juro.

—¡Déjame ya en paz!

—Pero ¡no me cojas tirria!

—Quítate de delante, que harto te aguanté.

—¡Paño, qué mala suerte! ¿No me lo perdonas?

—Si no te largas, no.

—*Pos* ya estoy andando.

Y así salió aquella vez Cleto de la bodega, mustio y
pesaroso, cuando creyó haber estado a medio jeme [160]
de salir triunfante y coronado.

---

[160] *a medio jeme:* jeme es una medida de longitud equivalente a la distancia que hay desde la extremidad del dedo pulgar
a la del dedo índice, separando ambos todo lo posible.

XXI

VARIOS ASUNTOS, Y MUERGO DE GALA

Injuriar fuera la perspicacia del lector, por roma que la supongamos—y no supondré yo tal cosa—, declararle aquí, en son de noticia importante, que *pae* Polinar llamó a su casa al matrimonio de la bodega de la calle Alta para hablarle del asunto que le había encomendado Cleto. El pobre fraile, con el trabajo que le daba el sermón que traía entre cejas, y el miedo que le infundían las hembras de Mocejón, tomó aquel partido para perder menos tiempo y no verse en un trance que tan de lumbre temía.

Cumplió su cometido con poco entusiasmo, y hasta con la advertencia de que él ni entraba ni salía, y la condición de que, si el asunto cuajaba, no supieran ni las moscas del aire que su lengua se había movido ni para aquello poco que decía por servir al obcecado muchacho.

—Cleto es buena persona—dijo al último—. Vendría bien por un lado para ayudar a la casa. No daría guerra en ella; pero la darían otros, sólo por verle allí tan en paz... Ya sabéis de quién hablo. ¿Te acuerdas, Miguel? ¿Te acuerdas, Sidora?... ¡Qué gente, cuerno, qué gente!... Por otra parte, aunque la muchacha es guapa y honrada de veras, y por ello sólo merece un marqués, como los marqueses no buscan marineras para casarse con ellas, Silda, más tarde o más

19

temprano, tendrá que apechugar con un callealtero
del oficio; y este callealtero, greña y palote más o
menos, allá se irá en pelaje y literatura con el hijo
de Mocejón después de limpio y trasquilado. ¿Enten-
déis lo que digo?... Pues conociendo la voluntad de
la interesada, pésense allá en familia las verdes y las
maduras de este particular..., y al cuerno, hijos; que
yo ni entro ni salgo... ¡Y Dios me librará de ello, jinojo!

Las mismas verdes y las propias maduras que el
padre Apolinar veían en el asunto tía Sidora y su
marido, con la única diferencia de que la primera,
para todo lo malo, hallaba un remedio; y al segundo,
hasta lo mejor llegaba a parecerle muy malo en cuanto se metía a comparar el oro bruñido de Sotileza con
el cobre roñoso del hombre que la pretendía. Verdad
que para tío Mechelín no había nacido galán en el
mundo, ni nacería tan pronto, que en buena justicia
la mereciera.

Sotileza había comprendido, por todo lo que le dijo
Cleto, después del recado que le dio la criada del padre Apolinar, que en casa de éste se había tratado el
mismo punto que acababa de ventilarse en la bodega.
De modo que, a media palabra que le dijo tía Sidora
después de convenir con su marido en que era hasta
deber de conciencia consultar, sin perder un instante, la voluntad de la interesada, le salió ésta al encuentro para referir lo que le había sucedido con
Cleto.

—Mejor *pa* nosotros—dijo tía Sidora—, que un trabajo nos quita con saberlo ya.

—¡Uva!—confirmó tío Mechelín, golpeando el suelo
maquinalmente con uno de sus pies.

Silda callaba y cosía. Tía Sidora añadió, después de
un ratito de silencio:

—Conque tú dirás, hijuca.

—¿Qué quiere usted que diga?

—Lo que te *paezca* sobre el caso.

—Por sabido se calla.

—Poco decir es.

—Y la *metá* sobra.

—Quisiera yo, hijuca, que te pusieras en los casos... Hoy no te falta, gracias a Dios; pero mañana o el otro..., ya ves tú..., *semos* mortales, y viejos, además, y con poca *salú*..., has de verte sola..., ¡y puede que muy luego!... La casta es mala..., ¡mala!..., no puede ser peor; pero él es un venturoso, noble como el pan... Con una miaja de aseo y bien vestido, cambiará mucho, porque es buen mozo de por sí... No te lo *empondero* tanto *pa* metértele por los ojos, sino porque este es caso de que se pongan las cosas en su punto, *pa* que al resolver no te engañes.

—¡Uva!—dijo Mechelín, cambiando de pie para golpear el suelo.

Como Sotileza no daba lumbres, tía Sidora, algo picada por ello, añadió en seguida:

—¡Pero, hijuca, respóndenos algo, por el amor de Dios, *pa* que uno sepa los tus sentimientos! Si temes engañarte por ti *mesma*, ¿quieres que pidamos consejo, pinto el caso, a don Andrés?

—¡Ni se lo mienten siquiera!—saltó la moza inmediatamente—. No hace falta ese consejo, ni de *naide* tampoco; que bien sé yo lo que me conviene.

—*Pos* eso queremos saber, hijuca; lo que te conviene a ti a la hora presente.

—¡Uva!

—Me conviene que me dejen en paz sobre esos particulares; que no me hablen más de ellos; porque no me hace falta, porque *ca* uno se entiende, y lengua me sobra *pa* decir esto quiero cuando sea *de* menester. Así estoy a gusto..., y Dios dirá mañana. ¿Me entienden ahora?

Y así quedó, por entonces, aquel asunto.

Con bastante más calor se ventilaba otro bien distinto en todas las tertulias y cocinas de la calle, desde la noche anterior. Este asunto era el del regateo propuesto por el Cabildo de Abajo, y aceptado por aclamación a claustro pleno en la taberna del tío Sevilla. En aquellos tiempos, todavía los mareantes santanderinos no habían pensado siquiera en meterse en otras aventuras que las del oficio, y un empeño de tal naturaleza removía en ambos Cabildos el entusiasmo de la gente moza, y calentaba la sangre en los entumecidos cuerpos de los veteranos. Porque no se trataba de un lance particular entre dos lanchas rivales, sino de un suceso que revestía toda la solemnidad de los grandes conflictos entre dos pueblos limítrofes. No eran unos cuantos remeros del Cabildo de Abajo que desafiaban a otros tantos del Cabildo de Arriba, ni se trataba tampoco de ganar, en concurso libre, un premio ofrecido por un particular o por el Ayuntamiento, lances en que caben amaños para repartir la ganga entre los competidores, y apenas se siente el amor propio; esto era muy distinto: era un Cabildo en masa desafiante al otro Cabildo, nada menos que para el día de los santos patronos del retador, patronos, a la vez, del Obispado, fiesta solemnísima en Santander; a la pleamar de la tarde, cosa de las tres y media; con el muelle atestado de curiosos; y se regateaba una onza, sacada de la entraña misma del tesoro de los contendientes; y los mareantes de Abajo eran vanidosos porque eran muchos, comparados con los de Arriba... En fin, que particularmente para éstos, el suceso venía a ser una verdadera cuestión internacional, y, por tanto, no es de extrañar que anduvieran interesados en ella hasta los gatos y los perros de la calle Alta.

Con este motivo, la bodega del tío Mechelín se vio

por las noches más concurrida que de ordinario; pues
como no le gustaba ni le sentaba bien salir a la taberna, donde se hablaba mucho del caso, los camaradas que le querían de veras, y no eran pocos, iban de
cuando en cuando a remozarle los ánimos con los dichos de la taberna, o a pedirle su autorizado parecer, siempre que se necesitaba.

Todo esto contrariaba grandemente a Andrés, porque le alejaba de aquellos sitios en la ocasión en que
más sentía la necesidad de frecuentarlos hasta conseguir siquiera un cuarto de hora de libertad para advertir a Silda, tan celosa de su honra cuando se trataba de él, lo expuesto que la tenía en boca del salvaje Muergo. En esto no faltaba a la palabra empeñada,
porque cuando la empeñó no contaba con lo que oyó
después a aquel animal. Y aunque, en opinión de
Silda, faltara, ¿qué? Si le estaba engañando, tonto
fuera él en guardarle tan inmerecidas consideraciones; si Muergo mentía, hasta deber de conciencia era
advertírselo a ella. Pero aquel ir y venir de gentes
extrañas, con lo que habían dicho de él por sus visitas a la bodega..., y la actitud de su padre, tan distinta a la de otras veces; lo que le advertía, lo que le
vigilaba...; las amenazas de Luisa, que podían cum-
plirse a la hora menos pensada...; y entre tantas contrariedades, espoleado a la vez por los ímpetus de su
carácter impaciente y fogoso, discurría las cosas más
absurdas, y llegaba a veces con sus proyectos a las
lejanías más peligrosas. Y era lo peor que ni siquiera
se asombraba de ello. Todo le parecía bien a trueque
de salirse con la suya. Ya se sabía: pensamientos apretados en la mollera de Andrés, resolución descabellada.

En cambio, Cleto se congratulaba, a su modo, en
aquel inusitado crecimiento de tertulianos en la bodega, porque así pasaba él más inadvertido en ella.

Entraba como uno de tantos, y Sotileza no tenía pretexto siquiera para tacharle de porfiado. Observar sin que le observaran; ver sin ser visto, como quien dice. Esto se lograba allí a la sazón, y esto le convenía desde que *pae* Polinar le había dicho que tenía de su parte la voluntad de los viejos. ¡Qué bien le supo la noticia! Con lo que él le había dicho a Sotileza y lo que ellos le añadirían, su negocio podía llegar a arreglarse a la hora menos pensada. Entre tanto, mucho ojo y mucha prudencia. Y así se conducía, con el pechazo repleto de esperanzas.

Muergo volvió a la bodega dos noches después de aquel su altercado con Andrés. Con el clavo que este lance le dejó adentro, la cuestión pendiente entre ambos Cabildos y media juna de aguardiente que llevaba, armó en la tertulia un alboroto, y su tío le prohibió volver a poner allí los pies mientras duraran aquellas excepcionales circunstancias, por obra de las cuales andaban los ánimos muy vidriosos en uno y otro Cabildo.

El de Arriba preguntó al de Abajo, que era el retador, hasta dónde quería el regateo, y desde dónde: él a todo se allanaba.

Respondió el de Abajo que hasta la peña de los Ratones, desde la escalerilla de los Bolados, según costumbre.

En aquel mismo día comenzaron los preparativos Arriba y Abajo. Por de pronto, rasca que rasca los pantoques [161] y branques [162] de las lanchas, hasta dejarlos más lisos que la misma seda; y después, afirma bancos, bozas y toletes, y luego carena por lo fino, hasta que no pase una gota de agua; y venga alquitrán que cubra y no pese; y pinta los costados, y dales, por

---

[161]   *pantoques:* las panzas de una embarcación que van sumergidas en el agua. *(N. del A.)*
[162]   *branque:* tajamar. *(N. del A.)*

último, sebo a los pantoques, o jabón, si se teme que
el sebo se agarre demasiado.

La lancha de Arriba se pintó de blanco con cinta
roja; la de Abajo, de azul con cinta blanca. Cleto y
Colo formaban parte de la tripulación escogida para
la primera; Cole y Guarín, de la de la segunda. Muergo se quedó sin plaza, porque no era de fiar en lance
tan delicado, no por falta de empuje, sino por su brutal informalidad. Sintió a su modo el desaire; pero
se consoló pensando en que ese día estrenaba vestido,
con zapatos y todo, y con el propósito de dar un tien-
to al palo ensebado, después del regateo.

Y así fue llegando el 30 de agosto, con regocijo de
tantas gentes y trasudores del padre Apolinar, que
apenas pegó los ojos en toda la última semana, empeñado en meter en la memoria todo lo que había bo-
rrajeado durante tres meses bien cumplidos.

Al amanecer, ya estaba Muergo en la Rampa Larga
refregándose la cabezona y las patazas con el agua
del mar. Después, dejando que éstas se fueran secando por sí solas, mientras iba de vuelta a su casa para
ponerse el vestido nuevo, pasábase el gorro por la
cara y se peinaba la greña con los dedos.

Una hora más tarde, cumpliendo regocijadísimo los
deseos y el encargo de Sotileza, subía hacia la calle
Alta, reventando en su atavío flamante y resbalán-
dose a cada paso en las aceras, porque no se amañaba
con aquellos zapatos de suela algo convexa y muy
bruñida que acababa de estrenar.

Increíble parecía a los que le miraran el relieve que
adquiría su fealdad envuelta en paño fino y en camisa limpia. ¡Qué relucir de pellejo! ¡Qué caer de
melena por debajo de la ancha gorra con borla de
cordoncillo! ¡Qué arqueo de brazos! ¡Qué sonreír de
gusto... y qué andares aquellos!

Sotileza se santiguó tres veces en cuanto le tuvo

delante, y juntó después las manos y abrió mucho los
ojos, como si se asombrara de que pudieran llegar a
tal extremo las humoradas de la Naturaleza.

—Aguántate así, Muergo—le dijo entusiasmada—.
Deja que te *arrepare* un poco desde lejos. ¡Bendito
sea el Señor!

—¿Te gusto, puño?—exclamó el otro, parándose esparrancado en mitad de la salita—. ¿Te *paizco* bien
con esta *empavesá?* ¡Ju, ju! ¿*Onde* está mi tío?

—Están *a* misa los dos... No te marches hasta que
vuelvan... Quiero que te vean así.

—Ni falta que hacen, ¡puño!... *Pa* que me *güelvan*
a echar... Por ti vine yo, Sotileza..., porque te lo ofre-
cí; y a más, a más tengo que decirte una cosa que
me *jurga* mucho acá *entro,* ¡puño!

—Pues mira—respondió la moza en ademán resuelto—: si llegas a hablarme de cosas que yo no te pre-
gunte, te planto en *metá* de la calle y no vuelves a
entrar aquí. ¿Lo oyes bien?

—¡Puño! ¿También tú?... Pero si tengo un pensar,
¿qué mal hay en echarle *juera?*

—Cuando venga al caso.

—Es que *agora* viene, ¡puño!

—¡Te digo que no..., y no seas burro!... ¡Madre de
Dios, qué arte de vestirse!... ¡Ven acá, animal!

Muergo avanzó dos pasos hacia Sotileza. Esta, después de mirarle de arriba abajo, le deshizo el nudo
mal hecho de la corbata de seda negra, volvió a hacerle como era debido, estiró los fuelles de la pechera de la camisa y arregló sobre ella las largas puntas
colgantes del pañuelo de *marga* de seda. Muergo la
dejaba hacer, sin atreverse a respirar siquiera. Sentía en el pecho la impresión de aquellos dulces mano-
seos, y temblaba de pies a cabeza.

—¡Qué bardal de pelos!—exclamó la moza, después que acabó con la corbata—. ¿Por qué no te han

esquilado un poco, arlotón? ¿No hay siquiera un peine en todo el Cabildo de Abajo?

Y en esto le arrancó la gorra de la cabeza, y comenzó a encresparle la melena con los dedos.

—¡Virgen María, si esto es un monte *cerrao!* Espera que lo arregle un poco antes de meter el peine.

Y al mismo tiempo que esto decía Sotileza, hundía las manos en la espesura.

Muergo lanzaba de su pecho rugidos sordos, y Sotileza, lejos de amedrentarse con ellos, tira de aquí y desbroza de allá, cuanto más roncaba él, con mayor ansia hundía ella sus dedos en la escabrosidad. De pronto lanzó Muergo un verdadero bramido.

—¿Te duele?—preguntó Sotileza sin cejar en su empeño.

—¡No, puño!—contestó el bárbaro, bajando más la cabeza—. *¡Jálame* más..., más..., que me gusta mucho!... ¡Más *juerte*, Sotileza! ¡Puño!... Así, así... *¡Jala* más!... ¡Más *entodía!*... ¡Ayyy!...

Sotileza dio entonces un salto hacia atrás, porque sintió las manazas de Muergo alrededor de su talle.

—¡Eso, no!—le gritó al mismo tiempo.

—¡Eso, sí, puño!—bramó el monstruo—. *¿Pos* qué te pensabas?...

Y avanzó hacia ella, trémulo y erizado, espantoso.

En el rincón de la salita había una vara con que tía Sidora había sacudido la lana de su colchón unos días antes. Sotileza se abalanzó a ella; y antes que Muergo llegara a tocarle en el pelo de la ropa, ya tenía encima de su alma dos varazos que le arrancaron sendas blasfemias. Muergo se detuvo allí, pero rugiendo y anheloso. Sotileza le sacudió otro par de verdascazos.

—¡Atrás!... ¡Más atrás!...—le gritó al mismo tiempo, fiera y resuelta.

Muergo retrocedió tres pasos.

—¡Más atrás!—insistió Sotileza, esgrimiendo la vara—. ¡Allí..., contra la *paré!*...

Y sólo cuando Muergo arrimó a ella las espaldas, dejó Sotileza su actitud amenazante. Muergo jadeaba y Sotileza poco menos. Esta le habló entonces así, como si quisiera clavarle al muro con sus palabras:

—Ese es tu lugar, y éste el mío. ¿Lo entiendes bien? Pues el día en que vuelvas a equivocarte, será la última vez que yo te mire a la cara. ¿Te conformas?

—¡Sí, puño!—respondió el otro, como bramaría una fiera acurrucada en el rincón de la jaula.

—Toma ahora la gorra—díjole entonces Sotileza con gran serenidad, después de haberla alzado del suelo.

Muergo alargó la mano.

—Amáñate primero un poco los pelos—le advirtió la resuelta moza, sacudiendo, entre tanto, muy cariñosamente el polvo de la gorra.

Muergo obedeció sin rechistar.

—Baja ahora la cabeza.

Muergo obedeció también. Entonces, Sotileza, con sus propias manos, le puso la gorra como debía ponerse.

—No la toques—le dijo después de enderezarse el otro, en cuyo pecho se oían zumbidos como de lejanas rompientes—. ¿Estás contento?

—Pues mírame tú como otras veces—respondió Muergo—. ¡Así..., así!... ¡Ay puño, qué *salú* da eso!

Sotileza se echó a reír, y en seguida dijo:

—Cuéntame ahora lo que tenías que contarme.

Muergo, despertando con estas palabras del estupor en que le había hundido la reciente escena, se disponía a referir a Sotileza el encuentro que tuvo con Andrés en las inmediaciones de la Zanguina; pero entraron en la bodega tía Sidora y su marido, que volvían de misa, y el relato quedó sin hacerse.

—¡Alabado sea el Santísimo Nombre de Dios!—exclamó la marinera contemplando a su sobrino—. ¡En los días de su vida discurrió el *mesmo* Satanás estampa como la que tienes hoy!

—¡Vaya!, que *paeces* un gabarrón empavesado!—añadió tío Mechelín haciéndose cruces.

Con esto y lo que había pasado poco antes, acabósele la paciencia a Muergo, el cual, con dos reniegos y una interjección brutal por toda despedida, largóse de allí resuelto a no parar hasta Miranda, en cuya ermita ondeaba, desde el amanecer, la bandera del Cabildo de San Martín de Abajo, y clamoreaba el sonoro esquilón, recreándose en todo ello los ojos y los oídos de los devotos mareantes, que, paso a paso, iban acercándose allá por los atajos del breve y hondo valle intermedio.

XXII

LOS DE ARRIBA Y LOS DE ABAJO

El Sardinero, en cuyas soledades se alzó en breves
días un edificio, uno solo, destinado a fonda y hospe-
dería, había vuelto a quedarse desierto y abandonado
de todos, por obra de un lamentable suceso [163] ocurrido en sus playas. Pasaban veranos, y solamente algún entoldado carro del país, que servía de vehículo
y de tienda de campaña a tal cual necesitado de los
tónicos vapuleos de las olas, se veía por allí de cuando
en cuando; los bailes campestres, tan afamados después acá, andaban a la sazón a salto de romería, y
ni siquiera cuajaba en todas ellas; comenzaba a no
ser de mal tono entre las familias pudientes lo que
en las mismas ha llegado a vicio de veranear en la
aldea; un viaje a Madrid era empresa de tres días, y
se contaban por los dedos los santanderinos que conocían de vista la capital de Francia; nos visitaban
durante media semana los distinguidos herpéticos de
Ontaneda o lo menos vulgar entre los reumáticos de
las Caldas o de Viesgo, al fin de sus temporadas, amén
de unas cuantas familias del interior que por inexcu-
sable necesidad venían a remojar sus lamparones en
las playas de San Martín; y por lo tocante a la gente
menuda, que no tenía vapores al Astillero, ni trenes
a Boo, ni tranvías urbanos, ni Sociedades de baile

[163] La muerte del brigadier Buenagro en un día de mucha
resaca.

por lo fino, ni otras recreaciones que tanto abundan ahora; ni estaban absorbidos los pensamientos de los unos por los arduos problemas sociales, ni se desvelaban las otras con cuidados de remedar en usos y atavío a las señoras de copete, merendaba en el Verdoso o en Pronillo, o triscaba tan guapamente en el Reganche, o en los prados de San Roque, con variantes de paseo en los mercados del Muelle, cuando el tiempo no permitía lucir al aire libre los trapillos domingueros.

Quiero decir con esto y lo que me callo, por no repetir lo que bien dicho tengo en no sé cuántos libros y ocasiones, que si entre los mareantes de acá el suceso de una regata, en los tiempos a que voy refiriéndome, causaba todavía las apuntadas impresiones, en la población terrestre también despertaba no poco interés, particularmente si, como acontecía en este caso, era muy señalado el día, y la salsilla agregada por el Municipio daba al espectáculo cierta apariencia de fiesta marítima. Cada Cabildo tenía sus partidarios en la ciudad, y en lides de aquella naturaleza bien recio demostraba sus inclinaciones cada partidario.

Ello fue que, aunque había romería en los prados de Miranda, y el sol calentaba bien, a las dos de la tarde ya estaba a pie firme la primera hilada de curiosos sobre la misma arista del muelle, desde el Merlón inclusive, hasta cerca de la Capitanía del Puerto. Poco después se formó la segunda fila, y en seguida la tercera, y la cuarta, y la quinta, siempre empujando las de atrás a las precedentes y culebreando, entre todos, los muchachos, y nunca perdiendo su aplomo la primera, ni zambulléndose en la bahía un espectador. Cómo se obra este milagro es aquí un hecho a cada instante.

Detrás de las cortinas tendidas sobre las barandas

de los balcones comenzaban ya las damas a colocarse en apretados racimos, dando la preferencia las de casa a las invitadas de fuera. En el fondo, rostros barbudos. Después iban desapareciendo poco a poco las cortinas, y aparecían, en su lugar, sombrillas y paraguas de todos los imaginables colores; con lo cual cada balcón ofrecía el aspecto de una maceta enorme con flores colosales.

En el muelle, entre la última fila de curiosos y las casas, buscando agujeros o rendijos por donde colocarse, la atolondrada familia del boticario de Villalón; explicando el intríngulis de la regata, que jamás han visto, a sus respectivas y emperifolladas esposas, el castizo harinero de Medina del Campo, o el reseco magistrado de Valladolid; risoteando con su novio la repolluda sirvienta, y contoneándose los almibarados pollos, no tan encanijados como la crema de ahora, mientras lanzaban pedazos de corazón a los balcones, con flechas de miradas mortecinas. De cuando en cuando, cohetes al aire desde el Círculo de Recreo y trasera de la Capitanía.

De pronto, la música de la Caridad resonando a lo lejos; después, más cerca, y luego más cerca todavía..., hasta que los menos torpes de oído pueden notar que vienen tocando un pasodoble, con bríos muy intermitentes. Las masas se revuelven hacia la escalerilla de los Bolados, a poca distancia del Merlón; por ella bajan los músicos imberbes; y después, de lancha en lancha, de bote en bote y como Dios y su agilidad les da a entender, llegan a encaramarse en el puente de un quechemarín que tiene por bauprés una percha ensebada: la cucaña del Ayuntamiento. Y vuelta a soplar allí los pobres muchachos... Y más cohetes desde allí también.

Las lanchas y los botes que rodean al quechemarín o se prolongan en ancha faja hacia el Norte y hacia

el Sur son otras lanchas y otros botes que hay enfrente, llenos de gente también, forman espaciosa calle,
a uno de cuyos extremos, el de la escalerilla, están
fondeadas dos lanchas en una misma línea, paralela
al muelle; y al opuesto otra que tiene su proa a una
bandera con los colores de la matrícula de Santander, tremolando en corto listón de pino. Aquella bandera será la credencial del triunfo, cuando la coja la
lancha que primero vuelva de la Peña de los Ratones,
distante de ella tres millas al sur de la bahía.

Sopla una ligera brisa del Nordeste; y aprovechán-
dola, voltejean en el fondo de este animado y pintoresco cuadro los esquifes de lujo con todas sus lonas
y perejiles al aire. No falta el *Céfiro,* regido diestra-
mente por Andrés, a quien acompañan sus amigos;
pero no Tolín, que está en el balcón de su casa muy
arrimadito a la hija del comerciante don Silverio Trigueras. A media distancia entre la lancha de la bandera del premio y el quechemarín de la percha ensebada está, en primera fila, la *barquía* de Mechelín
con toda la gente de la bodega y algunos agregados,
los más de ellos por cuestión de amistad y los menos
para ayudar con el remo al veterano de Arriba; Pachuca, con su saya nueva, y Sotileza, hecha un espanto de buena moza, ocupan el lugar preferente, es decir, el centro de la banda que da al callejón despeja-
do. Por una cruel disposición de la casualidad, la
familia Mocejón, puerca, regañosa y solitaria, está
con su roñosa *barquía* dos botes más atrás que la de
Mechelín.

De pronto se alza entre las gentes embarcadas y
las de tierra un rumor que apaga los tristes jipidos
de la música, y aparece como una exhalación, por el
sur de la Monja y entre remolinos de espuma, una
lancha blanca con cinta roja cargada de remeros
—ocho por banda—en pelo y con una ceñida cami-

seta blanca con rayas horizontales, por todo vestido
de cintura arriba; casi al mismo tiempo, y en rumbo
contrario, aparece otra azul con faja blanca, por delante del Merlón, a rema ligera también y tripulada
de idéntico modo. Ambas van gobernadas a remo por
el patrón respectivo, en pie sobre el panel de popa.

Las dos se cruzan como dos centellas, enfrente de
la escalerilla, entre el alegre vocerío de los tripulantes; y se deslizan y vuelan, y marcan sus rumbos de
gaviotas gallardas curvas de blanca y hervorosa estela. Cualquiera de las dos sería capaz de escribir así
con la quilla el nombre del Cabildo. Después, la rema
es despacio: picadas no más con la pala del remo,
y vuelta a volar en seguida para quedarse de pronto
con las alas tendidas al aire, meciéndose al blanco
vaivén de las aguas removidas. En estas evoluciones
parecen corceles fogosos trabajados por sus jinetes
para domar sus impaciencias antes de entrar en la
arena del torneo. Y algo hay de esto en los hermosos
escarceos de las lanchas antes del regateo, puesto que
lo hacen los remeros para ir entrando en calor. ¡Entrar en calor así! ¡Y con la mitad de ello tendría sobrado un forzudo ganapán para no menearse en cuatro días!

En fin, la marea está en su punto; suena la música
otra vez; bajan a las dos lanchas de respeto, inmediatas a la escalerilla, personas de ambos pelajes, es
decir, el marino y el terrestre; entran de popa en el
callejón las dos lanchas del regateo; atrácase cada
una de ellas a otra de las del Jurado; sujétanlas allí
sendos jueces, llamados señores de tierra, mientras
las tripulaciones se ponen en orden y se aperciben a
la liza; hácese la convenida señal... ¡y allá va eso!

La del Cabildo de Arriba, es decir, la blanca. va por
la derecha. A la segunda *estropada,* está delante de
la *barquía* de Mechelín; y entonces, entre crujir de

estrovos[164] y toletes[165], rechinar de remos sobre las bozas, el murmullo del torbellino revuelto por las lanchas y el gritar de los remeros, sobresale la voz de Cleto, que rema a proa, lanzando al aire estas palabras resonantes:

—¡Por ti, Sotileza!

Y Sotileza le vio tender su fornido tronco hacia atrás y, con la fuerza de sus brazos, arquear el grueso remo de palma, como si fuera un acero toledano.

Nada respondió la rozagante callealtera con los labios, porque la emoción sentida con el lance le embargaba el uso de la lengua; y algo hubiera dicho de muy buena gana, ya que no por Cleto sólo, aunque no dejó de estimar su cortesía, por el pedazo de honra cabildera que en el empeño se jugaba; pero, en cambio, el viejo Mechelín, vuelto al calor de sus entusiasmos por el fuego de aquellas cosas, agitó su gorra dominguera en el aire y gritó con voz de sus mejores tiempos:

—¡Hurra por ti, valiente..., y por todos los de allá arriba!...

Y las dos lanchas pasan como si misterioso huracán las impeliera; y rebasan en tres segundos la bandera de honor, que las saluda flameando; y las dos estelas se confunden en una sola; y las puntas de los remos enemigos se tocan algunas veces; y caen y se alzan las palas de éstos sin cesar, y tan a tiempo, como si un solo brazo las moviera; y los troncos de los remos se doblan y se yerguen con ritmo inalterado, de modo que hombres, remos y lancha componen,

---

[164] *estrovo:* aro de mimbres retorcidos o de cuerda de un diámetro algo mayor que el del espesor del remo que se mete por él para bogar. *(N. del A.)*

[165] *tolete:* palito redondo de madera fuerte que se afirma en un agujero hecho a propósito en el carel de la lancha, atravesando la boza, y en el cual se encapilla el estro7o para remar. *(N. del A.)*

a los ojos deslumbrados del espectador, un solo cuerpo
regido por una sola voluntad.

Y así van alejándose, sin que el ojo más sutil pueda
notar medio palmo de ventaja en ninguna de las dos.
En ocasiones tales, suele decidir el resultado de la
lucha una estratagema: algo como zancadilla a tiempo; una atracada de sorpresa, por ejemplo, cuando
no se puede cortar el rumbo, en buena ley, a la más
animosa; pero en este caso se juega limpio y a cartas descubiertas.

A medio camino, ya se las ve más apartadas entre
sí, ganando espacio a la derecha, porque el descenso
de la marea comenzará pronto, y hay que contar con
la deriva que las apartaría del rumbo conveniente si
ahora enfilaran la peña por la proa. Dos minutos después, la simple vista no puede apreciar la diferencia
entre colores; y un poco más allá, son dos bultos des-
coloridos, casi informes, y apenas se distingue el ale-
teo de los remos sino por el centellear del sol en los
chorros de líquidos cristales que al levantarse des-
tilan de sus palas.

Al fin desaparece una lancha detrás del islote, y en
seguida la otra..., y vuelven ambas a aparecer por el
este del peñasco, conservando la primera la misma
ventaja que al ocultarse las dos.

Pero ¿cuál de ellas es la que viene delante? Muchos
espectadores dudan: los que miran con catalejos de
atalaya o con gemelos de teatro sostienen que la ca-
lleal tera; y, según sus dictámenes, su ventaja es tal,
que tiene ya ganada la partida sólo con no aflojar la
rema, aunque la otra redoble sus esfuerzos.

Poco a poco van tomando forma los dos bultos, y
aumentando los tamaños, y apreciándose movimientos y colores... Ya pueden los ojos más inexpertos medir la distancia que separa las dos lanchas; y cuando

la callealtera está sobre el barco del Bergantín, tiene la azul a más de cable y medio por la popa

Ninguna de ellas ceja, sin embargo, en sus esfuerzos: en ambas se boga con el mismo coraje que al principio. Ya que una sola ha de vencer, que se estimen por los maestros los méritos de la menos afortunada.

La callealtera avanza como un rayo, y llega a la boca del ancho canal; y desde allí, con los remos en banda ya regida por su diestro patrón, se atraca a la lancha de la bandera. Arrebátala Cleto de un tirón, entre los hurras y el palmoteo de la gente; y sin perder su arrancada, la vencedora llega hasta la *barquía* de Mechelín; y allí Cleto, desencajado, reluciente, dice con recia voz, trémula por el entusiasmo:

—¡Tómala tú, Sotileza!... ¡*Pa* que la claves tú *mesma* con *las* tus manucas!

Y con aplauso de todos, compañeros y circunstantes, entrega la bandera, que en aquel momento era la honra del Cabildo de Arriba, a la hermosa callealtera, que la amarra con sus propias manos, como Cleto lo pedía, al pico del tajamar de la lancha triunfadora. Muchos cohetes en el Círculo de Recreo y en la Capitanía, y muchos trompetazos y cohetes también en el quechemarín.

Mientras tía Sidora y su marido, locos de alegría, abrazan a Cleto, y también a Colo, que se arrima allá para recibir los aplausos de Pachuca entusiasmada, se alza un coro de maldiciones en la *barquía* de Mocejón por la desvergonzada hazaña de su hijo, y llega cerca de la boca del canal, para torcer el rumbo en seguida y desaparecer por detrás del Merlón, la lancha azul del Cabildo de Abajo.

La callealtera había recorrido seis millas en veinticinco minutos.

Cuando terminó esta primera parte de la fiesta ya

estaban sobre el puente del quechemarín, en cueros vivos, salvo la zona cubierta por un pintoresco taparrabo, los contendientes de la cucaña.

Muergo era uno de ellos, y andaba dado a los demonios porque acababa de presenciar desde allí el episodio de la *barquía* cuando más le estaba requemando la derrota de la lancha de su Cabildo. Pensaba vengarse de Cleto ofreciendo a Sotileza la bandera de la cucaña.

Por verle las gentes asomar al palo, se oyó una exclamación de asombro avanzar en oleadas desde la muchedumbre del muelle hasta la que circundaba al quechemarín. Parecía un bárbaro australiano o un salvaje de la Polinesia.

A los dos pasos sobre la percha se le fueron los pies: perdió el equilibrio y cayó al agua dando tumbos y pernadas en el aire. Entonces se le tuvo por algo así como un chimpancé derribado por una bala desde la copa de un árbol de los bosques vírgenes del Africa. Resoplando en el agua verdosa, buceando y revolviéndose en ella como si fuera su natural elemento, un ballenato pintiparado. A todo se parecía menos a un hombre de raza europea. Y como él tomaba el bureo por aplausos a sus donaires, en cada tentativa de asalto a la cucaña hacía mayores barbaridades.

Desde las primeras estaba Sotileza con grandes deseos de marcharse de allí; y como a tía Sidora le pasaba lo mismo y a tío Mechelín no le divertían gran cosa, armáronse los remos de la *barquía* y fuese ésta poquito a poco hacia la calle Alta.

El lector y yo nos apartaremos también de aquel espectáculo que, con Muergos y sin ellos, cansa muy pronto a los más pacientes espectadores.

XXIII

LAS HEMBRAS DE MOCEJON

Por la noche rebosaba de parroquianos la Zanguina, y apenas cabían los sobrantes en los arcos de afuera. Los ochavos de la cucaña se habían partido entre los que luchaban por ellos; y así y todo, fue necesario una trampa, consentida por quien pudo no pasarla, para llegar sin zambullida hasta el extremo de la percha. Muergo, que no halló los zapatos al retirarse, después de rascar malamente el sebo que se le había agarrado al pellejo durante la brega y a pesar de los remojones, se había propuesto invertir su ganancia correspondiente en darse un regodeo de estómago y en un moquero blanco para regalar a Sotileza. Porque aunque de pronto le costó un berrinche la pérdida de los zapatos, considerando después que éstos de nada habían de servirle, puesto que no se amañaba a andar con ellos, acabó por darlos al olvido. Así es que mientras el Cabildo entero se agitaba en su derredor comentando a gritos el suceso de la tarde, él, calladito y descuidado, atiborraba el cuerpo de fritangas y pan del día, con largas intermitencias de lo tinto, especialmente cuando el diablo le amontonaba en la memoria el suceso aquel de la bandera después de la regata; los verdascazos de por la mañana, cuando soñaba con cosa bien distinta, y hasta su encuentro nocturno con Andrés, cuyo relato no había podido hacer a Sotileza... ¡Andrés!... ¡Bien de veces le vio él aque-

lla misma tarde rondando la *barquía* callealtera con
su bote! ¡Y qué ojos echaba el tunante a algo de lo
que había en ella! Para matar este gusanillo, lati-
gazo doble; y así iba capeando el temporal tan guapamente.

En un grupo de los de afuera departía el padre Apolinar, muy sulfurado.

Tomando lenguas de unos y de otros, había llegado
a saber que su panegírico de los Santos Mártires de
la Calahorra no había gustado cosa mayor al Cabildo,
y hasta que, en opinión de algún escrupuloso, el sermón no valía.

Esta indignidad traía desconcertado al santo varón.

—¡Cuerno con los doctores de suerte!—exclamaba
el fraile—. Pues ¿a qué estarán acostumbrados, jinojo?

—Tocante a eso, *pae* Polinar—le respondió un patrón de lancha, muy mesurado en el decir—, y sin
ofensa de *naide,* solamente *dende* el año cuarenta y
nueve, en que *nusotros* solos hicimos esa capilla, por
habérsenos echado de la Puntida *pa* labrar allí esas
casonas que hay ahora; solamente dentro de esos
tiempos, sin contar los de atrás, se han dicho cosas
de primera, *motivao* a los Santos Mártires, por hombres de mucha palabra y fino saber..., la *verdá* por
avante, pae Polinar, sin agravio de *nenguno.*

—¡Cosas de primera, cosas de primera, jinojo!...
¡Vaya unas cosas! Punto más, tilde menos, siempre
las mismas. Que les cortaron la cabeza en Calahorra,
que los verdugos las echaron al Ebro..., y mucho de
¡oh! por aquí, ¡ah! por el otro lado..., y chanfaina
al último, ¡jinojo!... Chanfaina y no más que chanfaina. ¿Sabías tú lo del barco de piedra?

—¿Quién será capaz de no saberlo aquí, *pae* Polinar?

—Claro, hombre, claro. Pero ¿como yo lo conté?...

¿Cómo venía el barco?..., ¿qué rumbos tomaba?..., ¿qué tiempos y qué mares lo combatían?..., ¿cómo abocó a este puerto?..., ¿por qué no abocó a otros antes?... ¿Os han contado algo de ellos nunca esos picos de oro, con traza y con arte? ¿Lo sabían, por si acaso, como lo sé yo?... ¿Sabía el Cabildo mismo aquello de la peña de los Mártires..., la Horadada, que llaman otros?

—Algo se sabía de eso, *pae* Polinar.

—¡Algo, algo! Saber algo es lo mismo que no saber nada en cosas tan importantes, ¡cuerno! Pues ahora ya lo sabéis con todos sus pelos y señales. Ya sabéis que ese arco admirable que forma la peña fue hecho por el barco milagroso al tropezar con ella y pasarla de parte a parte. ¿Y por quién lo sabéis?... ¿Lo sabéis por boca de esos predicadores de rasolís? Pues lo sabéis por habérmelo oído a mí esta mañana; a mí, a este pobre fraile del convento de Ajo, que, con enseñaros tanto en un sermón de tres meses de fatiga y más de quince textos en latín de lo mejor, no llegó a daros gusto... ¡Margaritas a puercos, hijos, margaritas a puercos!... Pero más tarde os veréis en otra; y éste será el mejor castigo que merecen, ¡cuerno!, las habladurías de esos fanfarrias... Y no digo más, ¡jinojo!, porque os pica mucho el ajo de esta tarde, y no quiero que penséis que me alegro de ello, por tomarlo a castigo de Dios...; que bien pudiera, ¡cuerno!, que bien pudiera tomarlo por esa banda sin pecado de vanidad. ¡Uf!... ¡Lenguas, lenguas; *linguae corruptae;* carne mísera; carne concupiscente!... Y adiós, muchachos, que me voy a mis quehaceres... Por supuesto, no hay que advertir que lo uno no quita lo otro. La puerta del padre Apolinar no se cerrará por eso para nadie. Pero ¡cuidado con que llaméis a ella en todos los días de vuestra vida para asuntos de la cátedra del Espíritu Santo!..., porque entonces no responderé aunque me la echéis abajo..., ¡aunque me la echéis abajo, cuerno!

Y se fue el padre Apolinar menos enfadado de lo que él mismo creía.

Entre tanto, no se podía parar en la calle Alta. Cánticos en la taberna, diálogos de balcones y ventanas, jolgorio en las aceras y baileteos en medio del arroyo. Todo aquel vecindario estaba desquiciado de alegría...; todo, menos la familia de Mocejón, que, encerrada en su caverna, no cesaba de maldecir a Cleto por la afrenta que había echado a la casa haciendo lo que hizo con la moscona de abajo después del regateo... Y para mayor rescoldera de las dos furias, el lance se comentaba en la calle con aplauso general, porque en la calle no había pizca de vergüenza, y era voz corriente que ninguna moza era más merecedora que Sotileza de lo que con ella se hizo, por ocurrencia gallardísima de Cleto; y hasta se había hablado de si apareaban o no; de si había o no había mutuos y trascendentales propósitos entre ambos, y de que, si no los había, debiera haberlos... Y mucho de ello se había escuchado desde el quinto piso; y por no oírlo, se habían cerrado las puertas del balcón y se habían tapiado hasta las rendijas, prefiriéndose por las hembras de Mocejón este recurso a dar rienda suelta a sus iras venenosas en ocasión tan comprometida para ellos. Porque voluntad, y lengua, y arte, les sobraba para alborotar en medio cuarto de hora toda la calle. ¡Lo habían hecho tantas veces!... Pero faltaba la ocasión, la disculpa; un poco, no más, de motivo, de apariencia de él tan sólo, y en cuanto lo tuvieran, y lo tendrían, porque tras él andaban sin descanso..., ¡oh entonces!, entonces las pagaría todas juntas la tal y la cual de la bodega de abajo, y aprendería lo que ignoraba el mal hijo, el infame hermano, el indecente, el animal, el sirvergüenza, el *lichonazo* de Cleto!

Y no cerraban boca, mientras Mocejón zumbaba como un tábano en el rincón de la sala, y el acribillado mozo saboreaba en la taberna del tío Sevilla, ajeno enteramente al hervidero de entusiasmo que le circundaba, y en plácido reposo, los dulcísimos recuerdos de su última proeza.

En la bodega de Mechelín no cabía la gente cuando llegó Andrés. Porque Andrés creyó muy de necesidad darse una vueltecita por allí para felicitar al veterano y echar unos parrafejos con la familia, en ocasión tan señalada. Tía Sidora reventaba en el pellejo; su marido parecía haber arrojado veinte años de encima de cada espalda. Sotileza, después de las emociones de la tarde, se hallaba ya en su acostumbrado nivel.

El remozado pescador, por remate de largos comentarios del regateo, llegó a decir a Andrés:

—¡Mire *usté*, hombre, que fue advertencia bien *ocurría* la de ese demonio de muchacho!... Ya lo vería *usté*, que no andaba muy lejos... Hablo relativo a la bandera que entregó a Sotileza *pa* que ella *mesma* la amarrara a la lancha. ¡Dígote que no lo creyera en él!... Y que me gustó el auto, ¿por qué se ha de negar?... Y también a ti, Sidora, que hasta pucheros hacías de puro satisfecha...; y al *mesmo* angeluco de Dios éste, que bien se le bajó la color y le temblaron las manucas...; ¡y a *toa* la gente de la calle, hombre, que se hace lenguas sobre el caso!

—¿Querrá *usté* creer, don Andrés—añadió tía Sidora—, que ande el muchacho, a la presente, como si hubiera *cometío* con nosotros un *pecao* mortal? ¡Será *venturao* de Dios esa criatura!... ¡Vea *usté!* Otros, en su caso, meterían la ocurrencia por los ojos.

—¡Uva!—confirmó el tío Mechelín.

¡Preguntarle a Andrés si había notado el suceso, cuando no perdió el detalle más insignificante de él!...

¡Encarecerle la ocurrencia de Cleto, y los merecimientos de Cleto, y hasta el agradecimiento de Sotileza, cuando lo tenía todo junto, hecho un bodoque, atravesado en la garganta algunas horas hacía! Pero ¿cómo había de sospechar el honradote matrimonio, aunque hubiera sabido lo de la arboleda de Ambojo y lo que a éste se siguió en la bodega, que un mozo de las condiciones aparentes de Andrés podía dar en la manía de no sufrir con paciencia ni que las moscas, sin permiso de él, se enredaran en las ondas del pelo de Sotileza? Algo mejor lo sabía ésta; y, por saberlo, con una ojeada leyó en la cara de Andrés el mal efecto que le estaban causando las alabanzas a la galantería del pobre Cleto. Por eso trató de echar la conversación hacia otra parte, pero no pudo conseguirlo. Tío Mechelín, ayudado de su mujer y de los tertulianos, entre los cuales se hallaban Pachuca y Colo, insistía en su tema; y como todo lo veía entonces de color de rosa y a todos los quería alegres y satisfechos a su lado, acabó sus congratulaciones y jaculatorias diciendo:

—¡Mañana va a ser domingo *tamién pa* ti, Sotileza! Ya que tanto te gusta la diversión, vas a venirte conmigo en la *barquía* a media mañana. A poco más de media tarde estaremos de vuelta

—Hay mucha costura sin rematar—respondió Sotileza.

—No puede ser por mañana—dijo tía Sidora—, porque tengo yo que estar en la plaza todo el día. Otra vez irá. ¿*Nordá* [166], hijuca?

—¡Por vida del *incomeniente!*—exclamó Mechelín—. Otro día puede que no esté de tanto humor como estaré mañana. Pero, en fin, haré por estarlo. ¿*Nordá*, saleruco de Dios?

Cuando salió Andrés de la bodega, muy poco des-

166   ¿*Nordá?:* vulgarismo por ¿*no es verdad?*

pués de esta conversación, mientras iba calle abajo
hacia la Catedral, jurara que llevaba en cada oído
un importuno moscardón que le iba zumbando sin cesar unas mismas palabras. Algo más allá, estas palabras, que le sonaban en los oídos, eran gérmenes de
pensamientos que se le revolvían en la cabeza; andando, andando, estos pensamientos engendraron propósitos; y estos propósitos llenáronle de recuerdos la
memoria; y estos recuerdos produjeron luchas violen-
tísimas, y las luchas, serios razonamientos; y los razonamientos, sofismas deslumbrantes; y los sofismas,
propósitos otra vez; y estos propósitos, tumultos y
oleadas en el pecho.

Así llegó a casa, y así pasó la noche, y así despertó
al otro día, y así fue al escritorio; y por eso engañó
a Tolín a media mañana, y por segunda vez en su
vida, con otro pretexto mal forjado, para faltar a todos sus deberes.

Al abocar, un cuarto de hora más tarde, a la calle
Alta por la cuesta del Hospital, no sin haber pasado
antes por la Pescadería y visto desde lejos a tía Sidora bajo su toldo de lona, Carpia, que salía de su
casa, retrocedió de pronto; metióse en el portal, echó
escalera arriba y se puso en acecho en la meseta del
segundo tramo. Desde allí, procurando no ser vista,
vio entrar a Andrés en la bodega. En seguida subió
volando al quinto piso, habló breves palabras con su
madre y volvió a salir a la escalera; bajó hasta el
portal sin hacer ruido, y de puntillas, conteniendo
hasta la respiración, como un zorro al saltar un gallinero, se acercó a la puerta de la bodega. Estirando
el pescuezo, pero cuidando de no asomar la cabeza
al hueco de la puerta, abierta de par en par, conoció
por los rumores que llegaban a su oído sutil que los
sinvergüenzas no estaban enfrente del *carrejo*, sino
al otro extremo de la salita. Escuchó más, y oyó pa-

labras sueltas, que le sonaron a recriminaciones de
Sotileza y a excusas y lamentaciones apasionadas de
Andrés... Por más que aguzaba el oído, bien aguzado
de suyo, no podía coger una frase entera que la pusiera en la verdad de lo que pasaba allí.

«¿Y qué me importa a mí la *verdá* de lo que pueda
pasar entre ellos?—se dijo, cayendo en la cuenta de
lo inútil de su curiosidad—. Lo que me importa es
que se crea lo peor; y eso es lo que va a creerse ahora
mismo.»

Y en seguida hundió la cabeza desgreñada en el
vano; miró a la cerradura de la puerta, arrimada a
la pared del *carrejo;* vio que la llave, como presumía,
estaba por la parte de afuera, lo cual simplificaba
mucho su trabajo; avanzó dos pasos callandito, alargó el brazo y trajo la puerta hacia sí con mucho cuidado para que no rechinaran las bisagras; comenzó
a *trancar* poco a poco, muy poco a poco, mientras
adentro crecía el rumor de la conversación, y cuando
hubo corrido así todo el pasador de la cerradura, quitó la llave y la guardó en el bolsillo de su refajo. En
seguida salió del portal a la acera; llamó a su madre
desde allí; y tan pronto como la Sargüeta respondió
en el balcón, dijo con sereno acento, y como si se tratara de un asunto corriente y de todos los días:

—¡Ahora!

Aquí, unos cuantos compases de silencio. Poca gente por la calle; algunas marineras remendando bragas en los balcones o asomadas a tal cual ventana
de entresuelo, o murmurando en un portal. Carpia
está a la parte de afuera con los brazos cruzados.
Chicuelos sucios revolcándose acá y allá. De pronto
se oye la voz de la Sargüeta:

—¡Carpia!

—¡Ñora!

—¿Qué haces?

—Lo que usté no se piensa.

—Súbete a casa con mil rayos.

—No me da la gana.

—Ya te he dicho que no te pares nunca *onde* estás..., ¡bien sabes tú por qué!... *¡Güena* casa tienes *pa* recreo sin estorbar a nadie!... ¡Arriba, te digo otra vez!

—¡Caraspia, que no me da la gana! ¿Lo oye?

—¡Que subas, Carpia, y no me acabes la paciencia!... ¡Que no tienes que hacer en *onde* estás!

—Tengo que hacer mucho, madre, ¡mucho!... ¡Más de lo que a *usté* se le *fegura,* caraspia!... Estoy guardando la honra de la escalera, ¡sí!, y la honra de *toa* la *vecindá.* ¡Ha de saberse *dende* hoy quién es *ca* uno..., por qué está *la* mi cara *abrasá* de las *santimperies* [167] y por qué están otras tan blancas y tan *repolidas!* ¡Caraspia, que esto no se puede aguantar! ¡A los *mesmos* ojos de uno!..., ¡a la *mesma* luz del *megodía* [168]! ¿Es esto vergüenza, madre? ¿Es esto vergüenza?... *Pus pa* sacársela a la cara estoy aquí ahora..., *¡pa* que se acabe esto de una vez, se queden las gentes de honor en sus casas y vayan las *enmundicias* a la *barreúra!*... *Pa* eso... ¡La mosconaza, la indecenteee!...

—Pero, mujer, ¿qué es ello? ¿Qué está pasando, Carpia?

—¡Que el c...tintas y la señorona, solos, los *probes* de Dios, están en la bodega a puerta *cerrá!*..., ¡y que esta casa, de portal arriba, no es de esos tratos, caraspia!

Aquí ya se acercan los chicuelos a la hija de la Sargüeta; se detienen los transeúntes; se abren balcones que estaban cerrados, y se ponen de codos sobre las

---

[167] *santimperie:* intemperie. *(N. del A.)*
[168] *megodía:* vulgarismo por *mediodía.*

barandillas mujeres que estaban sentadas entre puertas.

Y replica la Sargüeta desde el balcón a su hija, que se contonea en la acera delante del portal:

—¿Y eso te pasma?... ¿Y por eso te sofocas, inocente de Dios? ¡*Pos* bien a la vista estaba! ¡Delante de los ojos lo tenías! Pero con *too* y con eso, guarda el *sefoco,* que pueden *angunas* que nos escuchan pedirte cuenta de lo que digas... ¡Porque aquí no habría gente de mal vivir si no hubiera sinvergüenzas que las taparan, puñales!... Y delante de la cara de Dios, tan bribona es la que se vende por un pingajo como la que la *empondera*..., y de estas encubridoras hay aquí muchas, ¡puñales!... ¡Y ésas son las que sonsacan a los hijos de familia *pa* meterlos en esas perdiciones y afrentar a las gentes de bien! ¡Esas, ésas!, ¡y por lo que *chumpan!*, ¡y lo que se les pega!..., ¡y lo que las vale!... ¡Así estoy yo sin hijo!..., ¡así me lo engañaron!, ¡bribonas!..., ¡que él no se acordaba de ella!, ¡bien en paz vivía en su casa!...—de pronto se fija la Sargüeta en una vecina de enfrente, que la estaba mirando—. ¿Qué se te pierde aquí, pendejona?... ¿Te pica lo que digo?... ¿Te *resquema* la *concencia?*

—¡Calla, infamadora, deslenguada...—dice la aludida, que ni se acordaba de entrar en pelea, pero que no la rehusa, ya que se le pone tan a mano—. ¿Qué se me ha de perder a mí en tu casa, si no es la *salú,* con sólo mirar *haza* ella?

Carpia, desde abajo:

—¡Déjela, madre, déjela, que con ésa se mancha hasta la basura que se la tire a la cara!

—¡Dejarla yo!—exclamó la Sargüeta, deshaciéndose el nudo del pañuelo de la cabeza para volver a hacerlo con las manos trémulas por la ira—. ¡Dejarla yo!... Sin pelos en el moño la dejaría, ¡puñales!, si la tuviera más cerca.

—¿A mí tú?—dice la de enfrente comenzando a ponerse nerviosa—. ¡Lambionaza!..., *¡bocico de chumpagüevos!*

—¡A ti, sí, chismosa!..., ¡cubijera!... ¡Y también a esa otra *lambecaras* que te está provocando contra mí!

La otra *lambecaras*, desde su balcón:

—¡Echa, echa solimán por esa bocaza de demonio, *coliebra!...*, ¡escandalosa!..., ¡borrachona!...

Carpia, desde abajo, sin que callen las de arriba:

—¡Escandalosa!... Pregúntela, madre, por qué la carenó el pellejo la otra noche *el su* marido... Y si no se atreve a cantarlo, que lo cante la brujona de su vecina, que la corre los *cubijos* [169] por lo que se le pega al gañote, ¡caraspia!

La brujona del entresuelo, sin que callen las anteriores:

—¿Yo *cubijera* [170] de *naide*? ¡Desvergonzaona!..., ¡cancaneá!..., ¡envidiosa! ¿Te lo ha dicho ella por si acaso?

—Me lo ha dicho quien lo ha visto con sus *mesmos* ojos..., y no me dejará mentirosa a la hora presente..., porque oyéndolo está bien cerca de aquí, *asomá* a la ventana, por más señas... ¡Caraspia, no te hagas *disimulá,* que *too* el mundo sabe que por ti hablo!

La de la ventana, entre el vocerío de todas las anteriores:

—*Pa* que yo te dijera esas cosas, *juera* menester que me rebajara a cruzar palabra contigo y a *alcordarme* de espantajos indecentes como esa otra... Y tú, perra lambiona, ¿por qué tiras de la lengua a *denguno,* cuando eres un talego de *maldaes,* como la

---

169 *cubijo:* tapujo. *(N. del A.)*
170 *cubijero, ra:* la persona que anda con cubijos. *(N. del A.)*

madre que te parió? ¡*Desgobernáas*..., que dormís las
cafeteras en el balcón por falta de cama!..., ¡*porco-
nazas!*

El espantajo indecente:

—¡Qué más quisieras tú, *desollaona, descamisá,* que
yo te consintiera tomar en boca *el* mi nombre!

La de la ventana:

—¡Puaf! ¡Allá va el nombre tuyo ahora *mesmo!*...
¡*Abaja* a recogerle en la basura de la calle, que le
está manchandoo!...

Y por aquí corto la muestra del paño de los procedimientos por medio de los cuales van las hembras
de Mocejón enzarzando reñidoras en la pelea, y a la
vez subdividiéndola en otras muchas y por otros tantos motivos diferentes entre sí; de modo que en menos de un cuarto de hora está toda la calle, como
diría Don Quijote, lo mismo que si se hubiera trasla-
dado a ella la discordia del campo de Agramante,
pues «allí se pelea por la espada, aquí por el jaez,
acullá por el águila, acá por el yelmo, y todos pelean
y todos no se entienden». Se grita a gañote suelto,
y se vomitan vocablos cuya crudeza no puede representarse por signos de ninguna especie, porque no los
hay que pinten su dejo de carácter aguardentoso,
desgarrado y maloliente a la vez. Todas las reñidoras
gritan a un tiempo, y ya no se trata de responder a
una agresión asquerosa con otra más desharrapada,
sino de expeler, a toda fuerza de pulmón, cuantas injurias, cuantas torpezas, cuantas hediondeces se le
vayan ocurriendo a cada furia de aquéllas. Para el
buen éxito de estos propósitos no basta la voz humana, por recia que sea, en medio de la infernal barahunda, y se acude al auxilio de la gimnástica, porque
la simple mímica vulgar no alcanzaría tampoco. Por
eso patea una mujer aquí, puesta en jarras; y allí
se revuelve otra, y ata y desata diez veces seguidas el

pañuelo de su cabeza; y otra se alza y se baja más allá, con los ojos encandilados y las venas del pescuezo reventando; quién se golpea desaforadamente las caderas con los puños cerrados, o se azota el trasero con las manos abiertas; otra se echa el tronco fuera de la balaustrada, y con las greñas sobre los ojos y el jubón desatacado, esgrime los dos brazos al aire, y otras, en fin, como las hembras de Mocejón, lo hacen todo ello en un instante, y mucho más todavía, sin dar paz ni sosiego a sus gargantas, ni punto de reposo a sus lenguas maldicientes.

No era nuevo este espectáculo en la calle Alta; y por no serlo, los transeúntes le daban escasa importancia al advertirlo; pero al preguntar por el motivo al primer espectador arrimado a una pared o esparrancado en medio de la acera, oían mencionar la supuesta engatada de la bodega de Mechelín, que para eso estaba allí Carpia, más atenta a prorrogar estos rumores por la calle que a defender su terreno en la batalla, especialmente desde que ésta había llegado al ardor y al movimiento deseados; y los transeúntes y los curiosos de todas especies iban arrimándose y arrimándose, uno a uno y poco a poco, hasta formar espeso y ancho grupo delante de la puerta; y continuando las preguntas, se declaraban nombres y apellidos, y se aguzaba la curiosidad y sobrevenían los comentarios de rigor.

De cuando en cuando, la puerta de la bodega retemblaba, sacudida por adentro; y entonces en la boca de Carpia había sangrientos dicharachos para los pícaros que fingían de aquel modo estar encerrados juntos contra su voluntad.

El lector honrado comprenderá sin esfuerzo la situación de aquellos infelices. Sotileza, en el calor del hondísimo disgusto que le produjo la llegada súbita de Andrés, desalentado, confuso y balbuciente, señal

de lo descabellado de su resolución, atenta sólo a reprocharle con palabras duras su temerario proceder,
no oyó el poquísimo ruido que hizo la puerta de la bodega al ser cerrada por Carpia; o lo atribuyó, si llegó
a fijarse en él, a causas bien diferentes de la verdadera; y por lo que toca a Andrés, ni un cañonazo le
hubiera distraído del aturdimiento en que le puso
la resuelta actitud de Sotileza. Tampoco le llamaron
la atención las primeras y, para ella, confusas voces
de Carpia dirigiéndose a su madre, pues acostumbrada la tenían las mujeres del quinto piso a oírlas dialogar harto más recio desde el balcón a la calle; pero
cuando empezó a encresparse la pelamesa [171] y el vocerío fue más resonante, la misma gravedad de la situación en que se veía la pobre muchacha excitó su
curiosidad; y dejando interrumpidas sus duras recriminaciones a Andrés, que no hallaba réplica en
sus labios, apartóse de él para observar lo que acontecía fuera, desde la misma salita. En cuanto vio la
puerta cerrada al otro extremo del carrejo, se lanzó
hasta ella; y al enterarse de que estaba sin llave y
corrido el pasador de la cerradura, exclamó con espanto, llevando sus manos cruzadas y convulsas hasta cerca de la boca:

—¡Virgen de las Angustias!..., ¡lo que han hecho
conmigo!

Después miró por el ojo de la cerradura y vio a
Carpia junto a la puerta de la calle; y en derredor de
ella, algunos curiosos que la interrogaban y miraban
después hacia la bodega. Sintió un frío mortal en el
corazón, y le faltaron alientos hasta para llamar a
Andrés, que, aturdido e inmóvil, la contemplaba desde la salita. Al fin le llamó con una seña. Andrés se
acercó. Sotileza, con el color de la muerte en la cara,

---

[171] *encresparse la pelamesa:* se llama pelamesa la riña en que
los contendientes se asen de los cabellos o de la barba.

desencajados los hermosos ojos y temblando de pies a cabeza, le dijo:

—¿Oyes bien el vocerío?... Pues mira ahora lo que se ve por aquí.

Andrés miró un instante por la cerradura y no dijo después una palabra ni se atrevió a poner sus ojos en los de Sotileza, mientras ésta le interpelaba así, entre angustiada e iracunda:

—¿Sabes tú lo que es esto? ¿Sabes por qué está cerrada esta puerta?

Andrés no supo qué responder. Sotileza continuó:

—Pues todo esto se ha hecho para acabar con la honra mía. ¡Mira, mira cómo me la pisotean en la calle! ¡Virgen de la *Soledá!*... ¡Y tú tienes la culpa de ello, Andrés!..., ¡tú, tú la tienes!... ¿Ves cómo ya salió lo que yo temía? ¿Estás contento ahora?...

—Pero ¿dónde está la llave?—preguntó Andrés en un rugido, trocado de repente su abatimiento en desesperación.

—¡*Onde* está la llave!... ¿No lo barruntas? En las manos o en la faltriquera de esa bribona que nos ha *trancao*..., ¡porque andaba hace mucho tiempo detrás de algo como esto para perdición mía! Y te vería entrar aquí; y para que tú y yo seamos bien vistos al salir de la bodega juntos, habrán *armao* esa riña ella y su madre..., porque tienen esas cosas por oficio. ¿Te vas enterando, Andrés? ¿Te vas enterando bien de todo el daño que hoy me has hecho?

Andrés, por única respuesta a estas sentidas exclamaciones de la desventurada muchacha, se abalanzó a la puerta, y en vano añadió a la fuerza de sus brazos toda la que le prestaba la desesperación para hacer saltar la cerradura. Después golpeó los ennegrecidos tablones con sus puños de hierro. Nada adelantó.

—¡Dame una palanca, Silda..., un palo..., cualquier

cosa!—gritó en seguida—. ¡Yo necesito abrir esta puerta ahora mismo, porque tengo que ahogar a alguno entre mis manos!

—No te apures—le dijo Sotileza, con acento de amarga resignación—; ya se abrirá ella a su debido tiempo, que para eso la cerraron.

Andrés dejó la puerta y corrió a la salita, acordándose de la ventana que había en ella. Pero la ventana tenía una gruesa reja de hierro. No había que pensar en moverla. Vio la vara con que Sotileza había sacudido el polvo a Muergo el día antes, y trató de arrancar la cerradura apalancando con un extremo de aquélla contra el tablero de la puerta; pero la cerradura estaba sujeta con gruesos clavos remachados por fuera. Metió la vara por debajo de la puerta y tiró hacia arriba, y la vara se rompió al instante. Metió después sus propios dedos, puesto de rodillas; tiró con todas sus fuerzas..., y nada: ni siquiera una astilla de aquellas tablas de empedernido roble.

Entre tanto, crecía el alboroto afuera y espesaba el grupo de mirones enfrente del portal, y Sotileza, febril y desasosegada, aplicaba a menudo la vista y el oído al ojo de la cerradura, y se enteraba de todo. Veía la ansiedad por el escándalo pintada en todos los rostros vueltos hacia la bodega, y oía las palabras infamantes que contra su honor vomitaba la boca infernal de la sardinera; y en cada instante que corría sin poder salir de aquella cárcel afrentosa, sentía en la cara el dolor de una nueva espina de las que iba clavándole allí el azote de la vergüenza. ¡Qué diría la honrada y cariñosa marinera si al volver de la plaza encontraba la calle de aquel modo y se enteraba de lo que ocurría antes que ella pudiera relatarle la verdad! ¡Y el viejo marinero! ¡Virgen María!..., ¡qué golpe para el infeliz cuando volviera por la tarde tan ufano y gozoso!

Estas consideraciones eran las que principalmente atormentaban a la desdichada Silda, y en la vehemencia de su deseo de salir cuanto antes a ventilar el pleito de su honra delante de la vecindad, lanzábase también a golpear la puerta, y a proferir amenazas, y a desahogar su desesperación a voces por todos sus resquicios.

En cuanto Andrés se convenció de que no había modo de salir de allí por la fuerza, cayó otra vez en un profundo abatimiento, que le acobardaba hasta el extremo de taparse los oídos para no sentir la barahunda de afuera y de suplicar a Silda que no le abrumara más con el peso de sus justísimas reconvenciones. Entonces veía con perfecta claridad lo insensato y criminal del empeño en que estaba metido y el alcance espantoso que en derredor de sí iba a tener su insensatez imperdonable.

En uno de estos momentos, sentado él, con los codos sobre las rodillas y la cabeza entre las manos, y Sotileza en medio de la sala, con los puños sobre las caderas, la vista perdida en el cúmulo de sus pensamientos, la boca entrebierta, la faz descolorida y el alto pecho jadeante, dijo de pronto Andrés, alzando la hermosa cabeza:

—Silda, el que la hace la paga, y si esto es ley hasta en asuntos de poco más o menos, en pleitos de la honra debe serlo con mayor motivo. Yo estoy manchándote ahora la buena fama...

—¿Qué quieres decirme?—preguntóle duramente Sotileza, saliendo de sus penosas abstracciones.

—Que las manchas que caigan en tu honra por culpa mía, yo las lavaré como las lavan los hombres de bien.

Mordióse los labios Sotileza, y clavando sus empañados ojos en Andrés, díjole al punto:

—¡Lavar tú las manchas de *la* mi honra!... ¡Harto

harás con limpiar allá abajo las que ahora mismo están cayendo encima de la tuya!

—Eso no es responder en justicia, Sotileza.

—Pero es hablar con la verdad de lo que siento. ¡Ay Andrés! Si contabas con esa idea *pa* reparar tan poco en hacerme este mal tan grande, ¡qué lástima que no me lo advirtieras!

—¿Por qué, Silda?

—Porque pudiste habérmelo *excusao* con decirte yo que nunca tomaría el remedio que me ofreces.

—¿Que no lo tomarías nunca?

—Nunca.

—¿Y por qué?

—Porque..., porque no.

—Pues ¿qué más puedes pedirme, Sotileza?... ¿Qué es lo que quieres?

—De ti, nada, Andrés..., ni de *naide*. Lo que quiero ahora—dijo Sotileza, volviéndose erguida, impaciente y convulsa hacia la embocadura del *carrejo*—es que se abra aquella puerta..., ¡que pueda yo salir cuanto antes a la calle a mirar a la gente cara a cara! Eso es lo que yo necesito, Andrés; eso es lo que quiero; porque a cada momento que paso en este calabozo sin salida se me abrasa algo en las entrañas.

—¿Y qué piensas hacer cuando salgamos?—preguntó Andrés, abatido de nuevo al considerar este trance de prueba.

—Eso no se pregunta a una mujer como yo—dijo Sotileza, que por momentos iba embraveciéndose—. Pero ¿por *ónde* salgo, Dios mío?... ¡Y yo quiero salir!... ¡Yo me ahogo en estas estrechuras!... ¡Virgen María..., qué *pesaúmbre!*

Andrés, condolido de la situación de la desesperada moza, saltó de la salita resuelto a hacer otra tentativa en la puerta de la bodega. Al acercarse a ella tropezaron sus pies con un objeto que resonó al des-

lizarse sobre las tablas del suelo. Recogiólo y vio que
era una llave. ¿Quién la había puesto allí?... ¿Y qué
más daba?

Tal miedo tenía Andrés a la salida en medio de la
tempestad que continuaba rugiendo en la calle, que
estuvo dudando si ocultaría el hallazgo a Sotileza.

—¿Qué haces, Andrés?—le preguntó ésta, que le
observaba desde la salita.

Andrés corrió hacia ella, y le mostró la llave, diciendo dónde la había encontrado. Sotileza lanzó un
rugido de alegría feroz.

—¡Ah!..., ¡la infame!—dijo en seguida—. ¡La echó
por debajo de la puerta!... ¡Justo!, *pa* que abramos
por dentro y se crea lo que ella quiere... ¡Pues veremos si te vale el amaño, bribonaza!...

Todo esto lo decía Sotileza temblorosa de emoción,
mientras se abalanzaba a la llave y la reconocía con
una ojeada abrasadora, después de arrancársela a Andrés de la mano.

Este, olvidado un momento de la situación compro-
metidísima en que se hallaba, contempló con asombro la transformación que iba obrándose en aquella
criatura incomprensible para él. Ya no era la mujer
de aspecto frío, de serena razón y armoniosa palabra;
no era la discreta muchacha que apagaba fogosos y
amañados razonamientos con el hielo de una refle-
xión maciza; ni la provocadora belleza que levantaba
tempestades en pechos endurecidos, con el centelleo
de una sola mirada; ni la gallarda hermosura que
para ser una dama distinguida, en opinión del ofuscado Andrés, sólo le faltaba cambiar de vestidura y
de morada; ni, por último, la doncella pudorosa que
lloraba, momentos antes, por los riesgos que corría
su buena fama. Ya era la mujer bravía; ya enseñaba
la veta de la vagabunda del Muelle-Anaos y de las
playas de Bajamar; ya en sus ojos había ramos san-

guinolentos, y en su voz, tan armoniosa y grata de ordinario, dejos de sardinera, como los que a la sazón llenaban todos los ámbitos de la calle.

Así, la vio apartarse de él como una exhalación, llegar a la puerta, abrirla con mano temblorosa, salir al portal y lanzarse en medio del grupo que obstruía la acera inmediata. Ni fuerzas hallaba él, en tanto, en sus piernas para sostenerle derecho el cuerpo desmayado. Pero consideró que una actitud así era el mejor testimonio de su imaginada delincuencia, y se rehízo súbitamente y salió de su escondrijo detrás de Sotileza, resuelto a todo, aunque sin otro plan que el de ampararla.

Al asomar al portal, Sotileza vio la estampa de la aborrecida Carpia entre lo más espeso del grupo. Ni titubeó siquiera. Se lanzó a ella con el coraje de una fiera perseguida, apartando a la gente, que no trataba de cerrarle el paso; y echándole ambas manos sobre los hombros, le dijo, clavándole en los ojos el acero de su mirada:

—¡Alza esa cabeza de pobre y mírame cara a cara! ¿Me ves, pícara? ¿Me ves bien, infame? ¿Me ves a tu gusto ahora?

Carpia, con ser lo que era, no se atrevía en aquel momento ni a protestar contra las sacudidas que daba Sotileza de la suya. ¡Tan fascinada la tenía el fiero mirar y la actitud resuelta de aquella herida leona, si es que no influía también en su desusado encogimiento el peso de su pecado!

Sotileza, exaltándose a medida que se amilanaba la otra, sin dejarla escapar de sus manos:

—¿Y has *pensao* que basta que una zarrapastrosa como tú quiera deshonrar a una mujer de bien como yo para que se salga con la suya? ¿Cuándo lo soñaste, infame? Me celaste la puerta como zorra traidora, y cuando viste entrar en mi casa a un hombre honrado,

que entra en ella todos los días por delante de la cara
de Dios, nos encerraste allá, pensando que al salir
los dos con la llave que echaste por debajo de la puerta ibas a afrentarme delante de la *vecindá* que habéis
amontonado aquí tú y la bribona de tu madre, con
un escándalo de esos que sabéis armar cuando *vos*
da la gana... Pues ¡ya estoy aquí!; ¡ya me tienes en
la calle! ¿Y qué? ¿Piensas que hay en ella alguno,
por *dejao* de la mano de Dios que esté, que se atreva
a pensar de mí lo que tú quieres?

Según iba gritando Sotileza, calmábanse las riñas
como por encanto; todas las miradas se convertían
hacia ella, y todos los ánimos quedaron suspensos de
sus palabras y ademanes. La Sargüeta se retiró de
su balcón precipitadamente, como se esconde un reptil en su agujero al percibir ruidos cercanos, y Carpia pensó que se le caía el mundo encima al verse en
medio de aquella multitud, a solas con su implacable
enemiga y tan cargada de iniquidades.

—¿Veislo?—continuó Sotileza, sin soltar a Carpia
y mirando con valentía a corrillos y balcones—. ¡Ni
tan siquiera se atreve a negar la *maldá* que le echo
en cara! ¿Estaría la infame bien *abandoná* de Dios?
Mira, ¡envidiosa y desalmada!: salí de la prisión en
que me tuviste, con ánimo de arrastrarte por los suelos: ¡tan ciega me tenía la ira! Pero ahora veo que
para castigo tuyo, a más del que te está dando la *concencia,* sobra con esto.

Y le escupió en la cara. En seguida, con un fuerte
empellón, la apartó de sí.

Apenas había en la calle quien no tuviera algún
agravio que vengar de la lengua de aquella desdichada, y por eso, cuando, en un arrebato de furia,
al verse afrentada de tal modo, trató de lanzarse sobre la impávida Sotileza, un coro de denuestos la ame-
drentó y una oleada de gente la arrebató más de diez

varas calle arriba. Una mozuela se acercó entonces
a la triunfante Silda, y le dijo en voz muy alta:

—Yo la vi, *dende* allí enfrente, *trancar* la puerta
de la bodega.

—Y yo, echar la llave por debajo, a media *güelta* que
dio *endenantes* con disimulo—añadió un vejete con
la moquita colgando—. Primero lo dijera yo, porque
soy hombre de *verdá;* pero de perro villano hay que
guardarse mucho mientras está sin cadena.

—¡Si no podía engañarme yo..., porque no podía
ser otra cosa!—exclamó Sotileza, congratulándose de
aquellos dos testimonios inesperados—. Pero bueno
es que alguno lo haya visto... ¡y quiera Dios que *vos*
atreváis a decirlo bien recio en otra parte, si por ello
vos pregunta quien puede castigar estas infamias con
la ley!

No podía más la infeliz: un sollozo ahogó la voz
en su garganta; llevóse ambas manos a los ojos y corrió a esconder su desconsuelo en el rincón más apartado de la bodega. Mares de llanto vertió allí, rodea-
da de la compasión cariñosa de Pachuca y otras con-
vecinas, que la dejaron llorar, porque sólo llorando
podía aliviarse un corazón repleto de pesadumbres
tan amargas.

¿Y Andrés? ¡Qué papel el suyo... y qué castigo el
de su ligereza! No pasó del portal. Desde allí observó
que la curiosidad de todos estaba saciándose en lo
que hacía y decía Sotileza, y que para nada se acor-
daban de él; y en cuanto se revolvió el grupo que tenía enfrente para arrollar a Carpia, y se llevó detrás
todas las miradas de la gente de la calle, convencido,
además, de que ningún riesgo material corría ya la
víctima de sus imprudencias, salió del portal y se
fue deslizando, como a la disimulada, acera abajo,
hasta llegar a la cuesta del Hospital, donde respiró
con desahogo, dio dos recias patadas en el suelo, apre-

tó los puños y aceleró su marcha, como si le persiguieran garfios acerados para detenerle.

Bajando a la Ribera, por el Puente, vio a tía Sidora, que subía por la calle de Somorrostro con otra marinera, detenerse de pronto para dar una risotada de aquellas suyas, con temblores de pecho y de barriga. Aquella risotada fue un azote para la cara de Andrés y una tenaza para su conciencia. Apretó el paso más todavía, y así anduvo, sin saber por dónde, hasta la hora de comer; y entonces se metió en su casa, sin atreverse a medir con la imaginación toda la resonancia que podía llegar a tener aquel suceso, cuyos detalles, estampados a fuego en su memoria, le enrojecían el rostro de vergüenza.

XXIV

FRUTOS DE AQUEL ESCANDALO

¡Si tuvo resonancia el caso! ¡Cómo no había de tenerla con aquel aparato, a aquellas horas, siendo Andrés quien era y su cómplice tan afamada en el barrio y aun fuera del barrio, y la ciudad tan pequeña todavía! Se supo todo, todo, y muchísimo más, porque la imaginación del vulgo es fecundísima en supuestos, y la frescura de las gentes, imperturbable en acreditarlos con grandes visos de verdad, y se dijo... ¿Quién es capaz de saber lo que se dijo, y cómo fue rodando la bola de nieve, y creciendo, creciendo, hasta que pudieron verla los más ciegos y percibir los más sordos sus crujidos?

Don Pedro Colindres frecuentaba muchos centros cuya miga era el tufillo alquitranado. Allí toda la concurrencia de tertulianos era de gentes de su profesión; y entre estas gentes andaba, con más calor que entre otras, rodando lo cierto y lo imaginado sobre el fresquísimo suceso de la calle Alta. Nadie fue tan imprudente que relatara la historia con pelos y señales al padre del protagonista de ella; pero el capitán, con los desperdicios de tantas conversaciones sobre el mismo tema, cortadas de pronto al acercarse a él los relatantes, fue poco a poco acumulando recelos que, con los precedentes que ya tenía, imbuidos por su mujer, llegaron a producirle muy serias inquietudes. La capitana las tuvo insoportables antes que él; porque las amigas que se le acercaron, recién atiborradas de aquellas noticias, fueron menos prudentes que los amigos del capitán, y dejáronla, con el escozor de las presunciones, a dos dedos de la verdad. Lo poco que faltaba hasta dar con ella lo llevaba escrito Andrés en su azoramiento, en su desazón alarmante.

Cuando, apenas cerrada la noche, entró en casa en este mismo estado en que, con extrañeza, le habían visto a la hora de sentarse a la mesa, le llamó su padre al gabinete donde acababa de tener una larga conferencia con su madre. Andrés acudió al llamamiento sin intentar siquiera el disimulo del martirio moral en que se hallaba. Entró, pues, en el gabinete como entra un reo animoso en la capilla: con la agonía en su espíritu, pero no indócil ni desesperado.

Don Pedro Colindres, al verle así, notó que se trocaba su indignación en honda pena, y le dijo:

—En buena justicia, no podrás tenerme, Andrés, por padre duro de entrañas; no podrás decir que te he esclavizado a mis caprichos de hombre intratable; que no te he dado toda la libertad que me has pedido; que no he puesto de mi parte todo cuanto me ha sido posible para ganar tu sumisión al cariño, y no con las durezas; porque no he querido en ti el temor, sino el respeto y, en todo lo que fuera compatible con el que me debes, la confianza.

—Es la pura verdad—respondió Andrés.

—Pues en testimonio de que así lo crees y de que no eres desagradecido, vas a declarar aquí mismo, ahora mismo, lo que te ha pasado esta mañana.

Andrés sintió su cuerpo bañado en un sudor frío y mortal, faltáronle las fuerzas con que había contado, y se dejó caer en una silla junto a la cual estaba en pie. Alarmóse su madre al verle tan pálido, y se lanzó a él de un brinco desde el sofá en que se hallaba sentada. El capitán se acercó también, pero no alarmado,

porque conocía mejor que su mujer la causa del des-
fallecimiento de su hijo.

—¿Qué te sucede, Andrés?... ¡Hijo mío!—exclamaba
la capitana, cogiéndole la cabeza entre sus manos.

—Nada—respondió Andrés, enderezándose y queriendo sonreír con un gran esfuerzo de su voluntad.

—Pues claro que no es nada—observó don Pedro
para tranquilizar a su mujer.

Después, encorvando su cuerpo hasta interponerse
entre ella y su hijo, habló a éste así, dulcificando cuanto pudo la natural rudeza de su acento:

—Bien conozco que es duro el trance en que te pongo con mi exigencia; pero, ¡qué demonio!, temporales
más fuertes corremos los hombres con el ánimo encogido, eso sí, pero con la cara serena... Ya ves: hay
que dar ejemplo... Conque un poco de voluntad, y pecho al agua, hijo... ¿Tienes algún reparo en hablar...,
delante de tu madre..., de ciertas cosas que habrá de
por medio?... ¿Quieres que se marche de aquí?...
¿Tienes más confianza con ella y quieres que me marche yo?... Con franqueza, hombre, ¡lo que tú quieras!..., ¡lo que quieras, hijo, con tal que nos saques
luego de estas ansias que nos ahogan!

—No quiero que se marche nadie—respondió Andrés—, porque nada de lo que tengo que decir es para
afrentarme con ello por lo que fue en sí, aunque, por
el modo de ser, se lo haya parecido a algunos.

—Pues ya te estamos oyendo—dijo el capitán—.
¡Conque habla; pero sin ocultarnos ni una pizca de
la verdad!

Aquí comenzó Andrés a relatar el caso con la mayor
exactitud, y hasta con exornaciones de su cosecha,
para darle más colorido de interés, con el santo fin
de que resaltara, en el mayor bulto posible, la iniqui-
dad de las hembras de Mocejón.

La capitana se tocaba los ojos con las manos al describir su hijo los alaridos de las reñidoras y la avidez de los curiosos mientras él estaba encerrado en la bodega, y cuando salió hasta el portal detrás de Sotileza, hecha una tempestad, y más tarde se lanzó a la calle, siendo centellas sus ojos y pisando lumbre sus pies.

—¡Qué vergüenza, Virgen Santísima, para ti... y para todos nosotros, Andrés!—exclamó la capitana al acabar su hijo el relato.

El capitán lanzó un taco embreado, aunque a media vela, y, mirando con duro ceño a su hijo, le habló así:

—No está mal hecha la historia; y lo digo porque, con sólo oírtela, hubiera jurado yo que se me iba pintando de almagre toda la cara. Pero falta lo más interesante de ella, y espero que nos lo cuentes con la misma exactitud con que nos has contado lo demás.

—Pues no queda nada por referir—dijo Andrés, con bien poca sinceridad.

—¡Vaya si queda!—exclamó su padre—. Ahora tienes que decirnos a qué ibas tú a la bodega esa de la calle Alta.

—Pues iba—respondió Andrés, muy vacilante y desconcertado—a recoger unos aparejos que...

—¡Mentira, Andrés, mentira!...—le interrumpió su padre con voz y ademanes muy airados—. Por eso sólo, que puede hacerse a otra hora cualquiera del día o de la noche, no faltas tú, como faltaste esta mañana, a tus deberes en el escritorio. ¡Confiésanos la verdad, Andrés!

—Ya la he confesado.

—¡Te repito que mientes!

—Pero ¿qué quieren ustedes que les diga yo?—preguntó Andrés con un acento en que se confundían la contrariedad, harto manifiesta, y el enojo muy mal disimulado.

—La verdad, nada más que la verdad—insistió el padre—. ¿Qué intenciones te llevaban a esa casa a tales horas?

—Las que me han llevado tantísimas veces—respondió Andrés de mala gana.

—Me lo voy sospechando—dijo con voz terrible el capitán—. Pero, cuando menos, en esas otras veces había en la casa alguien más que esa mujer; tú no faltabas a tus deberes..., te podía disculpar la fuerza de tus aficiones... Ahora no hay nada que te disculpe, Andrés; nada, nada de cuanto el suceso arroja en sí: todo ello te condena... Y si te callas, ¿qué es lo que debemos creer?...

Andrés permaneció unos instantes con la cabeza inclinada, la mirada indecisa y retorciéndose, con mano nerviosa, una de las guías de su bigote. Después se alzó de la silla y comenzó a dar agitados paseos por el gabinete. Estando así, su madre no apartaba de él los ojos anhelantes, y el capitán insistió en su pregunta:

—¿Qué es lo que debemos creer, Andrés?

Este, acosado de nuevo en un callejón sin salida, respondió, seca y brutalmente:

—Lo que a ustedes les parezca.

—¿Lo ves, Pedro, lo ves? ¿Ves cómo salió lo que yo me temía?—exclamó al punto la capitana—. ¡Ya han dado sus frutos aquellas malas compañías! ¡Ya nos lo echaron a perder! ¡Dime ahora que veo visiones y que soy una madre impertinente!

—¡Déjame en paz, con doscientos mil demonios, Andrea, que éste no es momento de ventilar esas cosas!—replicó a su mujer el capitán con voz huracanada, y en seguida, volviéndose hacia Andrés, le dijo, temblando de ira—: La única respuesta que cuadraba a eso que acabas de decirme era un bofetón que te dejara sin muelas en la boca, ¡mentecato! Pero todo se andará, si en que se ande te empeñas. Yo te aseguro... ¿Qué es lo que buscas con esas respuestas, después de lo que te ha sucedido? ¿Quieres matar, pisoteando el cariño de tus padres, el bochorno que te da el acordarte de lo que has hecho, o tratas de engañarme con la misma verdad? Pues entiende que yo te cojo por la palabra y que creo lo que me parece, que es lo peor de lo que yo puedo creer. ¿Lo entiendes bien?

—Sí, señor—respondió Andrés, insensible y sombrío.

—Corriente—añadió su padre, apretando los puños y mordiéndose los labios de ira—. Pues ahora nos queda otro punto que ventilar aquí, y de mayor importancia que todos los demás.

La pobre Andrea no cesaba un punto de pasear su mirada angustiosa de la cara de su marido a la cara de Andrés.

—En el lance de esta mañana no has sido tú solo el corrido de vergüenza, ni el único que está dando pábulo a las zumbas de todo aquel barrio y de media ciudad. Considerando eso..., porque tú lo habrás considerado bien..., ¿qué ideas te pasan ahora por la cabeza? ¿Con qué aparejo piensas dar la proa al temporal?

—Con el que sea necesario—respondió, sin vacilaciones, Andrés.

—¡Eso no es responder bastante!

—Pues yo no puedo responder más.

—¡No pongas a prueba mi paciencia, Andrés.

—¡Pues tenga usted algo de caridad conmigo!

Andrea miró entonces a su marido con una expresión en que iban bien recomendados los deseos de Andrés.

—¡Caridad!—respondió el capitán, sin hacer gran caso de las miradas de su mujer—. Pues ¿la tienes tú con tu padre? ¿No presumes que cada respuesta de las tuyas es una puñalada para nosotros?... ¡Y no te dejaré ya de la mano, no, aunque pongas el grito en el cielo; porque mucho más me duelen a mí los golpes de las palabras tuyas! Con ellas me has demostrado que mi pregunta te ha llegado a lo vivo, y a dar en lo vivo tiraba yo, Andrés. Y eso vivo es muy grave; y se conoce en lo que tiemblas y por lo que te callas más que por lo que dices... ¡Habla, hijo, pero por derecho y claro, sin embustes ni rodeos! Tu madre y yo tenemos que conocer la extensión de esas aventuras, el rumbo de tus intenciones. ¡Mira que tememos que sean muy malas, porque, si fueran buenas, ya nos lo hubieras dicho!

Decirle a Andrés que eran muy malas sus intenciones, en el supuesto de que se enderezaran a lavar las manchas arrojadas por él mismo en el honor de Sotileza, era sacar de quicio al fogoso muchacho. No cruzaba por sus mientes, maduro y sazonado por lo menos, el pensamiento que su padre se temía, y no cruzaba así porque la misma Sotileza se lo había desdeñado al conocerlo en momentos bien críticos para la pobre muchacha. Pero ¿por qué, en el supuesto de que existiera, se le maltrataba de tal modo? ¿Por qué el honor de la huérfana de Mules, capaz de aquel noble desinterés, no había de ser tan digno de respeto como el de la más empingorotada señorona?...

Y estas consideraciones, hechas en un instante por Andrés, desconcertáronle en tales términos, que las dio traducidas en las palabras que dijo para responder a los mandatos y advertencias de su padre.

La capitana tuvo que interponerse entre su marido y Andrés para evitar que el primero cumpliera la amenaza que había hecho antes al segundo.

No era don Pedro Colindres hombre capaz de tener en poco la honra ajena sólo por verla en hábitos humildes; pero la respuesta de Andrés, por lo descosida,

por lo irrespetuosa, por lo desatinada, en fin, le había
hecho creer que sólo se trataba allí de un antojillo
pueril, de una muchacha peligrosa, de una llamarada
de pasión que era preciso apagar a todo trance y sin
pérdida de un solo momento. Y por si la sospecha no
llevaba bastante peso por sí sola, la reforzó la capitana, que se había quedado atónita con las declaraciones de su hijo, con estas palabras, que salieron vi-
brantes de su boca:

—Y después de oír esto, Pedro, ¿no caes en la cuenta de lo demás? ¿No se ve bien claro que lo del encie-
rro en la bodega y lo del escándalo en la calle no ha
sido otra cosa que un amago de esa pícara para atrapar mejor a este inocente?

—¡Es falso ese supuesto!—respondió, iracundo, el
fogoso mozo, olvidado del respeto que debía a su madre, por la gran injusticia que se cometía con la honrada callealtera.

—¡Hasta eso, Andrés, hasta eso!—increpóle su padre, lanzando rayos por los ojos—. ¡Hasta el cariño y
el respeto a tu madre pisoteas por salirte con la tuya!
¡Hasta ese extremo te han corrompido el corazón!
¡Hasta ese punto te han cegado los ojos!

—¡Yo no pisoteo esas cosas, padre!—respondió, medio sofocado, Andrés—. Pero no soy una peña dura,
y me duelen ciertos golpes. ¡Que no me los den!

—Y los que tú nos estás dando a nosotros ahora,
hijo del alma, ¿piensas que no duelen?—díjole su madre con el llanto en los ojos.

—¡Bah!—exclamó don Pedro Colindres con feroz
ironía—. ¿Qué importan esos golpes? Yo ya soy casco arrumbado; tú, caminando vas a ello... Días antes,
días después, ¿qué más da?... Y con nosotros bien
cumplido tiene. Lo que ahora importa es que él no
pase una mala desazón y que no pierda el sueño la
señora marquesa del pingajo... ¡Ira de Dios!... Esto

no se puede sufrir, y yo no contaba con ello..., porque ni tu madre ni yo lo merecemos, Andrés, ¡ingrato!, ¡mal hijo!

—¡Señor!—murmuró roncamente Andrés, sofocado bajo el efecto de estas palabras, que caían en su corazón como gotas de plomo derretido.

—Pedro, ¡por el amor de Dios!, cálmate un poco —díjole la capitana, llorando—, que él hablará y nos dirá lo que queremos. ¿No es verdad, Andrés, que vas a decir... lo que debe decirse..., porque tú no has dicho nada con serenidad hasta ahora?

—Tras de lo que nos ha confesado—interrumpió el capitán sin dar tregua a sus iras—, nada puede decirme que no sea una nueva insensatez, o una mentira que yo no he de tragarle...

—Ya usted lo oye—dijo Andrés a su madre—: estoy de más aquí; porque, si se me pregunta, yo no he de dejar de responder conforme a lo que siento.

—Pues por eso—saltó el capitán, llegando a los últimos límites de su exasperación—, porque conozco la mala calidad de lo que sientes, no quiero oírte una palabra más; por eso estás aquí de sobra; por eso quiero que te me quites de delante... y que no vuelva a verte yo enfrente de mí mientras no vengas pensando de otro modo... ¿Lo entiendes?, ¡mentecato, desagradecido!

—No lo olvidaré—contestó Andrés con sequedad.

Y salió del gabinete apresuradamente.

Don Pedro Colindres se quedó en él dando vueltas de un lado para otro, como tigre en su jaula. La capitana le seguía en sus desconcertados movimientos, con los ojos llenos de lágrimas y algunas reflexiones entre los labios, que no llegaron a salir de ellos. Así pasó un buen rato. De pronto, dijo el capitán, sin dejar de moverse:

—Dame el sombrero, Andrea.

—¿Adónde quieres ir?

—A la calle Alta ahora mismo. Es necesario estudiar ese punto sobre el terreno y no desperdiciar instante ni noticia para conjurar el mal, cueste lo que cueste.

A la capitana le pareció bien la idea, casi tanto como otra que se le había puesto a ella entre cejas desde las primeras respuestas de Andrés.

No había llegado al portal don Pedro Colindres, cuando su mujer estaba ya poniéndose la mantilla apresuradamente. Minutos después iba caminando hacia la casa de don Venancio Liencres.

Andrés había salido a la calle rato hacía.

XXV

OTRAS CONSECUENCIAS

En poquísimas horas, ¡cómo había cambiado de aspecto el interior de la bodega de tío Mechelín! ¡Qué cuadro tan triste el que ofrecía, mientras don Pedro Colindres enderezaba sus pasos hacia ella! Silda, desfallecida, cansada de llorar y sin lágrimas ya en sus ojos enrojecidos, sentada en un taburete, apoyaba su hermoso busto contra la cómoda por el lado frontero al dormitorio, cuyas cortinillas estaban recogidas hacia los respectivos extremos de la barra. No daba otras señales de vida que algún entrecortado suspiro que quería devorar, y no podía, en el fondo mismo de su pecho, y las miradas tristes que de cuando en cuando dirigía al lecho de la alcoba sobre el cual yacía vestido el viejo marinero. Tía Sidora, sentada a media distancia entre los dos, padeciendo por las penas de ellos como por las suyas propias, sólo dejaba de consolar a Sotileza para acudir con sus palabras, de mal forjados alientos, a levantar los abatidos ánimos de su marido. Y, entre tanto, ¡cómo se le deslizaban gota a gota primero, y después hilo a hilo, las lágrimas por la noblota faz abajo!...

Conocíalo Mechelín en el temblor de la voz de su pobre compañera, porque la luz del candil no daba para tanto, y queriendo pagarle sus esfuerzos con algo que se los evitara, decía desde su lecho, con el ritmo triste de los agonizantes:

—¡Cosa de *na*, mujer, cosa de *na!*... Sólo que nada uno tan *apurao* de casco, tan *resentío* de fondos, que el tocar en una *amayuela* [172] le hace una avería en ellos... Hazte tú bien el cargo... Venía uno de la mar con un poco de risa en el ánimo, porque le duraba a uno *entoavia* el acopio de la de ayer..., y hasta pensaba uno ir tirando con ello... esta semana siquiera. Después, Dios diría... Y remando así, oye uno este decir y el otro en *metá* de la calle; y pregunta uno, y va subiendo mucho más...; y entra uno en casa con el agua a media bodega, y encuentra aquí el *sospiro* y allá las lágrimas; y acaba uno de irse a pique sin poderlo remediar..., ¡porque no está uno *avezao* a eso, y no es uno de peña viva!... Pero *güelve* el hombre a flote otra vez; y aunque saque una costilla *quebrantá*... *u* la boca muy amarga..., esto pasa; los tiempos lo curan... de un modo *u* de otro, y a remar otra vez, Sidora... Y éste es el caso, porque yo no estoy *pior* que ayer, aunque a ti te parezca cosa diferente; estoy un poco *desguarnío*, *motivao* a lo que sabéis; me pedía el cuerpo una miaja de descanso, y he *querío* dársela. Y no hay más.

—¿Y te *paece* poco, Miguel?... ¿Te *paece* poco?—replicábale su mujer.

—Poco, Sidora, poco—tornaba a decir el marinero—, y menos me *paeciera entoavia* si este angeluco de Dios no penara tanto y considerara que no tiene faltas de que avergonzarse, ni siquiera señal de culpa en lo que ha *pasao*.

—Eso la digo, Miguel, eso la digo yo; y a ello me responde de qué sirve la *verdá* si no hay quien la crea.

—¡Dios que la ha visto, hijuca, Dios que la ha visto!—exclamó entonces Mechelín desde su cama—. Y con ese testigo a tu favor, ¿qué importa el mundo entero en contra tuya?

[172] *amayuela:* almadeja. *(N. del A.)*

—*Pos* ni ese enemigo tiene, Miguel; porque aquí ha visto entrar la calle entera a condolerse de su mal y a poner a los causantes en el punto que merecen... Pero, ¡válgame el Santísimo Nombre de Jesús!..., ¿de qué mil diantres estarán hechas esas almas de Satanás?... ¿Por qué serán tan negras? ¿Qué recreo sacarán de causar tantos males a criaturas que no los merecen? ¿Cómo pueden vivir una hora con una entraña tan *corrompía?*...

—¡Esas, ésas!—exclamó Silda entonces, reanimándose un instante con el aguijón de sus punzantes recuerdos—. ¡Esas son las que me han *clavao* un puñal aquí..., aquí, en *metá* del corazón!... ¿Y no habrá justicia que las castigue en el mundo antes que Dios las dé allá lo que merecen?...

—*Tamién* se tratará de eso, hijuca, que por *onde cogelas* hay, según es cuenta—repuso tía Sidora—. Y si la nuestra mano no bastara *pa* ese fin, otras habrá de más alcance, y bien *interesás* en ello. Ya se te ha dicho. *Alcuérdate* de que no has sido tú sola la *ofendía.*

—¡Uva, uva!—dijo tío Mechelín.

—Porque me acuerdo de ello se me dobla la pena —replicó Silda con una intención que estaban muy lejos de conocer tía Sidora y su marido.

—*Verdá* es—dijo aquélla—que, *respetive* a ese otro particular, no pudo la mancha haber caído en paño que más estimáramos... ¡Cómo ha de ser, hijuca!... Un mal nunca viene solo... Pero Dios está en los cielos, y hará que esa persona no se ofenda con los que no están *culpaos* en su daño. El vino por su pie, *naide* le llamó; y el *recao* que traía, bien pudo traerle en ocasión de menos riesgo... ¡Riesgo digo yo! ¿Cómo había de recelársele tan siquiera ese corazón de oro?... Y tocante a las gentes de su casa, *tamién* se pondrán en la razón *pa* no creer que les pagamos con afrentas los favores que han sembrao aquí. ¿No te haces tú ese cargo, hijuca?...

Sotileza se mordió los labios y cerró los ojos, apretando mucho los párpados, como si la atormentaran internas visiones siniestras. Tío Mechelín lanzó un quejido angustioso y se revolvió en su lecho.

—¿Quieres que te cambie el reparo, Miguel?—preguntóle tía Sidora, acercándose presurosa a la cabecera de la cama.

—No hay *pa* qué te canses en ello por ahora—respondió Mechelín tras un profundo suspiro, y añadió por lo bajo, aproximando lo más que pudo la cabeza a su mujer—: Trabaja por aliviar la pena a ese angeluco de Dios, y no te *alcuerdes* de mí, que con la *melecina* de este descanso estoy tan guapamente.

Pero a Silda, aunque los agradecía mucho, la mortificaban ya los consuelos de aquella especie. ¡Había oído tantos desde el mediodía! Conociólo tía Sidora; calló y volvió a reinar el silencio en la bodega.

Así estaba el cuadro cuando se oyeron golpes a la puerta, que estaba atrancada por dentro. Salió a abrir la marinera, después de secarse los ojos con el delantal, y se halló frente a frente con don Pedro Colindres, cuya actitud airada espantó a la pobre mujer. Temiéndose lo más malo, de buena gana le hubiera pedido un poco de caridad para el desconsuelo y los dolores de aquella casa, pero no se atrevió a tanto; y don Pedro, tras brevísimas y secas palabras, entró en la salita precediendo a tía Sidora. Sotileza, al verle delante, con la sangre helada en sus venas, se levantó repentinamente, y tío Mechelín, al conocer la voz del capitán, se arrojó de la cama al suelo. Pero le engañó la voluntad y sólo pudo llegar hasta la puerta de la alcoba, a cuyo marco se agarró para no desplomarse.

—¿Qué es eso, Miguel?—preguntóle Colindres, sorprendido con la aparición del pobre marinero, tan pálido, desfallecido y desencajado.

—Poca cosa, señor don Pedro, poca cosa—respondió con angustia, aunque tratando de sonreír, el interrogado—. Quería yo recibirle a *usté* con los honores que aquí se le deben, y me falló el aparejo..., vamos, que me equivoqué.

Y como el pobre hombre se desfalleciera más al hablar así, el mismo capitán le cogió en sus brazos y, ayudado de las dos mujeres, le volvió a la cama.

—Ya soy hombre otra vez, señor don Pedro—dijo Mechelín un momento después de hallarse tendido sobre el lecho—. Está visto que, en dándole al cuerpo esta *melecina,* no pide cosa mayor... por la presente.

Cuando se volvió el capitán hacia las dos mujeres, que habían salido de la alcoba, observó que lloraban en silencio. El corazón del viejo marino, aunque envuelto en corteza ruda, era, como se sabe, blando y compasivo. No hay, pues, que extrañar que el padre de Andrés, al llegar el momento de soltar, aquellas tempestades que le batían el cerebro al salir de su casa, no supiera por dónde comenzar ni cómo arreglarse para exponer la razón de su presencia en medio de aquel triste cuadro.

Al fin, y queriendo mostrarse más entero de lo que estaba, dijo a las angustiadas mujeres:

—¿Qué mil demonios está pasando aquí?... Vamos a ver... Porque lo de Miguel no es para tanto moquiteo.

—¡Ay señor!—respondió la marinera entre sollozos ahogados—. ¡Eso, después de lo otro!...

—¿Y cuál es lo otro, mujer?

—¡Lo otro!... *Pos* pensaba yo que por ello sólo venía *usté.*

—¡Uva!—dijo tío Miguel desde su cama.

Al capitán se le amontonaron en la cabeza todos los

recuerdos de su reciente entrevista con Andrés, y la
mala sangre que las imprudencias de éste le habían
hecho le obligó, retoñando de pronto, a decir con mucha exaltación:

—Es verdad, Sidora; por eso sólo he venido aquí.
¿Te parece bastante motivo para el viaje?

—Y *sobrao,* con más de la *metá,* señor—respondió
la pobre mujer, acoquinada.

Silda, que no podía tenerse en pie, volvió a sentarse en el mismo rincón en que la vimos antes.

El capitán, encarándose a ella, le dijo con cierta
sequedad:

—Es preciso que yo sepa de tu misma boca lo que
ha pasado aquí esta mañana. ¿Tienes ánimos para
referirlo, pero sin quitar un ápice de la verdad ni añadir una tilde que la desfigure?

—Sí, señor—respondió con entereza la interrogada.

—Por supuesto, Miguel—añadió don Pedro Colindres, volviéndose hacia la alcoba—, en el supuesto de
que el relato no sirva de cebo a tus males; porque
aunque el caso apura, no es puñalada de pícaro. Yo
volveré a otra hora...

—No, señor don Pedro—se apresuró a responder
Mechelín—, no hay *pa* qué molestarle a *usté* más;
porque, *apuramente, relate* es ése que hasta me engorda el oírle. Y no se espante de ello, que consiste en
que, cuanto más me repiten el caso, más me voy haciendo a él y menos me daña acá dentro... Cuenta,
cuenta, saleruco de Dios, sin reparo de *na, pa* que se
entere bien el señor don Pedro.

—Y bien puede *usté* creer al *venturao*—añadía tía
Sidora—, que, por gusto de él, no se hablara de otra
cosa en todo el santo día de Dios en esta casa.

Con estas manifestaciones y la buena y bien notoria voluntad de Silda, comenzó ésta a referir el su-

ceso con los mismos pormenores que le había referido Andrés en su casa.

—Exactamente—dijo el capitán, apenas acabó Sotileza su relato—. Lo mismo que lo sabía hasta donde tú lo has dejado. Pero, después acá, ¿qué más ha ocurrido?

—Señor..., yo a punto fijo no lo sé, y no puedo responderle más.

—A lo que *paece*, y por lo que cuentan los vecinos que aquí van entrando—dijo tía Sidora—, el mal enemigo que lo *regolvió dende* abajo se vio a pique de que le arrastraran las gentes por el moño. Porque antes que esta *venturá* saliera de su cárcel, ya ellas habían *contreminao* la calle entera con injurias y *maldaes*... ¡Si no medran de otra cosa, señor! Después, la de abajo subió y se encerró en casa con la otra, sin atreverse a abrir las puertas del balcón, porque habían *sembrao* muchos agravios, y, por malas que sean, tenía que pesarles la obra en la *concencia*..., siquiera por el miedo... Luego llegaron de la mar el padre y el hijo..., *aticuenta* que la noche y el día..., y *rifieren* que hubo en la casa una *tempestá,* porque al uno, *arrimao* a las pícaras con la mala *entención, too* le parecía poco, y al otro *venturao* se le partía el corazón y se le caía la cara de vergüenza. Creo que maltrató a la hermana y estuvo en poco que no le alcanzaran golpes a su madre. Aquí ha bajao... no sé cuántas veces; de aquella *entrá* no pasa, y allí se está *arrimao* a la pared, con las manos en la *faldriquera,* el ojo *airao* y la greña caída. No dice *juste ni muste* [173], por más que se le anima *pa* que vea que no se le cobran a él *pecaos* de su casa..., y se *güelve* como entró... Hay quien dice que se puede hacer bueno, con testigos, lo que esos demonios de mujeres *dijieron* y traficaron *pa* perdición de esta casa y que no deben quedar tantas

[173] *juste ni muste:* vulgarismo por *oxte ni moxte.*

maldaes sin castigo... Y esto es todo lo que le podemos decir a usté, señor don Pedro, por lo que nos cuentan de lo que ha *pasao* en estas horas que llevamos *arrinconaos* en esta soledad tan triste... Tocante al pobre Miguel, ya se puede *usté* hacer cargo: es viejo, está muy achacoso; encontróse con esto al llegar a casa..., ¡él, que había sido hecho unas tarrañuelas!..., y cayó *desplomao;* vamos, *desplomao* como una *paré* vieja... De modo que no es de asombrarse *naide* porque a esta *desventurá* y a mí se nos escape la *glárima* [174] de tarde en cuando. ¡Han visto tan poco las paredes de esta casa, señor don Pedro!

No le faltaba mucho a éste para contribuir con una más a las ya vertidas allí cuando acabó su relato entre sollozos la atribulada marinera, porque bien tenía su hijo a quien salir en muchas de sus corazonadas de carácter; pero sorteó bien el apuro, y resuelto a cumplir su propósito de examinar bien aquel terreno, ya que estaba sobre él y podía, con un poco de prudencia, hacerlo sin molestar a nadie, continuó sus investigaciones así:

—No es eso precisamente lo que yo trataba de averiguar, Sidora, aunque me alegre de saberlo.

—*Usté* dirá, señor.

—Querría yo que me dijerais qué impresión os ha causado el suceso.

—Pues bien a la vista está, señor.

—No es eso tampoco..., no he hecho yo la pregunta bien. ¿Qué propósitos tenéis después de lo ocurrido? ¿A quién echáis la culpa?

—¡La culpa!... ¿A quién se la hemos de echar? A quien la tiene: a esas pícaras de arriba... Bien claro lo ha dicho *tamién* esta *desgraciá*...

—Ya, ya; ya me he enterado. Pero suele suceder, cuando se examinan en familia casos como este de

[174] *glárima:* vulgarismo por *lágrima*.

que tratamos, que unos dicen que si no hubiera sido
por esto, no hubiera acontecido lo otro, y que si tú
y que si yo, y que si el de más allá...; en fin, ya me
entiendes. Luego viene el ajuste de cuentas, digámoslo así, y lo que debe Juan, y lo que debe Petra..., y lo
que debiera suceder..., y lo que sucederá..., y lo que
se espera..., y lo que se teme...

—¡Lo que se espera!..., ¡lo que se teme!—repetía
la pobre mujer, mirando de hito en hito al capitán.

—¡Díselo, Sidora, díselo, que ahora es la ocasión!
—voceó desde su cama Mechelín.

—¿Y qué es lo que ha de decirme?—preguntó don
Pedro Colindres, volviéndose con fruncido ceño hacia
la alcoba.

—*Pus* lo que ella sabe y ahora viene al caso—respondió el marinero—. ¡Anda, Sidora, ya que le tienes
tan a mano! ¡Anímate, mujer, que él es *güeno* de por
suyo!

—Sí, hijo, sí. ¿Por qué no he de decirlo?—contestó
tía Sidora—. No es ello ningún pecado mortal.

El capitán estaba en ascuas, y Sotileza, como una
escultura de hielo en su rincón de la cómoda.

—Sepa *usté*, señor don Pedro—dijo tía Sidora—,
que *juera* de las amarguras del caso, por lo que es en
sí, aquí no hay otro pío que nos atormente que el no
saber lo que nos espera por lo *relative* a don Andrés.

—¡A ver, a ver!—murmuró el capitán, acomodándose mejor en la silla para redoblar su atención.

Si la hubiera fijado un poco en la cara de Sotileza
en aquel momento, ¡qué sonrisa de hieles hubiera visto en su boca y qué centella de ira en sus ojos!

—El señor don Andrés—continuó tía Sidora—entraba aquí como en su *mesma* casa, porque debíamos
abrírsela de par en par. El merecía que se hiciera eso
con él en los *mesmos* palacios de la reina de España;
y por merecerlo tanto, aquí no tenía más que cora-

zones que se gozaban en verle tan parcialote y campechano con personas que no eran quién ni siquiera *pa* limpiarle las suelas de los zapatos. Bien sabe *usté,* señor, que si hoy tenemos pan que llevar a la boca, al corazón de él y a la *caridá* de su familia lo debemos. Por no causarle una *pesaúmbre,* y por no dársela a sus padres, *ca* uno de nosotros hubiera *arrancao* peñas con los dientes, si peñas con los dientes hubiera habido que arrancar *pa ello...* Pero hay almas de Satanás, señor, que enferman con la *salú* de su vecino..., y ya sabe *usté* lo *acontecío* esta mañana... El golpe iba a la honra de esta *desdichá,* pero alcanzó la *metá* de él a don Andrés, que estaba en casa entonces, como pudo estar otro cualquiera. Por lo que a nosotros nos duele, sacamos el dolor que tendrá él y la pena y los enojos de toda su familia..., justo y natural es que así sea; pero, ¡por el amor de Dios, señor don Pedro!, mire las cosas con buena entraña y quítenos la *metá* de la *pesaúmbre* que nos ahoga perdonando la que le dimos, sin más parte en ello que la que tomó el demonio por nosotros.

—¡Uva, señor don Pedro, uva!—añadió Mechelín desde allá dentro—. ¡Eso pedimos, eso queremos..., que no es cosa mayor en ley de justicia y buena *voluntá!*

—¿Y eso es todo cuanto se os ocurre?—preguntó el capitán, respirando con más desahogo que antes—. ¿Eso es todo cuanto deseáis, por lo que a mí toca..., por lo que pueda importarme ese suceso, por la parte que de él ha alcanzado a mi hijo?

—¿Y le *paece* a *usté* poco?—exclamaron, casi al mismo tiempo, tía Sidora y su marido.

El capitán soltó, allá en los profundos de su pechazo, una interjección de las más gordas por ciertos amargores de conciencia que comenzaba a sentir enfrente del candoroso desinterés de aquel honrado matrimonio; y, para disimularlos mejor, habló así:

—Eso se da por entendido..., Sidora; en mi casa no hay nadie tan inconsiderado que, por mucho que le duela lo acontecido..., ¡y mira que nos duele bien!..., trate de haceros responsables de unos daños que no habéis causado... Pero se me había figurado a mí que podríais desear, y sería muy natural que lo desearais, otra cosa muy distinta: algo... como, por ejemplo, el castigo de esas dos bribonas por medio de la justicia humana y que os ayudara yo en el empeño, por poder más que vosotros.

—¡Uva, uva!—sonó la voz de Mechelín dentro de la alcoba.

—*Tamién* se ha tratado algo de eso, señor—dijo tía Sidora, muy reanimada con la actitud que iba tomando el capitán—. Pero hubo sus *mases* y sus menos sobre el particular. Hay quien dice que es mejor dejarlo así, porque esas cosas tocante a la honra no conviene manosearlas mucho, y hay quien piensa que castigando a las causantes se pone la *verdá* más a la vista.

—¡Uva, uva!...

—Por las trazas—dijo el capitán—, ¿tú estás porque eso se lleve adelante, Miguel?

—Sí, señor—respondió éste—, ¡y a *toa* vela!

—¿Y tú, muchacha—preguntó don Pedro a Sotileza—; tú, que eres la más interesada?...

—¡*Tamién*!—respondió con bravura la interpelada.

—*Pos* si creéis que eso conviene—añadió tía Sidora, antes que se consultara su voluntad—, que no quede por mí. No soy vengativa, señor; pero la *verdá* es que no se puede hacer vida con sosiego *onde* están esas mujeres, y que si ahora se quedan triunfantes con esa *maldá,* como se han quedado siempre, yo no sé lo que pasará mañana aquí.

—Pues se hará lo posible porque lleven esta vez su

merecido—concluyó el capitán, a quien se le antojaba que el castigo de las hembras de Mocejón también desembarazaría de ciertos estorbos la situación de Andrés ante la opinión pública.

Poco después de esto se levantó para marcharse. Sotileza se levantó también y, venciendo con un visible esfuerzo de voluntad repugnancias que la combatían, le dijo así, sin apartarse de la cómoda sobre cuya meseta se apoyaba con una mano:

—Señor don Pedro, por nada de lo que se ha tratado aquí ha venido usted a esta casa.

—¿Qué dices, muchacha?—exclamó el capitán, mirándola con asombro.

—La pura *verdá*—respondió Silda con valentía—. Y por ser la *verdá,* la digo sin ánimo de ofender a *naide* con ella..., y porque quiero que vaya *usté* seguro de llevar por la paz lo que pensó llevarse de aquí por la guerra.

—¡Hijuca!—exclamó, asustada, tía Sidora.

Mechelín se incorporó sobre la cama, y don Pedro Colindres no disimuló cosa mayor la zozobra en que le ponían aquellas terminantes afirmaciones de Sotileza. Esta continuó:

—Quiero que *usté* sepa, oído de mi *mesma* boca, que nunca me dejé tentar de la *cubicia* ni me marearon los humos de señorío; que estimo a Andrés por lo que vale, pero no por lo que él pueda valerme a mí; y que si para poner ahora a salvo la buena fama no hubiera otro remedio que el que me diera llevándome a ser señora a su lado, con la honra en pleito me quedara antes que echarme encima una cruz de tanto peso.

—¡Por vida del mismo Pateta!—respondió el capitán, mirando a la valiente moza con un gesto que tanto tenía de agrio como de dulce—, que no sé adónde quieres ir a parar por ese camino.

—Pensé que sobraba la *metá* de lo dicho para ser bien entendida de *usté*—replicó Sotileza.

—Pues figúrate que no he comprendido pizca de tus intenciones y que quiero que me las pongas en la palma de la mano.

Sotileza continuó:

—Conozco bien a Andrés porque le llevo *tratao* muchos años, y por eso y por algo que me dijo esta mañana al verme aquí agonizando de vergüenza, y por el aire que *usté* traía al entrar en esta casa, bien puedo yo creer que haya repetido a su padre lo que yo no quise dejar sin la respuesta que cuadraba.

Don Pedro Colindres, interpretando las últimas palabras de Silda en un sentido bien poco honroso para Andrés, se picó del honorcillo y repuso con dureza:

—Pues si él te dijo lo que yo presumo, ¿qué más podías desear tú? ¿En ésas estamos ahora, después de tantos pujos de humildad?

Con esto fue Sotileza quien se sintió herida en el amor propio, y para acabar primero y a su gusto aquella porfía que la molestaba, pero que debía sostener, porque le interesaba, concluyó así:

—Yo no he dicho ahora cosa que desmienta lo que dije antes. Pensé que era sobrado hablar así para que *usté* solo me entendiera; pero ya que me salió mal la cuenta, lo diré más claro. De *caridá* vivo aquí, y con estos cuatro trapucos valgo lo poco en que me tienen las gentes. Vestida de seda y cargada de diamantes, sería una tarasca y se me irían los pies en los suelos relucientes. Malo para los que tuvieran que aguantarme, y peor para mí, que me vería fuera de mis quicios. A esa pobreza estoy hecha y en ella me encuentro bien, sin desear cosa mejor. Esto no es *virtú*, señor don Pedro; es que yo soy de esa madera. Por eso dije a Andrés lo que él bien sabe, y necesito que *usté* me conozca, porque no quiero responder más que de mis faltas..., ni tampoco que se me gane la delantera en casos como el presente; que por humilde que una sea, no dejan de doler los *gofetones* que se le den por humos que nunca se tuvieron. Con esto ya lleva *usté* más de lo que venía buscando, y yo me quedo con un cuidado menos... Y perdóneme ahora la libertad con que le hablo, siquiera porque el sosiego de todos lo pide así.

Verdaderamente, daba Sotileza a don Pedro Colindres mucho más de lo que éste había ido a buscar a la bodega de la calle Alta; pero el capitán no debía confesarlo allí, porque entendía que la confesión no realzaría gran cosa la calidad de los pensamientos generadores de aquel paso. Por eso dijo a Sotileza, por todo comentario a sus declaraciones:

—Aunque aplaudo esa honrada modestia que tan bien te está, quiero que sepas que esta vez has pecado conmigo de maliciosa... Y no hablemos más del asunto, si os parece. Olvídese todo; contad conmigo, como siempre, y aun mejor que nunca..., y cuídate mucho, Miguel. Adiós, Sidora... Adiós, guapa moza.

Y salió de allí don Pedro Colindres, bien convencido de que si en su casa continuaba agitándose la cola del escándalo de marras, no sería por obra de la familia de Mechelín. Esto simplificaba mucho el conflicto que le había lanzado a él a la calle, y por creerlo así volvía al lado de la capitana bastante más tranquilo que cuando se había apartado de ella.

Entre tanto, Silda, acudiendo al hechizo que tenía su voz para el asombrado matrimonio, se despachaba a su gusto, dando a sus palabras dirigidas al capitán el sentido más apartado de su verdadera significación.

¿Se dejaron engañar los pobres viejos? Parecía que sí, pues no debía tomarse por señal de contrario la postración en que volvió a caer el dolorido marinero, apenas le dejaron solo las mujeres para disponer, la una, un nuevo reparo, y prepararle la otra una escudilla de caldo con vino de la Nava, ni la extraña expresión que había quedado estampada en la faz de tía Sidora. Con las emociones de la inesperada escena se podían explicar ambas cosas, sin tomarlas por señales de una nueva pesadumbre.

XXVI

MAS CONSECUENCIAS

Andrés salió de su casa porque necesitaba el aire y los ruidos y el movimiento de la calle para no ahogarse en la estrechez de su gabinete y no volverse loco con la batalla de sus cavilaciones. Además, su padre le había arrojado de ella y condenado a no volver a verle mientras en su cabeza germinaran los mismos pensamientos que habían producido aquella tempestad en el seno de la familia; y Andrés, que por gustar entonces los primeros amargores de las contrariedades de la vida tomaba los sucesos en el valor de todo su aparato, ni hallaba fuerzas en su voluntad para imprimir nuevo rumbo a sus ideas, ni desparpajo bastante en su juvenil entusiasmo para desarmar la cólera de su padre con una mentira. Salió, pues, de casa para cambiar de ambiente y de lugares, para huir de lo que más de cerca le perseguía, y para pedir al acaso de los ruidos de las multitudes y de los misterios de la noche un dictamen o, cuando menos, una tregua que no podían darle ni la soledad de su cuarto ni la pesadumbre de aquellos muros, para él caldeados por la cólera de su familia.

Por eso andaba y andaba, sin derrotero fijo, y para colmo de sus contrariedades, la noche, con cuyo rocío contaba para refrescar el horno de sus ideas, era de sur en calma, negra y bochornosa; pesaba el ambiente tibio, y hasta en la luz de los faroles públicos hallaba el errabundo mozo la tortura del calor que enardecía la sangre de sus venas. ¡Y él, que iba anhelando los fríos hiperbóreos y el ruido de una tempestad! ¡Hasta los elementos parecían conjurados en su daño! Y lo creía de buena fe.

Dejó las calles del centro, porque se asfixiaba en ellas, y enderezó sus pasos hacia los suburbios.

Cuando llegó a los gigantes plátanos de Bacedo se acordó de que a dos pasos de allí vivía el padre Apolinar. Tuvo grandes tentaciones de subir a su casa para referirle cuanto le ocurría... Pero ¿qué adelantaría con ello? ¿Qué sabía el pobre fraile de las cosas que le pasaban a él? ¿Qué prestigio era el suyo ante un hombre como don Pedro Colindres, para calmar sus arrebatos y reducirle a la razón?... ¡A la razón! Pero ¿sabía el mismo Andrés por dónde debía comenzar la defensa de su pleito, ni si el pleito era defendible, ni si era pleito siquiera? ¿De qué se trataba, en sustancia? De un supuesto que él intentaba imponer a su familia como deber de la honra, y de una tenaz resistencia de su padre a reconocerlo así. ¿Cabían mediadores serios en una porfía semejante? Y aunque cupieran, ¿era creíble que se prestaría nadie a sostener la causa del hijo contra la autoridad de los padres irritados? Y aunque se prestara, ¿cómo habían de darse éstos por vencidos, si el declararlo así era la humillación y desprestigio de los derechos indiscutibles que tenían como dueños y señores suyos? Además, bien considerada su actual situación, ni siquiera procedía directamente de este desacuerdo, sino del altercado que produjo; de su propia obstinación en no declarar lo que su padre pretendía, y de las durezas con que éste le reprochó su rebeldía inusitada. Este era el caso; y para su resolución definitiva no veía otro agente que el tiempo, cuya marcha fatal e inalterable borra las grandes impresiones del ánimo, apacigua las batallas del cerebro, cambia la faz de las cosas y enquicia el humano discurso. Por entonces no estaba el pobre mozo más que para sentir y para padecer.

Rendido, al cabo, de dar vueltas en aquel paseo, sentóse en el banco más retirado y sombrío. Pero allí le asaltaron, con furia implacable, los recuerdos de la calle Alta. ¿Qué habría pasado en la pobre bodega desde que él había bajado a la ciudad después del gran escándalo? ¿Qué efecto habría causado éste en los honradísimos viejos, al volver cada cual de sus quehaceres? ¿Qué pensarían de él? ¿Qué les habría dicho Silda?... ¡Y las palabras de ésta, respondiendo a su hidalgo ofrecimiento, tan desdeñosas, tan crudas, hallándose los dos en lo más imponente del conflicto!...

Y eslabonando con este recuerdo el de todo cuanto le había pasado desde entonces, y la consideración de lo que le estaba pasando, embravecióse más y más la tempestad de su cabeza; pensó volverse loco bajo el fragor de aquella lucha de ideas incongruentes y de conclusiones desesperantes, y se levantó nervioso y agitado; y volvió a moverse de un lado para otro; y anduvo y anduvo, sin saber por dónde, hasta que, al cabo de una hora bien corrida, notó que se hallaba al otro extremo de la ciudad y a dos pasos de la Zanguina. Bullían los mareantes de Abajo en derredor de ella; y por esta sola razón trató de apartarse de allí. Le espantaban las gentes conocidas. Pero ¿adónde iba ya? Miró su saboneta de oro, y vio que marcaba las diez y media. A las diez acostumbraba él retirarse a casa todas las noches. Ya estaría su madre echándole en falta, y quizá muerta de angustia y recordando de qué modo había salido a la calle... Pero ¡volver a casa en la situación de ánimo en que se hallaba él, tener que presentarse delante de su padre, que le había arrojado de allí con prohibición terminante de acercársele mientras siguiera pensando del modo que pensaba!... ¡Y al día siguiente, vuelta a lo mismo; y, además, el presidio del escritorio, donde ya se sabría todo lo que pasaba!... ¡Qué infernal complicación de contrariedades para el fogoso y alucinado muchacho!

Mientras su discurso recorría vertiginosamente estos espacios, con grandes señales por optar por lo menos cuerdo, sintió un golpe en la espalda y una voz que le decía:

—¡Varada en peña, don Andrés!

Volvióse éste sobrecogido, pensando que alguien se entretenía en leerle los pensamientos, si es que no había estado él pensando a gritos, y conoció al bueno de Reñales, patrón de lancha de los más formales y sesudos del Cabildo de Abajo.

—¿Por qué me lo dice usted?—le preguntó Andrés.

—¿No ve cómo anda por aquí esta *probe* gente, como rebaño a la vista del lobo?

—¿Y por qué es eso?

—Pensé que usté lo sabía, don Andrés... *Pos* es *motivao* a la leva.

—Era de esperar... ¿Y qué tal es?

—*Pos,* hijo, una barredera. No la recuerdo mayor. Esta tarde se nos ha *notificao* por la Comandancia... No queda un mozo en los dos Cabildos... Del de Abajo solamente, van cuatro de segunda campaña por no haber número bastante de los de primera...; ¡conque *fegúrese usté!*

—Triste es eso, Reñales; pero son cargas del oficio.

—¡*Güeno* está el oficio, don Andrés!... Dos días hace que no vamos a la mar.

—Pues ¿cómo así?

—¿No ve *usté* el cariz del tiempo?

—Bien en calma está.

—Sí; pero calma traidora... ¿Quién se fía de ella, don Andrés?

—Tres días van así ya, y nada ha sucedido.

—Ya lo veo... Pero eso, bueno *pa* sabido.

—El viento al Sur no tiene malicia ahora; es viento de la estación.

—Ya nos hacemos cargo; y algo por eso, y mucho por lo que apura la *necesidá,* pensamos salir mañana. ¡Buenos ánimos llevará esta *probe* gente con el galernazo [175] que les ha *venío* de arriba!

Andrés se quedó pensativo unos instantes, y preguntó en seguida al patrón:

—¿Dice usted que mañana irán las lanchas a la mar?

—Si Dios quiere y el tiempo no empeora.

—¿A qué va la de usted, tío Reñales?

—A merluza.

—Me alegro, porque voy a ir en ella.

—¿*Usté,* don Andrés?

—Yo, sí. ¿Qué tiene de particular?

—De particular, no es cosa mayor, que *abonao* es *usté* para ello, y la mar bien le conoce.

—Pues entonces...

—Decíalo yo porque podía *usté* aguardar a mejor ocasión.

—¿Qué mejor ocasión que ésta?

—Mejores las hay, don Andrés, mejores: siempre que está el tiempo al Nordeste.

—Pues yo lo prefiero al Sur cuando es estacional, como ahora.

—Es un gusto como otro, don Andrés; aunque no verá *usté* un solo mareante que le tenga igual. Yo cumplo al *respetive* con decir lo que me *paece.*

—Y yo le agradezco por el buen deseo. Conque no hay que hablar.

—¿Por supuesto, que querrá *usté* que le vayan a avisar a casa?

—¡De ningún modo! No hay necesidad de alborotar el barrio. Yo estaré aquí, o en la rampa, a la hora

---

[175] *galernazo:* galerna, cambio repentino del tiempo al noroeste huracanado. *(N. del A.)*

convenida; y si no estoy, se larga usted sin esperarme.
Entre tanto, quédese esto entre los dos, y no diga usted una palabra de los propósitos que tengo... Pudiera no ir; y no hay necesidad de que se atribuya el
caso a lo que no es.

—¡Je, je!... Vamos, eso de decir que no está *usté*
muy seguro de que a última hora...

—Justamente... Pudiera no estar tan animoso entonces...

—Y recela que se le tenga por *encogío*.

—Eso es.

—*Pus* no lo creería quien le conozca, don Andrés.

—¡Quién sabe!... Por si acaso, punto en boca, y lo
dicho...

—Nunca supo hablar la mía *pa* descubrir secretos.

—Hasta mañana, Reñales.

—Si Dios quiere, don Andrés.

No le había salido a éste muy errada la cuenta al
descubrir que para verse libre, de cualquier modo, de
apuros como el suyo, no había otro remedio que en-
tregarse a los decretos de la ciega casualidad. La que
le llevó a la Zanguina y le acercó al prudente Reñales en el momento crítico de resolver, por su propio consejo, el único conflicto verdaderamente serio
en que se había visto aquella noche, poniéndole entre
los labios la golosina de un envejecido y vehemente
deseo, dio al traste con todas sus cavilaciones y le
arrojó en las marañas de un nuevo desatino.

¡Volver a casa después de haberle echado de ella
su padre tan sin motivo ni razón! ¡Que penara, que
penara un poco por su dureza inoportuna! Eso le en-
señaría a no ser tan injusto y tan violento otra vez.
En cuanto a su madre... Pero ¿qué había hecho para
defender al hijo atribulado? ¿No había puesto su haz
correspondiente en la hoguera de las cóleras del padre, calumniando las generosas intenciones de la inocente Silda? Pues que penara también un poco..., que

mucho más estaba penando él... Mas aunque por aho-
rrar esas penas a sus padres se decidiera a tornar
aquella noche al abandonado hogar, ¿qué resolvería
esta abnegación de su parte, quedando la discordia
en pie y recrudeciéndose de nuevo al día siguiente,
quizá entre suplicios de insoportables mediadores?...
Nada, nada; oído de piedra a las voces de su corazón,
que le aconsejaba cosa muy distinta..., ¡y adelante
con su proyecto! Este lo resolvería todo a la vez. Una
mala noche pronto se pasaría; y, en cambio, al día
siguiente, ni caras indigestas, ni palabras impertinentes, ni miradas burlonas; y en vez del hormigueo
de las calles, y el tufo de las muchedumbres, y el polvo de las basuras, y el tormento de la conversación,
la inmensidad del espacio, la grandeza del mar, el aire
salino, el columpio de las ondas y el olvido de tierra,
infestada de la peste de los hombres. Entre tanto, las
horas corrían, cambiaríanse los pareceres..., y el que
pasa un punto, pasa un mundo. De este modo iba
afirmando Andrés en su voluntad la resolución que
le había inspirado su casual encuentro con Reñales,
y hasta creyendo de buena fe que podía ser providen-
cia lo que parecía casualidad, cuando lo cierto era que
se había agarrado a aquel asidero como pudo aga-
rrarse a las alas de una mosca, para caer del lado que
se inclinaba en el momento de resolverse, o a volver
a su casa, como era lo cuerdo y conveniente, o a declararse en abierta rebelión contra todos sus deberes,
que era lo descabellado. Pero ya sabemos lo que son
apreturas de esa especie en cabezas juveniles como
la de Andrés, y no hay que maravillarse de que op-
tara por lo peor en la necesidad de elegir entre dos
cosas que le parecían rematadamente malas.

Y tan firme llegó a ser su repentino propósito que,
para evitar en lo posible todo riesgo de que se malo-
grara, apenas se despidió de Reñales, se alejó de las
inmediaciones de la Zanguina para discurrir a su gus-

to sin excitar la curiosidad de nadie. Porque le quedaba otro punto muy interesante por dilucidar. ¿Dónde y cómo iba a pasar las horas que faltaban hasta la madrugada del día siguiente? No había que pensar en fondas ni paradores, donde el menor de los riesgos era ser él muy conocido de fondistas y mesoneros; ni tampoco en la casa de ningún amigo... Pasarse tantas horas recorriendo calles, tras de ser excesivamente penoso, era muy expuesto a llamar la atención más de lo conveniente... Sin dudas ni vacilaciones optó por la Zanguina.

En la Zanguina, dentro de muy poco rato, no quedaría un marinero, porque, aunque muchos de ellos acostumbraban dormir allí, esto acontecía en lo más penoso de las costeras; y en aquella ocasión llevaban ya dos días sin salir a la mar. Estando sola la Zanguina, llegaría en el momento de ir a cerrarse sus puertas y no antes, porque, echándole de menos en su casa, no sería extraño que alguien fuera allí a preguntar por él. Le diría al tabernero, muy conocido suyo, todo lo que había de decirle para que no le chocara su pretensión de pasar así la noche, tumbado sobre un banco, hasta la hora de salir a la mar en la lancha de Reñales... Y comenzó a ponerlo por obra antes que se le enfriaran los propósitos.

Con grandes precauciones, porque el sitio era de los más poblados de la ciudad, observó, a la mayor distancia posible, cómo fueron retirándose poco a poco hasta los parroquianos más pegajosos del afamado establecimiento; y en cuanto vio señales de que iban a entornarse sus puertas, acercóse allá y expuso sus intenciones al tabernero. No le chocaron a éste cosa mayor, porque sabía hasta dónde llegaba la pasión del hijo del capitán Bitadura por las costumbres de la gente marinera.

—Pero ¡no me diga, don Andrés, que se va a pasar aquí la noche encima de un banco duro!—le dijo el tabernero—. Le arreglaré un poco de mullida con la *metá* de mi cama...

—Nada de eso—respondió Andrés—. Si me acuesto sobre mullida, no despertaré a la hora que necesito.

—Si de *toas* maneras he de abrir yo la taberna antes que den el *apuya*.

—No importa. Yo me entiendo. Ponme en la mesa del último cajón de allá un pedazo de queso, otro de pan, un vaso de vino y una vela, y no te cuides de mí sino para despertarme mañana a tiempo, si es que no me he despertado yo.

El tabernero empezó a complacerle encendiendo una vela de sebo; la encajó después en una palmatoria de hojalata, y fuése con ella al departamento indicado por Andrés. Caminando éste detrás de la luz, vio un bulto en la oscuridad del fondo de uno de los primeros cajones de la fila. El bulto roncaba que era un espanto.

—¿Quién duerme ahí?—preguntó Andrés.

—Es Muergo—respondió el hombre de la vela—. Entendimos que se volvía loco de rabia cuando supo que le alcanzaba la leva... Juraba y perjuraba que primero se echa a la mar que consentir en que le llevaran al servicio. *Dimpués* tomó un *cafetera* de aguardiente; *pensemos* que acababa aquí con medio Cabildo; rindióle al cabo el sueño y se quedó como *usté* le ve ahora... *Juera* del alma, don Andrés, es una pura bestia.

¡Y Andrés envidiaba en aquel instante hasta la suerte de Muergo!

Minutos después, el aturdido mozo, en el rincón más oscuro del más apartado cuchitril de la Zanguina, reponía las fuerzas del cuerpo quebrantado con las míseras provisiones que el tabernero había puesto sobre la bisunta mesa, mientras aspiraba oleadas de aquella atmósfera pestilente, y sentía en las profundidades de su cabeza el estruendo de la batalla que estaban librando allí sus no domadas ideas.

Algo más tarde, cansado de meditar y de temer, estiró las piernas sobre el banco en que se sentaba; apoyó el tronco sobre la pared; cruzó los brazos sobre el pecho, y quiso facilitarle su conquista al sueño, que tanto necesitaba, apagando la luz, que es enemiga del reposo; pero desistió de su propósito, porque no se atrevía a quedarse a oscuras y solo con sus alborotados pensamientos.

XXVII

OTRA CONSECUENCIA QUE ERA
DE TEMERSE

Por rara casualidad estaba don Venancio Liencres en su casa cuando llegó a sus puertas la capitana preguntando por él, precisamente por él. Cierto que se hallaba ya con el sombrero puesto para salir a perorar un rato en el senado del Círculo de Recreo, donde a la sazón se agitaba entre los senadores no sé qué punto de trascendencia para las harinas castellanas, las obras del ferrocarril y los cueros de Buenos Aires; pero, en fin, estaba en casa, y recibió a la madre de Andrés sin visible disgusto y a solas, como ella quería.

Allí, anegada en llanto, y en el secreto de la confesión, declaró Andrea a don Venancio todo lo que les estaba pasando con su hijo. Temía que en las respuestas dadas por éste a su padre se envolviera un propósito de casamiento con la tarasca callealtera. Y esto no podía suceder, porque sería la perdición de él, la vergüenza de toda su familia y el escándalo del pueblo. El capitán estaba ya dando los pasos necesarios para enterarse mejor de la magnitud del peligro; pero esto no bastaba: era preciso que don Venancio mismo, que tantos títulos reunía para merecer el respeto del desatinado mozo, le hablara al alma, le amonestara, se le impusiera, y que por Dios, y que por los santos... Y lágrima va, y sollozo viene. Y don Venancio no salía de su asombro sino para considerar lo mucho que podía valer la fuerza de su palabra cuando a ella seguía acudiendo la capitana en los conflictos más graves de su vida. Excusado es decir que la tranquilizó con un discurso prometiéndole que todo se arreglaría del mejor modo posible. La capitana llegó a su casa antes que su marido, y don Venancio Liencres entró en el senado con el talante de los grandes hombres satisfechos de llevar entre los cascos el hervor de un gran problema.

Cuando volvió para cenar, rodeado de su familia, ni su señora pudo resistir un solo momento más la curiosidad de saber a qué había ido la capitana a tales horas y de tal modo a su casa, ni él dominar el deseo de declararlo todo en aquel instante solemne, con el santo fin de que se viera lo que llegarían a ser jóvenes tan irreflexivos como Andrés sin hombres de maduro seso y legítima autoridad que los volvieran a la senda de sus deberes.

Y precisamente ocurrió el relato de lo más grave de la aventura de la calle Alta en los momentos en que Luisa, dejando caer el tenedor desde la altura de su boca, declaraba que no quería cenar más. Siguió la historia con comentarios del mismo narrador, gestos y monosílabos de asco de su señora y aspavientos de Tolín...; y Luisa, cuya inapetencia continuaba y cuya alteración de semblante descubría una violenta agitación nerviosa, rompió dos platos de una sola puñada. En seguida se retiró a su cuarto, manifestando antes que si no se contaran en la mesa historias tan indecorosas como aquélla, no se trastornarían los nervios de nadie, ni se perderían por completo las ganas de cenar.

Convino su augusta madre en que no era del mejor tono hablar de lances tan apestosos delante de señoras tan principales, y mandó disponer una taza de salvia para su hija. La cual, encerrada ya en su cuarto, dijo a su madre, después de tomar dos sorbos de la pócima, que ya se sentía bien y que no apetecía otra cosa que el descanso de la cama.

Alegróse mucho de saberlo don Venancio, y como ya llevaba un buen rato de perorar con Tolín, que no acababa de asombrarse del suceso, túvosele por bastante ventilado por entonces; bostezó don Venancio; recogió su señora y guardó en el aparador los postres sobrantes, y, con las buenas noches de costumbre, se encerró cada cual en su agujero.

Despojándose estaba Tolín de su tuína doméstica, tras de haber dado recreo a sus ojos en la contemplación de los cuadros de la pared, cuando sintió un golpecito a la puerta y la voz muy queda de su hermana, que por la rendijilla le preguntaba:

—¿Se puede?

Apresuróse Tolín a abrir, y entró Luisa de puntillas, con la palmatoria sin luz en una mano y el índice de la otra sobre los labios. Iba muy pálida, bastante ojerosa y no poco trémula de manos y de voz. Cerró cuidadosamente la puerta por dentro y dijo a su hermano, que la contemplaba atónito, señalándole una silla junto a la mesa, sobre la cual continuaba la cartera atestada de dibujos y acuarelas:

—Siéntate ahí.

—Pero ¿qué te pasa, mujer?—preguntóle Tolín, volviendo a vestirse la tuína y con los ojos muy azorados.

—Ya lo sabrás—respondió muy bajito la interpelada—. Pero no alces la voz ni hagas ruido, porque no hay necesidad de que sepa nadie que te he hecho yo esta visita.

Tolín se sentó, y Luisa se quedó en pie delante de él, sin querer aprovechar la silla que su hermano puso a su lado, ofreciéndosela con insistencia.

—No quiero sentarme—dijo Luisa—; hablo mejor así de arriba abajo, tal como estamos... Cara a cara, puede que no fuera yo tan valiente contigo como necesito serlo ahora... En fin, hombre, dejemos estas

24

boberías... ¡Ay Dios mío de mi alma!... Mira, Tolín:
si llego a meterme en la cama con este escozor que
siento por acá dentro; si no me aventuro a desaho-
garme un poco contigo, creo que me da algo esta noche..., que me muero, vamos, lo mismo que te digo...,
¡lo mismo, Tolín!

Tolín, cada vez más consumido por la curiosidad
de saber qué le pasaba a su hermana, insistió de nuevo con ella para que acabara de explicarse.

—A eso voy—dijo Luisa, con más deseos que valor
para hacerlo—. ¿Tú has oído bien la historia que
contó papá en la mesa?

—Sí que la he oído.

—¿La has oído?...

—Te repito que sí.

—Me alegro, Tolín, me alegro de que la hayas oído
bien. ¿Y qué te parece?

—¡Mire usted ahora con qué coplas salimos!—exclamó Tolín muy contrariado.

—Pues ¿con qué coplas he de salirte, hombre?—preguntóle candorosamente su hermana.

—Pues con las tuyas, ¡canarios!

—Pero ¡si las mías empiezan por ahí, bobo!

Tolín se encogió de hombros y volvió un momento
la cabeza hacia otra parte.

—Como siempre, Luisa, como siempre—añadió un
instante después—. Maldito si se pueden atar dos cominos con todos los aspavientos tuyos. En fin, di lo
que te dé la gana; ya veremos lo que sale.

Luisa miró a su hermano con un gesto que no era
un himno a la perspicacia del mozo aquel, y le dijo:

—Quiero saber yo lo que te parece a ti esa indecencia de historia.

—Pues me parece muy mal, Luisa. ¡Muy mal!...
Tan indecente como a ti... ¿Lo quieres más claro?

—Eso es lo que yo quería saber, Tolín, eso mismo...,
precisamente eso mismo.

—Entonces ya estás servida...

—¡Un hombre que se viste de señor; que es hijo de buenos padres; que se tutea con nosotros; que está colocado en el escritorio de papá, manoseando sus caudales; que come en esta casa tan a menudo...! ¡Un hombre así, encerrado en una bodega tan asquerosa, con una sardinera tarasca, y salir luego de allí los dos, corridos de vergüenza, entre la rechifla de las mujeronas y de los borrachos de toda la calle!... ¡Y a más, a más, cuando le apuran un poco, decir a su padre y a su madre que es muy capaz de casarse con ella!... ¿Tú has visto algo como esto en parte alguna, Tolín?... ¿Lo has leído siquiera en ningún libro, por muy descaradote y puerco que sea? Vamos, hombre, dilo con franqueza...

—No, Luisa, no... No he visto nada como ello. ¿Y qué?

—Que eso no debe quedar así.

—Ya has oído que papá piensa tomar cartas en el asunto.

—No basta que papá las tome; tienes que tomarlas tú también.

—¿Yo?

—Sí, tú; y desde mañana, Tolín.

—Pero ¿qué diablos me va a mí ni qué...?

—¿Que qué te va a ti? ¿No eres su amigo tú..., y de la infancia, Tolín, que es todo lo amigo que se puede ser de una persona?... ¿No estás con él en el escritorio?... ¿No estáis abocados a ser socios y jefes de la casa de papá el día menos pensado?...

—Lo menos veinte veces te he oído decir esas cosas por pecadillos de Andrés de bien escasa importancia.

—Pero éstos son pecados gordos, hijo, ¡muy gordos! Y te lo vuelvo a repetir, porque ahora va de veras.

—Pues déjalo que vaya, que en buenas manos está el pandero.

—Es que yo quiero ponerlo en las tuyas.

—¿Y sabes tú si yo sabría tocarlo?

—Lo que no se sabe, se aprende, cuando el caso lo pide, y aquí lo pide... ¡y mucho!

—Pero, trastuela del demonio..., ¡mira que cualquiera que te escuchara y te viera tan exigente y tan nerviosa por un asunto que, después de todo, no te importa media avellana...! ¿Eres procuradora de Andrés, o qué?

—A nadie le importa lo que soy, Tolín; pero quiero que esa... pingonada no se haga, y no se hará, ¿lo entiendes?

—Y si se hiciera, ¿qué?

—¡Virgen del Carmen!... ¡Ni en broma lo digas, Tolín!

Aquí le temblaban los labios, pálidos, a Luisa, y Tolín se la quedó mirando, con una expresión muy distinta de la que hasta entonces se había visto en su cara.

—¿Sabes, Luisa—le dijo, sin dejar de mirarla así—, que con eso que te oigo, y recordando lo que te tengo oído, bastante parecido a ello, voy entrando en aprensiones...?

—¿Aprensiones de qué, Tolín?—repuso Luisa, dispuesta no solamente a oír todo lo que quisiera decirle su hermano sobre la calidad de sus aprensiones, sino también a tirarle de la lengua para que hablara cuanto antes—. Vamos, con franqueza.

—Aprensiones—continuó Tolín—de que algo más que amistad es lo que te mueve a interesarte tanto por Andrés.

—¡Bien has tardado en caer en ello, inocente de Dios!—exclamó Luisa, lanzando las palabras de su pecho con tal ansia, que parecía que con ello le desahogaba de un peso insoportable.

—¡Y lo confiesas con esa frescura, Luisa!—dijo el otro, haciéndose cruces.

—¿Y por qué no he de confesarlo, Tolín? ¿A quién

ofendo con ello? ¿Qué hay de Andrés que no merezca estos ratos que estoy pasando por él? ¿No es un mozo como unas perlas? ¿No es bueno y noble como un pedazo de pan? ¿No es fuerte y valeroso como un Cid? ¿No tiene, por tener de todo, tan buena posición como el mejor de los mequetrefes que me pasean a mí la calle con tanto gusto tuyo? ¿No le tratamos y le estimamos de toda la vida?... Y siendo esto verdad, ¿por qué no he de... quererle yo; sí, señor, de quererle como le quiero tantos años hace?...

—Pero ¿es posible, Luisa, que tú, tan fría con todos los que tratas, tan dura de corazón con todos los que te miran, seas capaz de querer a nadie con ese fuego?...

—Bajo la nieve hay volcanes, Tolín; no sé quién lo dijo por alguien como yo; pero dijo en ello una gran verdad, según lo que a mí me pasa ahora...

—Pues, hija mía, para una vez que te quemaste..., ¡no hay duda que fue bien a tiempo!

—¿Por qué lo dices, Tolín?

—Bien a la vista lo tienes, Luisa. ¡Te quemas por quien ni siquiera repara en ello!

—Pues ahora reparará.

—¡Ahora!

—Ahora, sí..., porque hasta ahora no ha sido necesario.

—¡Luisa! ¡Tú no estás en tus cabales! ¡A un hombre, quizá mal entretenido con una pescadora soez, ir a...!

—No hay tal entretenimiento, si es verdad lo que se ha contado.

—¡Y se quiere casar con ella!... Tú misma lo temías...

—Pues lo dije... por oírte... Pero aunque sea verdad, y aunque también lo sea que está mal entretenido, por eso mismo hay que abrirle los ojos, para que vea lo que nunca se atrevió a mirar, porque es humilde...

—¿Serías capaz de intentar eso, Luisa..., de perder la cabeza hasta ese extremo?

—Yo no sé, Tolín, de lo que sería capaz en el trance en que me veo... Pero, de todos modos, como no he de ser yo quien dé ese paso..., sino tú...

—¡Yo! ¡Yo ir a ofrecer mi propia hermana!...

—¡Qué ofrecer ni qué calabaza, hombre! Con esa manera de llamar las cosas no hay decencia posible en nada. Pero si tú vas, y, con la confianza que tienes con él, empiezas por afearle lo que ha hecho y lo que piensa hacer..., y le hablas de lo que él vale..., de la consideración que debe a su familia y a sus amigos..., de lo bien que le estaría una novia de entre lo principal del pueblo...; y poco a poco, poco a poco, te vas cayendo, cayendo hacia acá; y, sin decir lo que yo pienso, le haces comprender que bien podría llegar a pensarlo..., y, en fin, todo lo que se te vaya ocurriendo.

—Luisa, ¡Luisilla de los demonios! Pero... ¿cómo te estimas en tan poco..., y por quién me tomas?

—¡Ah..., grandísimo desalmado!... ¡Ahí te quería esperar yo! ¿Por quién me tomabas tú a mí cuando me hacías la rosca para que le cantara esas mismas letanías del hijo de mi padre a mi amiga Angustias? Entonces el papel que me dabas era de lo más honroso... Una hermana mirando por el bien de su hermano..., ¡uf!, eso parte el corazón de puro gusto... «Así, como quien no quiere la cosa, la vas enterando de lo juicioso que soy, del arte que tengo para el escritorio..., de lo tierno que soy de entraña..., de lo que yo me desvivo por cierta mujer..., de que me paso las noches en un suspiro...»

—¡Luisa, canario!—dijo entonces Tolín, revolviéndose en su asiento como si le estuvieran clavando un par de banderillas.

Pero Luisa, sin hacer caso maldito de la interrupción; antes bien, gozándose en el desasosiego de su hermano, continuó remedándole así:

—«...Pero como es tan corto de genio, antes se morirá de hipocondría que decir a esa mujer, cuando esté delante de ella: por ahí te pudras.»

—¡Luisa!

—Y por cierto, grandísimo desagradecido, que bien luego y con buen arte despaché tu comisión; y bien te allané el camino..., y bien poco te costó después llegar hasta donde has llegado a la hora presente, que casi nada te falta ya para conseguir lo que deseabas, porque hasta el erizo de su padre, don Silverio Trigueras, está hecho unas mieles contigo. ¡Y ahora resulta que he estado yo haciendo un papel de los más feos..., y que...!

—¡Por vida del ocho de bastos, Luisa!... ¡Déjame hablar, o te saco al *carrejo*... y grito para que nos oigan!...

—Eso faltaba, ¡egoistón!..., ¡mal hermano!... ¿Y qué es lo que tú puedes responder a esto que yo te digo?

—Que aunque todo ello fuera la pura verdad...

—¡Y más de otro tanto que no he querido decir!...

—Que aunque todo ello y lo que te hayas callado fuera la pura verdad, son los dos casos muy diferentes.

—¡Diferentes! ¿Por dónde? ¿Por qué?

—Porque tú eres una señorita...

—Justo. Y tú, todo un caballero... Y es una mala vergüenza que un caballero como tú, porque las mujeres están obligadas, por el bien parecer, a tragarse todo cuanto sientan por un hombre, y a no dárselo a entender ni siquiera con una mala mirada, ayude a su propia hermana a salir del ahogo en que se ve, despertando un poco la atención, con cuatro palabras al caso, de un hombre que es, además, un amigo de la mayor intimidad... ¡Bah! Pero que a un caballero que tiene obligación, por ser hombre, de ser valiente, y arrojado, y de ajustar todas sus cuentas por sí mis-

mo, le arregle una señorita un negocio de esa clase...,
no tiene nada de particular; es una hazaña de rechu-
pete..., y hasta obra de misericordia... ¿No le parece
a usted el don Escrúpulos de Mari?... ¡Caramba! ¡No
sé lo que te diría ahora, si pudiera yo gritar todo lo
que necesito!...

—Corriente. Pues lo doy por gritado, y déjame en
paz.

—Así, hijo, así..., ¡así se sale luego del paso! ¡Y
tenga usted hermanos para eso, y desvívase usted por
ellos..., y...! ¡Virgen de los Dolores!...

Aquí rompió a llorar la hermana de Tolín como si
el alma se le saliera por la boca. Tolín trató de consolarla como mejor pudo; pero aquel antojo estaba
a prueba de reflexiones más poderosas que las insul-
sas vaguedades que se le ocurrían al hijo de don Venancio Liencres. De pronto dejó Luisa de llorar, y
dijo resueltamente a su hermano:

—Pues ten entendido que si no llegas a hacer lo que
te encargo, voy a hacerlo yo..., ¡yo, por mí misma!
Y seré capaz hasta de confesárselo a su madre y a
su padre..., y al cura de la parroquia, si me apuras...
Y hasta sabrá la hija de don Silverio Trigueras el
pago que tú das a lo que la tonta de tu hermana hizo
por ti.

Tolín estaba en ascuas; creía a su hermana muy
abonada para cumplir lo que le ofrecía, y al mismo
tiempo le asustaba lo peliagudo de la empresa que le
encomendaba. Sus deseos no eran malos; pero su
irresolución le encogía. Habló a Luisa nuevamente en
este sentido, suplicándole que le dejara buscar el modo y la ocasión a gusto de él, porque todo se arreglaría con el tiempo.

—No, no—insistió la otra—. No hay instante que
perder. Mañana mismo vas a dar el primer paso...

—Pero atiende a razones...

—Mira: en cuanto venga al escritorio, le llamas

aparte, y solos allí los dos..., comienzas a hablarle, y después..., ¡caramba!, si fuera yo, bien pronto se lo diría como deben decirse esas cosas...

—Y aunque todo saliera como tú deseas, tarambana del mismo diablo, ¿sabes tú la cara que pondría mamá?

—Eso corre de mi cuenta, Tolín. Pues ¡podía desaprobarlo! ¡Un partido tan hermoso para mí!... Tú no te apures por eso, y cuídate de lo otro.

—En fin—dijo el abrumado mozo, acaso para verse libre por entonces de un asedio tan tenaz—, haré todo lo posible por complacerte.

—Es que hay que hacer—insistió Luisa, sin cejar un punto—no solamente lo posible, sino todo lo necesario... Y si esto se hace o no se hace, he de saberlo yo mañana por la noche, cuando venga Andrés aquí...; porque tú harás, discretamente, que venga sin falta..., ¿lo entiendes bien?... ¡Sin falta!

No había escape para Tolín, porque sabía muy bien que, en un carácter como el de su hermana, todo estruendo era creíble como se le metiera el antojo entre los cascos. Comprendió que hasta para evitar campanadas más ruidosas era de necesidad cumplir con empeño la peliaguda comisión, y a cumplirla así se obligó con su hermana.

Luego que ésta se convenció de que la promesa de Tolín no era un vano recurso para salir del paso, trocáronse sus denuestos en arrullos, encendió su bujía, se despidió con un ferventísimo adiós, abrió la puerta con mucho cuidado, y, de puntillas, y más bien deslizándose que pisando, llegó en un instante a su dormitorio y se encerró en él, si no libre de inquietudes, con el ánimo más reposado después del desahogo que acababa de dar a su berrinche.

En cambio, Tolín, que se había levantado de la mesa con el espíritu hecho una balsa de aceite, no pudo atrapar el sueño hasta bien cerca de la madrugada. ¡El demonio de la chiquilla!...

XXVIII

LAS MAS GRAVE DE TODAS LAS CONSECUENCIAS

Todavía resonaban hacia la calle de la Mar los gritos de «¡Apuyáaaa!, ¡apuyáaa!», con que el *deputao* del Cabildo de Abajo despertaba a los mareantes recorriendo las calles en que habitaban, y aún no habían llegado los más diligentes de ellos a la Zanguina para tomar la parva de aguardiente o el tazón de cascarilla, cuando ya Andrés, dolorido de huesos y harto desmayado de espíritu, salía de los Arcos de Hacha, atravesaba la bocacalle frontera y entraba en el muelle buscando la Rampa Larga. Eran apenas las cinco de la mañana, y no había otra luz que la tenue claridad del horizonte, precursora del crepúsculo, ni se notaban otros ruidos que el de sus propios pasos, el de las voces de algún muchacho de lancha, o el de los remos que éstos movían sobre los bancos. La negra silueta del aburrido sereno que se retiraba a su hogar dando por terminado su penoso servicio, o el confuso perfil del encogido bracero a quien arrojaba del pobre lecho la dura necesidad de ganarse el incierto desayuno, eran los únicos objetos que la vista percibía en toda la extensión del muelle, descollando sobre la blanca superficie de su empedrado.

Para los fines de Andrés, aquella madrugada ofrecía mejor aspecto que la noche precedente. Estaba menos enrarecida la atmósfera; se aspiraba un am-

biente casi fresco, y aunque en los celajes, sobre la
línea del horizonte por donde había de aparecer el
sol, se notaban ciertos matices rojos, este detalle, por
sí solo, tenía escasísima importancia.

De la misma opinión fue Reñales, en cuya lancha
le esperaba ya Andrés, muy impaciente, pues en cada
bulto que distinguía sobre el muelle creía ver un emi-
sario de su casa que corría en busca suya. Porque es
de advertir, aunque no sea necesario, que su corto
sueño sobre el banco de la taberna fue una incesante
pesadilla en la cual vio con todos los detalles de la
realidad las angustias de su madre, que clamaba por
él y le esperaba sin un instante de sosiego; las inquietudes, los recelos y hasta la ira de su padre, que andaba buscándole inútilmente de calle en calle, de
puerta en puerta; y por último, las conjeturas, los
consuelos, los amargos reproches..., y hasta las lágrimas, en los dos. Este soñado cuadro no se borró de
su imaginación después de despertar. Le atormentaba
el espíritu y robaba las fuerzas a su cuerpo; pero el
plan estaba trazado; era conveniente, y había que
realizarlo a toda costa.

Al fin se oyó en el muelle un rumor de voces áspe-
ras y de pisadas recias; llegó a la rampa un tropel de
pescadores cargados con sus artes, su comida, sus ropas de agua, y muchos de ellos con una buena porción del aparejo de la lancha, y vio complacidísimo
Andrés cómo la de Reñales quedó en breves momentos
aparejada y completa de tripulantes.

Armáronse los remos, arrimóse el suyo, a popa y en
pie, el patrón para gobernar; desatracóse la lancha;
recibió el primer empuje de sus catorce remeros; púsose en rumbo hacia afuera y comenzó su quilla sutil
a rasgar la estirada, quieta y brillante superficie de
la bahía. Pero por diligente que anduvo, otras la pre-
cedían, del mismo Cabildo y del de Arriba, y cuando
llegó a la altura de la Fuente Santa dejaba por la

popa la *barquía* de Mocejón, en la cual vio Andrés a
Cleto, cuya triste mirada, por único saludo, agitó en
su memoria los mal apaciguados recuerdos del suceso
de la víspera, causa de aquella su descabellada aventura.

La luz del crepúsculo comenzaba entonces a dibujar los perfiles de todos los términos de lo que antes
era, por la banda de estribor, confuso borrón, negra
y prolongada masa, desde el cabo Quintres hasta el
monte de Cabarga; apreciábase el reflejo de la costa
de San Martín en el cristal de las aguas que hendía
la esbelta embarcación, y en las praderas y sembrados
cercanos renacía el ordenado movimiento de la vida
campestre, la más apartada de las batallas del mundo.
A la derecha rojeaban los arenales de las Quebrantas,
arrebujados en lo alto, con el verdoso capuz del ce-
rro que sostenían, y hundiendo sus pies bajo las ondas
mansísimas con que el mar, su cómplice alevoso, se
los besaba, entre blandos arrullos. Parecían dos ti-
gres jugueteando, en espera de una víctima de su insaciable voracidad.

No sé si Andrés, sentado a popa cerca del patrón,
aunque miraba silencioso a todas partes, veía y apre-
ciaba de semejante modo los detalles del panorama
que iba desenvolviéndose ante él; pero está fuera de
duda que no ponía los ojos en un cuadro de aquéllos
sin sentir enconadas heridas de su corazón y recru-
decida la batalla de sus pensamientos. Por eso anhe-
laba salir cuanto antes de aquellas costas tan conocidas y de aquellos sitios que le recordaban tantas
horas de regocijo sin amargores en el espíritu ni espinas en la conciencia; y por ello vio con gusto que,
para aprovechar el fresco terral que comenzaba a
sentirse, se izaban las velas, con lo que se imprimía
doblado impulso al andar de la lancha.

Con la cabeza entre las manos, cerrados los ojos
y atento el oído al sordo rumor de la estela, llegó has-

ta la Punta del puerto y abocó a la garganta som-
bría que forman el peñasco de Mouro y la costa de
acá; y, sin moverse de aquella postura, alabó a Dios
desde lo más hondo de su corazón cuando Reñales,
descubriéndose la cabeza, lo ordenó así con fervoroso
mandato, porque allí empezaba la tremenda región
preñada de negros misterios, entre los cuales no hay
instante seguro para la vida, y sólo cuando los balan-
ceos y cabeceos de la lancha le hicieron comprender
que estaba bien afuera de la barra, enderezó el cuerpo,
abrió los ojos y se atrevió a mirar, no hacia la tierra,
donde quedaban las raíces de su pesadumbre, sino
al horizonte sin límites, al inmenso desierto en cuya
inquieta superficie comenzaban a chisporrotear los primeros rayos del sol, que surgía de los abismos entre
una extensa aureola de arrebolados crespones. Por
allí, por allí se iba a la soledad y al silencio imponente de las grandes maravillas de Dios y al olvido ab-
soluto de las miserables rencillas de la tierra, y hacia
allá quería él alejarse volando, y por eso le parecía
que la lancha andaba poco, y deseaba que la brisa
que henchía sus velas se trocara súbitamente en huracán desatado.

Pero la lancha, desdeñando las impaciencias del fogoso muchacho, andaba su camino honradamente, corriendo lo necesario para llegar a tiempo al punto
adonde la dirigía su patrón, el cual llamó de pronto
la atención de Andrés para decirle:

—Mire *usté* qué *manjúa* de sardina.

Y le apuntaba hacia una extensa mancha oscura, sobre la cual revoloteaba una nube de gaviotas. Por estas señales se conocía la *manjúa*. Después añadió:

—Buen negocio *pa* las *barquías* que hayan salido a
eso. Cuando yo venga a sardinas me saltarán las merluzas a bordo. Suerte de los hombres.

Y la lancha siguió avanzando mar adentro, mientras
la mayor parte de sus ociosos tripulantes dormían so-

bre el panel, y cuando Andrés se resolvió a mirar hacia la costa, no pudo reconocer un solo punto de ella, porque sus ojos inexpertos no veían más que una estrecha faja pardusca, sobre la cual se alzaba un monigote blanquecino, que era el faro de cabo Mayor, por lo que el patrón le dijo.

Y aún seguía alejándose la lancha hacia el Noroeste, sin la menor sorpresa de Andrés, pues aunque nunca había salido tan afuera, sabía por demás que para la pesca de merluza suelen alejarse las lanchas quince y dieciocho millas del puerto; y cuando se trata del bonito, hasta doce a catorce leguas, por lo cual van provistas de compás para orientarse a la vuelta.

A medida que la esbelta y frágil embarcación avanzaba en su derrotero, iba Andrés esparciendo las brumas de su imaginación y haciéndose más locuaz. Contadísimas fueron las palabras que había cambiado con el patrón desde su salida de la Rampa Larga; pero en cuanto se vio tan alejado de la costa, no callaba un momento. Preguntaba no sólo cuanto deseaba saber, sino lo que, de puro sabido, tenía ya olvidado: sobre los sitios, sobre los aparejos, sobre las épocas, sobre las ventajas y sobre los riesgos. Averiguó también a cuántos y a quiénes de los pescadores que iban allí había alcanzado la leva, y supo que a tres, uno de ellos su amigo Cole, que era de los que a la sazón dormían bien descuidados. Y lamentó la suerte de aquellos mareantes, y hasta discurrió largo y tendido sobre si esa carga que pesaba sobre el gremio era más o menos arreglada a justicia, y si se podía o no se podía imponer en otras condiciones menos duras, y hasta apuntó unas pocas por ejemplo. ¡Quién sabe de cuántas cosas habló!

Y hablando, hablando de todo lo imaginable, llegó el patrón a mandar que se arriaran las velas, y la lancha a su paradero.

Mientras el aparejo de ella se arreglaba, se disponían los de pesca y se ataban las *lascas* sobre los careles. Andrés paseó una mirada en derredor, y la detuvo largo rato sobre lo que había dejado atrás. Todo aquel extensísimo espacio estaba salpicado de puntitos negros, que aparecían y desaparecían a cada instante en los lomos o en los pliegues de las ondas. Los más cercanos a la costa eran las *barquías,* que nunca se alejaban del puerto más de tres o cuatro millas.

—Aquellas otras lanchas—le decía Reñales, respondiendo a alguna de sus preguntas y trazando en el aire con la mano, al propio tiempo, un arco bastante extenso—están a besugo. Estas primeras, en el Miguelillo; las de allí, en el Betún; y estas de acá, en el Laurel. Ya *usté* sabe que ésos son los mejores placeceres [176] o sitios de pesca *pa* el besugo.

Andrés lo sabía muy bien, por haber llegado una vez hasta uno de ellos; pero no por haber visto tan lejos y tan bien marcados a los tres.

De las lanchas de merluza, con estar tan afuera la de Reñales, era la menos alejada de la costa. Apenas la distinguían los ojos de Andrés; pero los del patrón y los de todos los tripulantes hubieran visto volar una gaviota encima del cabo Menor.

Al ver largar los cordeles por las dos bandas después de bien encarnados los anzuelos en sus respectivas sotilezas de alambre, Andrés se puso de codos sobre el carel de estribor, con los ojos en el aparejo más próximo, que sostenía en su mano el pescador después de haberlo apoyado sobre la redondeada y fina superficie de la lasca, para no rozar la cuerda con el áspero carel al ser halada para dentro con la merluza trabada. Pasó un buen rato, bastante rato, sin que en ninguno de los aparejos se notara la más leve sacudida. De pronto gritó Cole desde proa:

—¡Alabado sea Dios!

[176] *placeres:* bancos o bajíos en el fondo del mar, llanos y de bastante extensión.

Esta era la señal de la primera mordedura. En seguida, halando Cole la cuerda y recogiendo medias brazas precipitadamente, pero no sin verdaderos esfuerzos de puño, embarcó en la lancha una merluza, que a Andrés, por no haberlas visto pescar nunca, le pareció un tiburón descomunal. El impresionable mozo palmoteaba de entusiasmo. Momentos después veía embarcar otra, y luego otra, y en seguida otras dos, y tanto le enardecía el espectáculo, que solicitó la merced de que le cedieran una cuerda para probar fortuna con ella. Y la tuvo cumplida, pues no tardó medio minuto en sentir trabada en su anzuelo una merluza. Pero ¡al embarcarla fue ella! Hubiera jurado que tiraban de la cuerda hacia el fondo del mar cetáceos colosales, y que le querían hundir a él y a la lancha y a cuantos estaban dentro de ella.

—¡Que se me va... y que nos lleva!—gritaba el iluso, tira que tira del cordel.

Echóse a reír la gente al verle en tal apuro; acercósele un marinero, y, colocando el aparejo como era debido, demostróle prácticamente que, sabiendo halar, se embarcaba sin dificultad un ballenato, cuanto más una merluza de las medianas, como aquélla.

—Pues ahora lo veremos—dijo Andrés, nervioso de emoción, volviendo a largar su cordel.

¡Ni pizca se acordaba entonces de las negras aventuras que a aquellas andanzas le habían arrastrado!

Indudablemente, estaba dotado por la Naturaleza de excepcionales aptitudes para aquel oficio y cuanto con él se relacionara. Desde la segunda vez que arrojó su cuerda a los abismos del mar, ninguno de los compañeros de la lancha le aventajó en destreza para embarcar pronto y bien una merluza.

Lo peor fue que dieron éstas de repente en la gracia de no acudir al cebo que se les ofrecía en sus tranquilas profundidades, o largarse a merodear en otras

más de su gusto, y se perdieron las restantes horas de
la mañana en inútiles tentativas y sondeos.

Se habló, en vista de ello, de salir más afuera todavía, o, como se dice en la jerga del oficio, de hacer
otra *impuesta* [177].

—No está hoy el jardín *pa* flores—dijo Reñales, re-
conociendo los horizontes—. Vamos a comer en paz
y en gracia de Dios.

Entonces cayó Andrés en la cuenta de que, al salir
de la Zanguina, no se había acordado de proveerse de
un mal zoquete de pan. Felizmente, no le atormentaba
el hambre; y con algo de lo que le fueron ofreciendo
de los fiambres que llevaban en sus cestos los pescadores, y un buen trago de agua de la del barrilito que
iba a bordo, entretuvo las escasas necesidades de su
estómago.

La brisa, entre tanto, iba encalmándose mucho;
por el horizonte del Norte se extendía un celaje terso
y plomizo, que entre el Este y el Sur se descomponía
en grandes fajas irregulares de azul intenso, estampa-
das en un fondo anaranjado brillantísimo; sobre los
Urrieles, o Picos de Europa, se amontonaban enormes
cordilleras de nubarrones; y el sol, en lo más alto de
su carrera, cuando no hallaba su luz estorbos en el
espacio, calentaba con ella bastante más de lo regular. Los celadores de las lanchas más internadas en
el mar tenían hecha la señal de precaución, con el
remo alzado en la braga; pero en ninguno de ellos
ondeaba la bandera que indica recoger.

Reñales estaba tan atento a aquellos celajes y estos
signos como a las tajadas que con los dedos de su diestra se llevaba a la boca de cuando en cuando; pero sus
compañeros, aunque tampoco los perdían de vista, no
parecían darles tanta importancia como él.

Andrés le preguntó qué opinaba de todo ello.

[177] *impuesta:* pararse, yendo de pesca, para echar unas cala-
das en determinado lugar.

—Que me gusta muy poco cuando estoy lejos del puerto.

De pronto, señalando hacia cabo Mayor, dijo, poniéndose en pie:

—Mirad, muchachos, lo que nos cuenta Falagán.

Entonces Andrés, fijándose mucho en lo que le indicaban los pescadores que estaban más cerca de él, vio tres humaredas que se alzaban sobre el cabo. Era la señal de que el sur arreciaba mucho en bahía. Dos humaredas solas hubieran significado que la mar rompía en la costa.

Malo es el sur desencadenado para tomarlo las lanchas a la vela; pero es más terrible que por eso por lo que suele traer de improviso, el galernazo, o sea la virazón repentina al noroeste.

De estos riesgos trataba de huir Reñales, tomando cuanto antes la vuelta al puerto. Mirando hacia él, vio que las *barquías* estaban embocándolo ya, y que las lanchas besugueras trataban de hacer lo mismo. Sin pérdida de un instante, mandó izar las velas; y como el viento era escaso, se armaron también los remos. Todas las lanchas de altura imitaron su ejemplo.

Andrés no era aprensivo en trances como aquél; y por no serlo, se admiraba no poco al observar que, según iba acercándose a la costa, se complacía tanto en ello como horas antes en alejarse, y observaba más: observaba que ya no le parecían tan grandes, tan terribles, tan insuperables, aquellas tormentas que le habían arrebatado de su casa y hecho pasar una noche de perros en un rincón de la Zanguina; que bien pudo haber sido un poco menos terco con su padre, y con ello solo se hubiera ahorrado la mala noche y todo lo que a ella siguió, incluso la aventura en que se encontraba, la cual, aunque le había recreado grandemente, le dejaba el amargor de su motivo..., y, por último, que le inquietaba bastante el poco andar de la lancha. Y con observar todo esto, y con asombrarse

de ello, y con no apartar sus ojos de la nublada faz de
Reñales sino para llevarlos a las no muy alegres de
sus compañeros o hacia los peñascos, cada vez más
perceptibles, de la costa, no caía en la cuenta de que
todo aquel milagro era obra de un inconsciente apego
a la propia pelleja, amenazada de un grave riesgo
que se leía bien claro en la actitud recelosa de aquellos hombres tan avezados a los peligros de la mar.

Pasó así más de una hora, sin que en la lancha se
oyeran otros rumores que el crujir de los estrovos, las
acompasadas caídas de los remos en el agua y el ar-
diente respirar de los hombres que ayudaban con su
fatiga a las lonas a medio hendir. A ratos era el aire
algo más fresco, y entonces descansaban los remeros.
En los celajes no se notaba alteración de importancia.
Por la popa y por la proa se veían las lanchas que llevaban el mismo derrotero que la de Reñales.

Todo iba, pues, lo mejor posible, y así continuó durante otra media hora, y llegó Andrés a reconocer bien
distintamente, sin el auxilio de ojos extraños, los Urros
de Liencres, y luego, los acantilados de la Virgen del
Mar.

De pronto percibieron sus oídos un pavoroso rumor
lejano, como si trenes gigantescos de batalla rodaran
sobre suelos abovedados; sintió en su cara la impresión de una ráfaga húmeda y fría, y observó que el sol
se oscurecía y que sobre la mar avanzaban, por el Noroeste, grandes manchas rizadas, de un verde casi negro. Al mismo tiempo gritaba Reñales:

—¡Abajo esas mayores!... ¡El tallaviento solo!

Y Andrés, helado de espanto, vio a aquellos hombres
tan valerosos abandonar los remos y lanzarse, desco-
loridos y acelerados, a cumplir los mandatos del patrón. Un solo instante de retardo en la maniobra hubiera ocasionado el temido desastre; porque apenas
quedó izado el tallaviento, una racha furiosa, cargada de lluvia, se estrelló contra la vela, y con su em-

puje envolvió la lancha entre rugientes torbellinos. Una bruma densísima cubrió los horizontes, y la línea de la costa, mejor que verse, se adivinaba por el fragor de los mares que la batían y el hervor de la espuma que la asaltaba por todas sus asperezas.

Cuanto podía abarcar entonces la vista en derredor era ya un espantoso resalsero [178] de olas que se perseguían en desatentada carrera, y se azotaban con sus blancas crines sacudidas por el viento. Correr delante de aquella furia desatada, sin dejarse asaltar de ella, era el único medio, ya que no de salvarse, de intentarlo siquiera. Pero el intento no era fácil, porque solamente la vela podía dar el empuje necesario, y la lancha no resistiría, sin zozobrar, ni la escasa lona que llevaba en el centro.

Andrés lo sabía muy bien; y al observar cómo crujía el palo en su carlinga [179], y se ceñía como una vara de mimbre, y crepitaba la vela, y zambullía la lancha su cabeza, y tumbaba después sobre un costado, y la mar la embestía por todas partes, no preguntó siquiera por qué el patrón mandó arriar el tallaviento y armar la unción en el castillete de proa. Más que lo que la maniobra significaba en aquel momento angustioso, heló la sangre en el corazón de Andrés el nombre terrible de aquel angosto lienzo desplegado a la mitad de un palo muy corto: ¡la unción! Es decir, entre la vida y la muerte.

Por fortuna, la lancha la resistió mejor que el tallaviento; y con su ayuda, volaba entre el bullir de las olas. Pero éstas engrosaban a medida que el huracán las revolvía; y el peligro de que rompieran sobre la débil embarcación crecía por instantes. Para evitarlo se agotaban todos los medios humanos. Se arro-

---

[178] *resalsero:* se llama así la extensión de costa en que rompen sin cesar las olas.

[179] *carlinga:* la pieza en que va encajado el palo de una embarcación. *(N. del A.)*

jaron por la popa los hígados del pescado que iba a
bordo y se extendió por el mismo lado el tallaviento
flotante. Se conseguía algo, pero muy poco, con estos
recursos... ¡Huir, huir por delante!... Esto sólo, o resignarse a perecer.

Y la lancha seguía encaramándose en las crestas
espumosas y cayendo en los abismos, y volviendo a
erguirse animosa para caer en seguida en otra sima
más profunda, y ganando siempre terreno, y procurando, al huir, no presentar a las mares el costado.

De tiempo en tiempo, los pescadores clamaban fervorosos:

—¡Virgen del Mar, adelante!... ¡Adelante, Virgen
del Mar!

A Andrés le parecían siglos los minutos que llevaba corridos en aquel trance espantoso, tan nuevo para
él; y comenzaba a aturdirse y a desorientarse, entre
el estruendo que le ensordecía; la blancura y movi-
lidad de las aguas, que le deslumbraban; la furia del
viento, que azotaba su rostro con manojos de espesa
lluvia; los saltos vertiginosos de la lancha, y la visión
de su sepultura entre los pliegues de aquel abismo sin
límites. Sus ropas estaban empapadas en el agua de
la lluvia y la muy amarga que descendía sobre él después de haber sido lanzada al espacio, como densa
humareda, por el choque de las olas; flotaban al aire
sus cabellos goteando y comenzaba a tiritar de frío.
Ni intentaba siquiera despegar sus labios con una sola
pregunta. ¿Para qué esta inútil tentativa? ¿No lo llenaban todo, no respondían a todo cuanto pudiera
preguntar allí la mísera voz humana los bramidos de
la galerna?

Así pasó largo rato, mirando maquinalmente cómo
sus compañeros de martirio, con el ansia de la desesperación, unas veces, y otras con la serenidad de los
corazones impávidos, desalojaban, con cuantos útiles servían para ello, el agua que embarcaba en la

lancha algún maretazo[180] que la alcanzaba por la popa, o movían el aparejo, a una señal del patrón, en un instante de respiro.

El exceso mismo del horror, suspendiendo el ánimo de Andrés, fue predisponiendo su discurso a la actividad regularizada y a la coordinación de las ideas, aunque en una órbita algo extraña a las condiciones de un espíritu constituido como el suyo. Por ejemplo, no discurrió sobre las probabilidades que tenía de salvarse. Para él era ya cosa indiscutible y resuelta el morir allí. Pero le preocupó mucho la clase de muerte que le esperaba; y analizó el fatal suceso momento por momento y detalle por detalle. Del minucioso análisis dedujo que su propio cuerpo, arrojado de pronto en aquel infierno rugiente, en la escala de una proporción rigurosa, representaba mucho menos que el átomo que cae en las fauces de un tigre con el aire que éste aspira en un bostezo. Pero ¿cabía imaginar un desamparo, una soledad, un desconsuelo más espantoso en derredor de un hombre para morir? En seguida pasaron por su memoria, en triste desfile, los mártires que él recordaba de la numerosa legión de héroes, a la cual pertenecían los desventurados que le rodeaban, destinados quizá a desaparecer también, de un momento a otro, en aquel horrible cementerio. Y los vio, uno por uno, luchar brevísimos instantes, con las fuerzas de la desesperación, contra el inmenso poder de los elementos desencadenados; hundirse en los abismos; reaparecer con el espanto en los ojos y la muerte en el corazón, y volver a sumergirse para no salir ya sino como informe despojo de un desastre, flotando entre los pliegues de las olas y arrastrados al capricho de la tempestad.

Y viéndolos a todos así, llegó a ver a Mules, y viendo a Mules, se acordó de su hija, y acordándose de su

---

[180] *maretazo:* golpe de mar. *(N. del A.)*

hija, por una lógica asociación de ideas, llegó a pensar en todo lo que le había pasado y fue causa de que él se viera en el riesgo en que se veía, y entonces, a la luz que sólo perciben los ojos humanos en las fronteras de la muerte, estimó en su verdadera importancia aquellos sucesos; y se avergonzó de sus ligerezas, de su insensatez, de sus ingratitudes, de su última locura, causa, quizá, de la desesperación de sus padres; y volvió su mortal naturaleza a reclamar sus derechos, y amó la vida, y le espantaron de nuevo los peligros que corría en aquel instante, y temió que Dios hubiera dispuesto arrancársela de aquel modo, en castigo de su pecado.

Temblaba de horror; y cada crujido del fúnebre aparejo, cada estremecimiento de la lancha, cada maretazo que le alcanzaba, le parecía la señal de un desastre. Para colmo de angustias, vio de pronto por su banda flotar un remo entre las espumas alborotadas; y en seguida otros dos. También lo vieron los contristados pescadores. Y vieron más a los pocos momentos: vieron una masa negra dando tumbos entre las olas. Era una lancha perdida. ¿De quién? ¿Y sus hombres? Esta pregunta leía Andrés en las caras lívidas de sus compañeros. Notó que, puestos de rodillas y elevando los ojos al cielo, hacían la promesa de ir al día siguiente, descalzos y cargados con los remos y las velas, a oír una misa a la Virgen, si Dios obraba el milagro de salvarles la vida en aquel riesgo terrible. Andrés elevó al cielo la misma oferta desde el fondo de su corazón cristiano.

Por obra de esta nueva impresión, le asaltó otro pensamiento que impregnó de amargura su alma generosa. Si él salía vivo de allí, en su mano estaba no volver a exponerse a tales riesgos; pero los infelices que le acompañaban, aunque con él se salvaran entonces, ¿no sentirían amargo el placer de salvarse con los recelos de perecer a la hora menos pensada en otra convulsión de la mar, tan repentina y horrorosa como aquélla? ¡Desdichado oficio, que tales quiebras tenía! Y fue reparando, uno por uno, en todos los pescadores de la lancha. De todo había allí: desde el mozo imberbe hasta el viejo encanecido; y todos parecían más resignados que él; y, sin embargo, cada una de aquellas vidas era más necesaria en el mundo que la suya. Esta consideración, hiriéndole la fibra del amor propio, infundió calor a sus ánimos abatidos.

Y la tempestad seguía desenfrenada, y la lancha corriendo, loca y medio anegada ya, delante de ella. En uno de sus bandazos, estuvo su carel a medio palmo de un bulto que se mecía entre dos aguas, dejando flotantes sobre ellas espesos manojos de una cabellera cerdosa.

—¡Muergo!—gritó Reñales, queriendo, al mismo tiempo, apoderarse del cadáver con una de sus manos.

Andrés sintió que el frío de la muerte le invadía otra vez el corazón, que la vida iba a faltarle; y sólo un acontecimiento como el ocurrido allí en el mismo instante pudo rehacer sus fuerzas aniquiladas.

Y fue que Reñales, por coincidir su movimiento con un recio balanceo de la lancha, perdió el equilibrio y cayó sobre el costado derecho, dándose un golpe en la cabeza contra el carel. Sin gobierno la lancha, atravesóse a la mar; saltó hecho astillas el palo y arrebató el viento la vela. Andrés entonces, comprendiendo la gravedad del nuevo peligro:

—¡A los remos!—gritó a los consternados pescadores, lanzándose él al de popa, abandonado por Reñales al caer, y poniendo la lancha en rumbo conveniente, con destreza y agilidad bien afortunadas para todos.

Pasaban entonces por delante de cabo Menor, sobre cuyas espaldas de roca avanzaban los mares para despeñarse al otro lado en bramadora cascada. Desde allí, o, mejor dicho, desde cabo Mayor a la boca del puerto y siguiendo por el islote de Mouro hasta el cabo Quintres y el de Ajo, toda la costa era una sola cenefa de mugidoras espumas que hervían y trepaban, y se asían a los acantilados, y volvían a caer para intentar de nuevo el asalto, al empuje inconcebible de aquellas montañas líquidas que iban a estrellarse, furiosas, sin punto de sosiego, contra las inconmovibles barreras.

—¡Adelante, Virgen del Mar!—repetían con voz firme los remeros al compás de su fatiga.

Andrés, empuñando su remo; clavados sus pies, más que asentados, en el panel de la lancha; luchando y viendo luchar a sus valerosos compañeros, con esfuerzo sobrehumano, contra la muerte que los amenazaba por todas partes, comenzaba a sentir la sublimidad de tantos horrores juntos, y alababa a Dios delante de aquel pavoroso testimonio de su grandeza.

A todo esto, Reñales no movía pie ni mano; y Cole, que achicaba el agua sin cesar con otro compañero, a una señal de Andrés, que estaba en todo, suspendió su importantísimo trabajo y acudió a levantar al patrón, que había quedado aturdido con el golpe y sangraba copiosamente por la herida que se había causado en la cabeza. Atendiósele lo menos mal que se pudo en tan apurada situación; y con ello fue reanimándose poco a poco, hasta que intentó volver a su puesto cuando la lancha, cruzando como un rayo por delante del Sardinero, llegaba enfrente de la caleta del Caballo. Pero en aquellos instantes, además de la serenidad y de la inteligencia, se necesitaba fuerza no común para gobernar, y a Reñales le faltaba esta condición tan importante, al paso que Andrés, en el punto en que se hallaba de la costa, las reunía todas sobradamente.

—Pues ¡adelante!—le dijo el patrón, acurrucándose en el panel, porque su cabeza, dolorida, no podía

resistir los azotes de la tempestad—, ¡y que se cumpla
la voluntad de Dios!

¡Adelante! Adelante era acometer el puerto; es decir, jugar la vida en el último y más imponente azar;
porque el puerto estaba cerrado por una serie de mu-
rallas de olas enormes, que, al llegar al angosto boquete y sentirse oprimidas allí, parte de cada una de
ellas asaltaba y envolvía el escueto peñasco de Mouro, y el resto se lanzaba a la oscura gola, y la henchía
y alzaba sus espaldas colosales para caber mejor, y
a su paso retemblaban los ingentes muros de grani-
to. Pero ¿cómo huir del puerto? ¿Adónde tirar en busca de refugio? ¿No era un milagro cada instante que
pasaba sin que la lancha zozobrase en el horrible camino que traía?

Lo menos malo de aquella situación era que iba
a resolverse muy pronto; y esta convicción se leía
bien claramente en las caras de los tripulantes, fijas
en la de Andrés e inmóviles como si de repente se hubieran petrificado todas a la vez, por obra de un mismo pensamiento.

—Ya lo sabe *usté,* don Andrés—dijo Reñales a éste—: enfilando por la proa el alto de Rubayo y el Codío de Solares, es la media barra justa.

—Cierto—respondió amargamente Andrés, sin apartar los ojos de la boca del puerto ni sus manos del
remo con que gobernaba—; pero cuando no se ve ni
el Codío de Solares ni el alto de Rubayo, como ahora,
¿qué se hace, Reñales?

—Ponerse en manos de Dios y entrar por donde se
pueda—respondió el patrón, después de una breve
pausa, y devorando con los ojos el horrible atolladero,
que no distaba ya dos cables de la lancha.

Hasta entonces, todo lo que fuera correr delante del
temporal era acercarse a la salvación; pero desde
aquel momento podía ser tan peligroso el avance rápido como la detención involuntaria; porque la lan-

cha se hallaba entre el huracán que la impelía y el boquete que debía asaltarse en ocasión en que los mares no rompieran en él.

Andrés, que no lo ignoraba, parecía una estatua de piedra con ojos de fuego; los remeros, máquinas que se movían al mandato de una mirada suya; Reñales no se atrevía a respirar.

Sobre el monte de Hano había una multitud de personas que contemplaban con espanto, y resistiendo mal los embates del furioso vendaval, la terrible situación de la lancha. Andrés, por fortuna suya y de cuantos iban con él, no miró entonces hacia arriba. Le robaba toda la atención el examen del horroroso campo en que iba a librarse la batalla decisiva.

De pronto, gritó a sus remeros:

—¡Ahora!... ¡Bogar!... ¡Más!...

Y los remeros, sacando milagrosas fuerzas de sus largas fatigas, se alzaron rígidos en el aire, estribando en los bancos con los pies y colgados del remo con las manos.

Una ola colosal se lanzaba entonces al boquete, hinchada, reluciente, mugidora, y en lo más alto de su lomo cabalgaba la lancha a toda fuerza de remo.

El lomo llegaba de costa a costa; mejor que lomo, anillo de reptil gigantesco, que se desenvolvía de la cola a la cabeza. El anillo aquel siguió avanzando por el boquete adentro hacia las Quebrantas, en cuyos arenales había de estrellarse rebramando, pasó bajo la quilla de la lancha, y ésta comenzó a deslizarse de popa, como la cortina de una cascada, hasta el fondo de la sima que la ola fugitiva había dejado atrás. Allí se corría el riesgo de que la lancha se durmiera [181]; pero Andrés pensaba en todo, y pidió otro esfuerzo heroico a sus remeros. Hiciéronlo; y remando para vencer el reflujo de la mar pasada, otra mayor que

---

[181] *dormirse:* quedar una embarcación sin gobierno entre las fuerzas contrarias de las olas. *(N. del A.)*

entraba, sin romper en el boquete, fue alzándola de popa y encaramándola en su lomo, y empujándola hacia el puerto. La altura era espantosa, y Andrés sentía el vértigo de los precipicios; pero no se arredraba, ni su cuerpo perdía los aplomos en aquella posición inverosímil.

—¡Más!..., ¡más!—gritaba a los extenuados remeros, porque había llegado el momento decisivo.

Y los remos crujían, y los hombres jadeaban, y la lancha seguía encaramándose, pero ganando terreno. Cuando la popa tocaba la cima de la montaña rugiente y la débil embarcación iba a recibir de ella el último impulso favorable, Andrés, orzando [182] brioso, gritó conmovido, poniendo en sus palabras cuanto fuego quedaba en su corazón:

—¡Jesús, y adentro!...

Y la ola pasó también, sin reventar, hacia las Quebrantas, y la lancha comenzó a deslizarse por la pendiente de un nuevo abismo. Pero aquel abismo era la salvación de todos, porque había doblado la punta de la Cerda y estaban en puerto seguro.

En el mismo instante, cuando Andrés, conmovido y anheloso, se echaba atrás los cabellos y se enjugaba el agua que corría por su rostro, una voz con un acento que no se puede describir gritó desde lo alto de la Cerda:

—¡Hijo!... ¡Hijo!...

Andrés, estremeciéndose, alzó la cabeza; y delante de una muchedumbre estupefacta, vio a su padre con los brazos abiertos, el sombrero en la mano y la espesa cabellera revuelta por el aire de la tempestad.

Aquella emoción suprema acabó con las fuerzas de su espíritu; y el escarmentado mozo, plegando su cuer-

---

[182] *orzar:* gobernar de modo que la embarcación disminuya el ángulo formado por su quilla en relación con la dirección del viento. *(N. del A.)*

po sobre el tabladillo de la chopa[183], y escondiendo su cara entre las manos trémulas, rompió a llorar como un niño, mientras la lancha se columpiaba en las ampollas colosales de la resaca y los fatigados remeros daban el necesario respiro a sus pechos jadeantes.

★

Al mismo tiempo, en medio de las brumas de enfrente, un pobre patache, abandonado ya, barrida su cubierta, desgarradas sus lonas, tremolando al viento su cordaje deshilado, entre tumbos espantosos y cabezadas locas, con el último balance echaba los palos por la banda; saltaban las cadenas de las anclas con que se agarraba al fondo, en las ansias de la desesperación; reventaba una mar contra la quilla descubierta y lanzaba el mutilado casco en medio del furor de los rompientes, cuyas espumas escupían, casi en el acto, las astillas de su despedazado costillaje.

Aquellos tristes despojos flotantes eran lo único que quedaba del *Joven Antoñito de Ribadeo*.

[183]   *chopa:* en las lanchas de pescar, el cajón que llevan a popa a modo de toldilla. *(N. del A.)*

XXIX

EN QUE PARO TODO AQUELLO

No merece el bondadosísimo lector que me ha seguido hasta aquí con evangélica paciencia que yo se la atormente de nuevo con el relato de los sucesos que fácilmente se imaginan, o son de escasísima importancia a la altura en que nos hallamos del asunto principal..., si es que hay asunto principal en este libro. Dejemos, pues, que pasen horas desde las infaustas que se puntualizan en el capítulo precedente; que rueden lágrimas de hiel escaldando mejillas de afligidos, y otras harto más dulces entre abrazos de alegría y latidos de corazones sin tortura; que las piadosas ofertas a Dios, en momentos de grandes apuros, se cumplan, y que los fervorosos mareantes, y Andrés delante de todos ellos, descalzos y con los vestidos mojados aún por el agua de la tempestad, y con los remos y las velas al hombro, vayan al templo y salgan de él entre el respeto y la consideración de las gentes de la ciudad; que corran días después, y el saborcillo de otros sucesos nuevos mate en la pública voracidad el ansia por los pasados, por tristes o ruidosos que hayan sido; que las lecciones recibidas aprovechen, en unos para perdonar, en otros para corregirse; que Andrés normalice su vida por los nuevos derroteros a que le arrastran una repentina y cordial aversión a las ligerezas y entretenimientos de antes... y cierta entrevista con su amigo Tolín,

solicitada por éste y celebrada en lo más secreto y
apartado del escritorio de don Venancio Liencres;
que, en señal de lo firme de sus propósitos y lo
arraigado de sus aversiones, queme sus naves, es decir, venda su *Céfiro* y sus útiles de pesca, y regale
el dinero de su valor al viejo Mechelín, por mano del
padre Apolinar, pues él no debe poner más los pies
en la bodega; que aquella meritísima familia se re-
gocije en la creencia de que sus oraciones, con una
vela encendida ante la imagen de San Pedro, al saber
que Andrés estaba en la mar el día de la galerna, con-
tribuyeran poderosamente a su salvación; dejemos
también que el hijo de don Pedro Colindres llame a
Cleto, y, a solas con él, jure, con la solemnidad con
que lo hizo otra vez en lo alto del Paredón, pero con
mayor confianza en sus fuerzas para llegar a cumplirlo, todo lo que el noblote hijo de Mocejón necesitaba creer para quedarse solamente con la carga de
sus dudas de llegar a ser correspondido, y la de la vergüenza de ser hijo de su madre, que no era carga ligera; dejemos, en fin, que pasen dos días más, y Cleto vista la librea de los servidores de barco de rey, en
vísperas de ser llevado al Departamento, y que la
justicia humana encierre en la cárcel pública a las
hembras del quinto piso para formarles un proceso
por difamadoras y escandalosas, y vamos a dar el último vistazo a la bodega de la calle Alta.

Estaba allí el padre Apolinar, y mientras tía Sidora
y Sotileza trajinan tristemente y en silencio, él pasea
por la salita conversando con Mechelín, que se calienta con los rayos del sol que penetran por la ventana, sentado en una silla, muy cargado de ropa, des-
colorido y descarnado. No apetece ya la pipa, y sus
ojos tristes lo miran todo sin curiosidad. Estuvo a pique de morir. Confesóse con el fraile; le viaticó éste
después, y al día siguiente ya había un poco de hombre. Fue reviviendo algo más; y en cuanto pudo po-

nerse derecho, saltó de la cama, que le entristecía
mucho. Contaba con llegar a restablecerse lo necesario para volver a sus faenas de bahía. Cosas de viejos
achacosos, que parecen, como los niños, la flor de la
maravilla. Sólo que en los viejos achacosos cada zar-
pada de los achaques se lleva una buena tajada entre
las uñas. El médico del Cabildo alentaba sus esperanzas; pero yo tengo para mí que otra le quedaba dentro al buen doctor.

La mañana había sido de prueba para el pobre viejo. Como no podía salir de casa, habían estado a despedirse de él todos los mareantes que se llevaba la
leva, y faltaba Cleto todavía. Cole había estado con
Pachuca. Lloraba la infeliz que se deshacía. En la bodega fueron todos a consolarla; pero cuanto más consuelos le daban, más angustiosos eran sus gemidos.
Al mismo tiempo, la calle parecía un mar de lágrimas;
y cada vez que tía Sidora y Sotileza salían hasta el
portal para llorar con las que lloraban, Mechelín oía
los tristes rumores y sentía también la necesidad de
llorar un poco, y lloraba al cabo; porque sobre la pena
de todos los que lloraban, él tenía el temor de no
volver a ver en el mundo a aquellos camaradas que se
iban.

Pero, en fin, esto había pasado, y se había hablado
mucho sobre ello en la bodega; y se estaba hablando
ya de otro asunto, sobre el cual decía el padre Apolinar, al llegar nosotros a enterarnos de lo que allí
sucedía:

—¿*Pos* no ve *usté* cómo me pongo, *pae* Polinar?
—respondía el marinero—. Y porque me pongo, no me
extraño de *na*. Pero una cosa es no extrañarse, y otra
cosa el sentir de la persona. Hace bien en no *golver*
por aquí, por el bien *paecer* suyo y de los demás...
Pero ¡estaba uno tan hecho a verle, y le quería uno
tanto!... ¡Y esto de que yo no *haiga podío* darle un
abrazo, uno tan siquiera, *dempués* de haberle *sacao*

Dios con vida de aquel apuro en que tantos infelices perecieron...! Cierto que se lo di a su padre..., ¡me atreví a ello, vamos! ¿Creerá *usté, pae* Polinar, que con ser quien es el capitán, ¡el *mesmo* roble!..., lloraba como una criatura? ¡Buen señor es! Desde que pasó lo que pasó, él aquí viene a menudo..., él mira por mí..., él mira por estas mujeres..., él tiene consuelos *pa toos*..., él quiere que no me falte *na*..., ¡ni el cuarto de gallina *pa* el puchero!... ¿Se *pué* pedir cosa como ella? *Too* esto, sobre aquellos intereses que me mandó su hijo por mano de *usté*..., que ahí están, *guardaos* en el arca, sin saber uno qué hacer de ellos, porque de unos días acá, esto es *anadar* en posibles... ¡Hasta la manta doble, señor, y los *rufajos*[184] nuevos, y las libras de chocolate, de parte de la señora!... Vamos, que no se cansan... Y yo, que lo veo, no acabo de entender por qué Dios me da esta vejez tan regalona; quién soy yo *pa* acabar entre tantos beneficios... Pero, *golviendo* al caso, no puedo menos de confesar que me cuesta mucho hacerme a no ver en esta casa a esa criatura de los *mesmos* oros del Potosí... Es cosa de la entraña de uno, y no se puede remediar... Y a la que más y a la que menos de esas mujeres le pasa otro tanto como a mí... ¡La entraña también, hombre, la entraña neta!

—Corriente, Miguel, corriente—repuso el padre Apolinar, paseándose delante del cariñoso marinero—. Todo eso es la verdad pura, y no se falta con ello a la ley de Dios, que quiere corazones agradecidos y lenguas sin ponzoña. Punto arreglado y materia concluida. Pero hay otro que no puede dejarse como está, Miguel; que te importa mucho a ti y a todos los de tu casa..., ¡mucho, cuerno!..., ¡pero mucho!..., y ha de quedar arreglado hoy..., ahora mismo; porque dentro de poco ya será tarde... Y mira, Miguel: contando con ella y no fiando cosa mayor en mis propias fuer-

---

184 *rufajos:* lo mismo que *refajos.*

zas, porque, con ser muchas, no alcanzan siempre contra las terquedades del jinojo, he hablado al señor don
Pedro y me ha prometido darse por acá una vuelta
para ayudarme en el empeño..., que es hasta obra de
misericordia: ¡cuerno si lo es!, ¡y de las más gordas!...
Lo malo es que tarda, ¡y si se va antes el mozo puede
morir, pero el viejo no puede vivir... ¡Y si tú llegas a
faltar!..., ¡y tu mujer en seguida!... ¿Eh?... ¿Qué te
parece?

—Ya me hago cargo, *pae* Polinar, y bien sabe usté
cuál es la *voluntá* de uno; pero no es la de ella tan
clara como conviene, y ése es el mal...

—Pues ha de aclararse como se debe esa voluntad,
Miguel, y sin tardanza, y en el sentido que conviene;
porque ya la casa está libre de espantos; ya se puede
entrar aquí a la luz del mediodía, y toser recio en el
portal; porque la carne corrompida está en su pu-
dridero. Cierto que hay tres años por medio hasta que
ese *venturao* cumpla, y que en ese tiempo pueden salir ellas de la cárcel, si es que no van a galeras, como
se cree que sucederá; pero aunque no vayan, o el castigo no las mate, y se vuelvan a su casa y de nada les
sirva el escarmiento, ¿qué se nos importa a nosotros,
jinojo? Buenos valedores tenemos, y, en último caso,
se muda de vecindad y hasta de barrio, si es preciso...
¡Que hay que llevarlo a cabo, Miguel, sin remedio ninguno, jinojo, y caiga quien caiga! El mozo es un pedazo de pan, y ella no ha de quedarse para monja...
¡Cuerno, que no puede pasarse por otro camino!...
¡Silda! ¡Silda!... Ven acá. ¡Y ven tú también, Sidora!

Y las dos acudieron sin tardanza desde la cocina.

En Sotileza se notaba la huella de sus pasados su-
frimientos: estaba más ojerosa que pálida; pero con
todo ello adquiría mayor interés su natural hermosura.

Padre Apolinar la apremió valerosamente para que
resolviera allí mismo el caso en cuestión, y expuso

las razones que había para que la resolución fuera ajustada a los deseos de sus cariñosos protectores.

—¿Tienes tú—le preguntó el fraile—algún propósito entre cejas que se oponga a ese proyecto?

—No, señor—respondió Silda con gran serenidad.

—¿Hallas en Cleto algo que te repugne, más que la pícara hebra de toda su casta?

—No, señor. Cleto, por sí, es todo cuanto podría apetecer una pobre como yo. La *verdá* en su punto. Es bueno, es *honrao*..., y hasta pienso que me tiene en más de lo que valgo...

—Pues, entonces, ¡jinojo!, ¿qué más quieres? ¿A qué esperas después de lo que te ha dicho?... A veces, ¡cuerno!, parece que te empeñas en que se crea que te gozas en pagar con pesadumbres lo que por ti se desviven estos pobres viejos.

—¡Eso nunca lo pensaremos, hijuca!—exclamaron casi a un mismo tiempo los dos.

El fraile no se acobardó por eso, y añadió en seguida:

—Pues lo pensaré yo solo..., ¡y cualquiera que tenga los sentidos cabales!...

Silda se quedó unos momentos silenciosa, y como si le hubiera dolido la observación del padre Apolinar, o se preparara a tomar una resolución heroica:

—¿Creen ustedes—preguntó con altanería, pero con gran certeza—que eso que desean es lo que conviene a todos?

Y todos respondieron, unísonos, que sí...

—Pues que sea—concluyó Silda solemnemente.

—Pero ¡sin que se te atragante, hijuca!

—¡Sin que te sirva de calvario, saleruca de Dios!

A estas exclamaciones de los conmovidos viejos replicó Sotileza:

—No hay cruz que pese, con buena voluntad para llevarla.

En aquel instante entró en la bodega don Pedro Co-

lindres. Padre Apolinar le contó lo que acababa de
suceder allí, y el capitán dijo:

—Me alegro con toda el alma. Cabalmente venía yo
a ayudar con mi consejo, sabiendo lo que el tiempo
apura. Que sea enhorabuena, muchacha... Y ya que
no pueden creer que lo pongo por cebo para que te
resuelvas, me brindo a ser padrino de la boda, y quiero que tengas entendido que yo me encargo de que al
día siguiente de ella sea Cleto patrón de su propia
lancha. Y si el oficio no os gusta, tampoco han de
faltaros ni el taller ni la herramienta para otro que
os guste más. ¿Sabéis lo que quiere decir esto en boca
de un hombre como yo?...

—¡Estas son almas, cuerno!... ¡Esto es alquitrán de
lo fino, jinojo!—exclamó el padre Apolinar, retorciéndose en tres dobleces debajo de su ropa—. ¿Lo ves, Silda? ¿Lo ves, Miguel? ¿Lo ves, Sidora? ¿Ves cómo Dios
está en los cielos y tiene para todos los que lo merecen?...

Pero ni Silda, ni Mechelín, ni tía Sidora estaban
para contestar: aquélla, porque cayó en una especie
de estupor difícil de definir, y los otros dos, porque
comenzaron a lloriquear. El capitán añadió:

—Todo ello no vale dos cominos, padre Apolinar;
pero aunque valiera, harto lo merecen aquí; y tú más
que nadie, muchacha..., porque yo me entiendo. Conque ánimo, que eres joven, y tres años luego se pasan...

—¡Virgen del Mar!, dame vida no más que para
verlo—exclamó tío Mechelín entre sollozos.

Casi al mismo tiempo decía su mujer:

—¡Bendito sea el Señor, que pone la *melecina* tan
cerca de la llaga!

En esto entró Cleto. Vestía camiseta blanca con ancho cuello azul sobre los hombros; cubría la mitad
de su cabeza con una gorra azul, con largas cintas
colgadas por atrás, y llevaba al brazo un envoltorio,
que era todo su equipaje. Estaba guapetón de veras.

Entró con aire resuelto, y dirigiéndose en derechura a la moza, sin reparar cosa mayor en las personas que estaban con ella, le habló así:

—Un ratuco me queda no más, Sotileza. A aprovecharle vengo *pa* saber el sí *u* el no; porque sin el uno *u* el otro no salgo de Santander aunque me arrastren... Y mírame bien antes de hablar... Con el sí, no habrá trabajos que allá me asusten; con el no, me voy *pa* no *golver*... ¡Lo *mesmo* que la luz de Dios que nos alumbra!

Había entonces en la actitud de Cleto cierta ruda grandeza que le sentaba muy bien. Sotileza le respondió, envolviendo sus palabras sonoras en una hermosa mirada de consuelo:

—El sí quiero darte, porque bien merecido lo tienes... Mejor que yo el empeño con que lo deseas.

Después, llevando sus manos alrededor de su blanquísimo y redondo cuello, por debajo del pañuelo que se lo guarnecía, se quitó una cadenilla de la que pendía una medalla de plata con la imagen de la Virgen, y añadió, entregándosela:

—Toma, *pa* que el camino de la vuelta se te allane mejor. Y si alguna vez te quita el dormir una mala idea, pregúntale a esa Señora si yo soy mujer de faltar a lo que ofrezco.

Cleto se abalanzó a la tibia medalla y la cubrió de besos, y se santiguó con ella, y volvió a besarla; la arrimó a su corazón y, por último, la colgó a su cuello; y entre tanto, soltando gruesos lagrimones de sus ojos, decía acelerado y convulso:

—¡Bendita sea la *bondá* de Dios, que tiene tanta compasión de mí!... ¡Esto es más de lo que yo quería, paño!... ¡Que vengan penas ahora!... ¡Ya tengo bandera!... ¿Quiere saber alguno lo que Cleto es capaz de hacer?... *Pos* que se me pida que la arríe, *u* que me aparte de ella... Tío Miguel..., tía Sidora..., señor don Pedro..., *pae* Polinar..., no llevo más que

una *pesaúmbre* ya... Aquel hombre, paño..., ¡cómo
se queda!... *Tendío* le dejo encima del jergón... No sé
si *malenconía*... *u cafetera...*, porque de días acá no
tiene *calo pa* el aguardiente. ¿Qué va a ser de él en
aquella *soledá?*... Yo hacía mucha falta en casa, ahora más que nunca; pero la ley es la ley, y no tiene
entraña... Por *caridá* siquiera..., ¡que no fenezca en
el desamparo!... Yo bien sé que en esta cosa no hizo
méritos *pa* tanto; pero es mi padre, y es viejo..., y
se ve solo... Una vez que otra..., ¡paño!..., hacer que
tome cosa caliente... Y, vamos, olvidar el agravio, por
caridá de Dios.

Tranquilizaron todos a Cleto, prometiéndole que se
miraría con mucho interés por su padre; y en seguida
comenzaron las despedidas. Cuando le tocó su vez a
tío Mechelín, pidió éste un abrazo a Cleto; y estando
abrazados los dos, dijo el enfermo marinero, arriman-
do la boca al oído del mozo:

—Yo no lo veré ya, Cleto; y por esto te quiero decir
ahora lo que entonces no podré decirte. Te llevas una
compañera que no merece ningún hombre *nacío*. Si
allegas a hacerla venturosa, han de tenerte envidia
hasta los reyes en sus palacios; pero si la matas a
pesaúmbres, no cuentes con el perdón de Dios.

Cleto, por toda respuesta, apretó al viejo entre sus
brazos; y como ya no estaba su serenidad para muchas ceremonias, desprendióse de tío Mechelín y salió precipitadamente de la bodega.

Padre Apolinar se encasquetó su sombrero de teja
y salió corriendo detrás de él.

—¡Aguárdate, hombre!—le gritaba—, que voy yo
a despedirme de vosotros en la punta del muelle. ¡Pues
no faltaba más, ¡cuerno!, que os embarcarais sin la
bendición de Dios por esta mano pecadora!

Y mientras don Pedro Colindres se quedaba un rato en la bodega animando a tío Mechelín a que echara una pipada, tratando de paso el punto de la soledad

de Mocejón, *pae* Polinar salió a la calle y alcanzó a Cleto, que era ya el último que por ella andaba de los de su Cabildo comprendidos en la leva.

La pública curiosidad todo lo convierte en sustancia. Por eso los balcones del último tercio del muelle estaban llenos de espectadores cuando el padre Apolinar y Cleto pasaban por allí caminando hacia el Merlón, cuajado, como su rampa del Este, de mareantes y de familias de mareantes de los dos Cabildos, y de una muchedumbre de curiosos de todos linajes.

Si el padre Apolinar hubiera sido reparón y estado en autos, quizá habría dado alguna importancia maliciosa a la intimidad con que departían Luisa y Andrés en uno de los balcones de la habitación de don Venancio Liencres, sin hacer caso maldito de lo que pasaba en la calle, ni en la cara que pondrían Tolín y su madre, que estaban detrás de ellos. Pero, por no reparar, el santo varón ni siquiera reparó en la capitana, que iba por la acera, hecha un brazo de mar y mirando de reojo al primer piso, bañándosele la faz de complacencia, quizá por ver tan bien entretenido a aquel diablo de muchacho.

De lo que ocurrió en la punta del muelle con ocasión de embarcarse los mareantes de la leva para el servicio de la patria debo decir yo aquí muy poco, después de haber consagrado en otra parte[185] largas páginas a ese duro tributo impuesto por la ley de entonces al gremio de pescadores, en compensación del monopolio de un oficio que cuenta, entre sus riesgos más frecuentes, los horrores de la galerna. Diré, por decir algo y porque no se quede el asunto sin los debidos honores, que fue tan imponente como sencillo el cuadro final de aquel triste espectáculo: dos lanchas atestadas de hombres, al este del Martillo, arrancan-

[185] *Escenas montañesas.*

do, a fuerza de remos, hacia San Martín; sobre el Martillo, una muchedumbre descubierta y encarada a las lanchas, descollando sobre todas las cabezas otra cabeza gris, medio oculta por unas espaldas encorvadas, y unido a estas espaldas, un brazo negro que trazaba una cruz en el espacio.

Y como no queda otro asunto por ventilar de los tocantes a este libro, dejémoslo aquí, lector pío y complaciente, que hora es ya de que lo dejemos; mas no sin declararte que, al dar reposo a mi cansada mano, siento en el corazón la pesadumbre que engendra un fundadísimo recelo de que no estuviera guardada para mí la descomunal empresa de cantar, en medio de estas generaciones descreídas e incoloras, las nobles virtudes, el mísero vivir, las grandes flaquezas, la fe incorruptible y los épicos trabajos del valeroso y pintoresco mareante santanderino.

INDICE

ESTA OBRA ACABOSE DE
IMPRIMIR EL DIA CINCO
DE JULIO DE MIL NOVE-
CIENTOS SESENTA Y DOS,
EN LOS TALLERES TIPO-
GRAFICOS DE E. SANCHEZ
LEAL, S. A. DE ARTES
GRAFICAS, DOLORES, 9,
MADRID